LE VIDE

2. FLAMBEAUX

LE VIDE

2. FLAMBEAUX

PATRICK SENÉCAL

ALIRE

Maquette de couverture : ALIRE
Photographie : KARINE PATRY

Distributeurs exclusifs :

Canada et États-Unis :
Messageries ADP
2315, rue de la Province
Longueuil (Québec) Canada
J4G 1G4
Téléphone : 450-640-1237
Télécopieur : 450-674-6237

France et autres pays :
Interforum editis
Immeuble Paryseine
3, Allée de la Seine, 94854 Ivry Cedex
Tél. : 33 (0) 4 49 59 11 56/91
Télécopieur : 33 (0) 1 49 59 11 33
Service commande France Métropolitaine
Tél. : 33 (0) 2 38 32 71 00
Télécopieur : 33 (0) 2 38 32 71 28
Service commandes Export-DOM-TOM
Télécopieur : 33 (0) 2 38 32 78 86
Internet : www.interforum.fr
Courriel : cdes-export@interforum.fr

Suisse :
Interforum editis Suisse
Case postale 69 – CH 1701 Fribourg – Suisse
Téléphone : 41 (0) 26 460 80 60
Télécopieur : 41 (0) 26 460 80 68
Internet : www.interforumsuisse.ch
Courriel : office@interforumsuisse.ch
Distributeur : OLS S.A.
Zl. 3, Corminbœuf
Case postale 1061 – CH 1701 Fribourg – Suisse
Commandes :
Tél. : 41 (0) 26 467 53 33
Télécopieur : 41 (0) 26 467 55 66
Internet : www.olf.ch
Courriel : information@olf.ch

Belgique et Luxembourg :
Interforum editis Benelux S.A.
Boulevard de l'Europe 117, B-1301 Wavre – Belgique
Tél. : 32 (0) 10 42 03 20
Télécopieur : 32 (0) 10 41 20 24
Internet : www.interforum.be
Courriel : info@interforum.be

Pour toute information supplémentaire
LES ÉDITIONS ALIRE INC.
C. P. 67, Succ. B, Québec (Qc) Canada G1K 7A1
Tél. : 418-835-4441   Fax : 418-838-4443
Courriel : info@alire.com
Internet : www.alire.com

Les Éditions Alire inc. bénéficient des programmes d'aide à l'édition de la Société de développement des entreprises culturelles du Québec (SODEC), du Conseil des Arts du Canada (CAC) et reconnaissent l'aide financière du gouvernement du Canada par l'entremise du Programme d'aide au développement de l'industrie de l'édition (PADIÉ) pour leurs activités d'édition.

Gouvernement du Québec – Programme de crédit d'impôt pour l'édition de livres – Gestion Sodec.

1er dépôt légal : 1er trimestre 2008
Bibliothèque nationale du Québec
Bibliothèque nationale du Canada

TABLE DES MATIÈRES

Chapitre 33 1

Chapitre 6 45

Chapitre 34 57

FOCALISATION ZÉRO 109

Chapitre 35 111

Chapitre 18 119

Chapitre 7 183

Chapitre 36 229

Chapitre 26 295

Chapitre 37 299

Chapitre 19 355

FOCALISATION ZÉRO 375

Chapitre 38 . . . . , ... 377

FOCALISATION ZÉRO 393

Chapitre 39 401

Chapitre quarante .413

Toute ressemblance entre des personnages
et des personnes réelles ne serait que pure coïncidence.

CHAPITRE 33

NOM : Nadeau

PRÉNOM : Diane

ÂGE : 33

ÉTAT CIVIL : Célibataire (séparée)

OCCUPATION : Secrétaire ressources humaines cégep de Drummondville

RÊVE : Se venger de son ex-conjoint Paul Gendron

DÉTAILS : Ne sait pas trop comment cette vengeance pourrait se faire. Se dit trop idiote pour songer elle-même à une vengeance. S'attend à ce que Max Lavoie ait une bonne idée. Quand on lui demande de proposer tout de même quelques pistes, elle dit qu'elle aimerait qu'il perde son emploi, ou qu'on le pousse à tromper sa nouvelle blonde, ou autre chose. Très bizarre. (voir rapport psy)

À la fin du rapport, il y a le nom de l'analyste, la date (au début de décembre 2005) ainsi que le lieu de l'entrevue : secteur Centre-du-Québec, Drummondville.

— Lavoie avait dispersé quarante-quatre postes d'auditions dans la province, explique Pierre. Je me suis souvenu qu'il y en avait effectivement un ici, au centre-ville, dans un petit local de la rue Lindsay.

— Je m'en souviens aussi, répond Chloé en grimaçant. Il y avait toujours des files d'attente.

Pierre, assis derrière son bureau, consulte le rapport en mâchouillant un crayon. Debout à l'autre bout de la pièce, sa collègue, appuyée contre un mur, a entre les mains une photocopie du même rapport. Tous deux se taisent un moment pour relire la feuille.

— Lavoie a sûrement rejeté cette demande parce que le rêve de Nadeau était trop *heavy*, raisonne Pierre. Son émission a déjà permis à des gens de se venger, mais c'était moins pire que ça.

Chloé secoue la tête et marmonne :

— Quand je pense que tu as assisté à son show, hier, en direct !

— Je me demande si on m'a vu, à un moment donné...

— Non, heureusement !

— Qu'est-ce que t'en sais ?

— Je l'ai écouté.

Pierre lui lance un regard ironique.

— C'était la seconde fois, précise-t-elle. Je savais que tu allais rencontrer Lavoie. (Elle se tait un moment, puis :) C'était encore pire que la première fois.

— Tu prends ça trop au sérieux...

— Ah oui ? Le gars qui courait tout nu, tu penses qu'il ne se prenait pas au sérieux ? Et la fille qui se battait avec les gars, elle faisait ça juste pour rire, peut-être ?

— Pis les humoristes qui ont aidé un homme malade, se défend Pierre. C'était ridicule pis dégradant, ça, je suppose ?

— Ça arrive combien de fois, des trips humanistes comme celui-là ?

— Bon, si on regardait le rapport du psy, maintenant ? propose Pierre, bourru, en tournant la feuille.

Il explique à Chloé que les équipes d'auditions se composaient d'un analyste et d'un psychologue ; ce dernier devait dresser un portrait psychologique général du postulant, afin de s'assurer de l'équilibre mental du candidat. Il lit à haute voix celui concernant Nadeau :

Diane Nadeau m'apparaît profondément instable. Elle semble avoir une fixation sur son ex-conjoint. Son univers a toujours tourné autour de ce dernier, dont le départ a manifestement provoqué chez elle une brisure et un très fort sentiment de trahison. Elle nourrit désormais pour son ex un sentiment de haine tellement fort qu'elle réalise peu ou prou l'aspect malsain de la demande qu'elle fait aujourd'hui. Sans qu'elle l'ait exprimé directement, certaines de ses interventions laissent supposer qu'elle souhaiterait la mort de son ex, même si elle est consciente que l'émission ne peut aller jusque-là. Elle voit tout de même dans l'émission une sorte de bouée de sauvetage qui pourrait tout régler, ce qui me porte à croire qu'elle est extrêmement influençable. Elle a consulté des spécialistes à quelques reprises dans le passé et elle est en ce moment sous antidépresseurs. J'aurais tendance à diagnostiquer une dépression profonde. De plus, je soupçonne en comorbidité un trouble de la personnalité borderline. Un suivi psychothérapeutique serait souhaitable.

La date de l'audition et le nom de la psychologue suivent.

Les deux détectives se regardent d'un air entendu. Tout cela confirme le portrait qu'ils avaient dressé de Nadeau lors de la première enquête. Mais aucun indice sur le lien entre elle et le commando qui est venu la tuer. Pierre revient à la première page du rapport. Il remarque à nouveau ces trois lettres écrites au stylo, en haut à droite : *DEL*.

— Je me demande ce que veulent dire ces trois lettres, songe-t-il à voix haute.

— Sûrement un code qu'ajoutait Lavoie sur les rapports qu'il ne retenait pas pour l'émission. DEL, ça veut peut-être dire *delete*, ou quelque chose du genre.

— Pas bête.

Pierre ouvre le dossier judiciaire de Nadeau et y joint le rapport d'audition. Il tombe sur la lettre galante qu'elle a reçue et la prend d'un air intrigué.

— Tout de même, elle avait un amant, fait-il remarquer. C'est un signe qu'elle était moins obsédée par son ex, non ?

— Si on se fie à la lettre en question, Nadeau passait des mois sans le voir. Pour elle, ce « Gros Loup » était peut-être juste une sorte de défoulement sexuel, sans lien affectif. D'ailleurs, cet homme qui voyage tout le temps doit être retourné en Europe sans même savoir que sa maîtresse est morte. Il se demande sûrement pourquoi elle ne l'a pas rappelé.

Là-dessus, Bernier, sans s'annoncer, entre dans le bureau et demande si le rapport d'audition leur a appris quelque chose.

— Ça confirme, mais ça ne nous apprend rien, répond Pierre avec résignation.

Bernier hoche la tête, déçu mais pas réellement surpris. Tout à coup, son visage change complètement d'expression :

— Pis toi, il paraît que t'en as profité pour assister à l'émission d'hier soir ?

— Oui, monsieur ! C'est Max Lavoie lui-même qui m'a invité ! confirme Pierre non sans une certaine fierté.

— *Wow !* Comment il est ?

— Super sympathique, très simple. Pas chiant pour deux cennes !

— Donc, t'as vu le gars *live* descendre sur la scène complètement à poil ?

— Je comprends, il est même passé juste à côté de moi !

Bernier s'esclaffe tandis que Chloé, avec un petit soupir mi-exaspéré, mi-amusé, préfère sortir de la pièce.

◆

Le soir, en retournant chez lui, Pierre accepte d'aller reconduire sa collègue. Dans la voiture, il se moque d'elle gentiment :

— Tu refuses de venir travailler avec ton *char* pour pas polluer, mais tu acceptes que quelqu'un d'autre pollue pour te rendre service, par exemple !

— Non, non, mauvais raisonnement, rétorque Chloé qui joue le jeu. Même si tu n'étais pas venu me reconduire, t'aurais pollué de toute façon pour retourner chez vous !

Il sourit et la détective lui fait remarquer :

— Tu devrais sourire plus souvent, ça te va bien.

Pierre ne trouve rien à répliquer à ce compliment, un rien gêné. Puis, sa collègue lui demande d'arrêter à la tabagie Marier et, comme la dernière fois, elle en ressort avec plusieurs journaux sous le bras. Après quelques minutes de route, elle demande prudemment, après hésitation :

— As-tu des nouvelles de Karine ?

Pierre songe un moment à lui dire que sa fille a laissé deux messages sur son répondeur, mais change d'idée. Elle lui demanderait pourquoi il ne l'a pas rappelée et il n'a pas envie de se justifier.

— Non, pas de nouvelles.

— Tu devrais l'appeler.

Pierre n'a aucune réaction et Chloé ne le relance pas ; elle change même de sujet en lui demandant comment va son bras. Pierre répond qu'il ne sent presque plus la blessure.

Lorsqu'il entre chez lui, il constate qu'il y a un message sur son répondeur. Tout à coup, il se dit que s'il s'agit encore de Karine, il la rappelle immédiatement. Mais c'est sa mère qui veut prendre des nouvelles. Sur le coup, il se sent déçu, mais se convainc que c'est un signe qu'il a raison de ne pas vouloir rappeler sa fille.

Le soir, il écoute un film policier. L'histoire est plutôt pépère jusqu'à ce qu'éclate une fusillade totalement surréaliste dans les rues de L.A. En temps normal, cette scène aurait bien diverti le détective, mais ce soir, la chair de poule lui parcourt tous les membres. Étourdi, il lutte pendant quelques minutes en se traitant de mauviette, mais finit par changer de chaîne, la gorge serrée. Les coudes sur les cuisses, il se frotte le visage en prenant deux grandes respirations. Pour la première fois, il se demande si c'est vraiment une bonne chose qu'il s'occupe de cette enquête. Mais ce doute ne dure qu'un instant : c'est la fatigue qui le rend si vulnérable, si fragile, ainsi que cette histoire avec Karine. Comment peut-il douter de ce qu'il fait ? De plus, cette solution vient de son psychologue en personne. Ce Ferland sait ce qu'il fait, non ?

Il remet la télé à la chaîne du film policier. La fusillade est terminée. Rasséréné, il continue le visionnement.

◆

Le lendemain, Pierre et Chloé passent l'avant-midi à questionner par téléphone, encore une fois, l'entourage de Nadeau et des quatre membres du commando. Rien en commun : ni ami, ni parent, ni endroit, ni âge, ni travail… Quant aux recherches sur Wizz-Art et Impec, les deux compagnies fantômes, elles n'ont rien donné.

Mais à la fin de la matinée, Pierre croit enfin apercevoir l'ombre de ce lien. Il est en train de se remplir un café à la machine distributrice lorsque Gauthier s'approche.

— Alors, l'enquête piétine, il paraît ?

Pierre croit que son collègue vient le mettre en boîte pour se venger d'avoir été écarté de l'enquête, mais il se rend compte que Gauthier pose la question sans raillerie. Tout en mettant du sucre dans son café, il répond, laconique :

— Disons que ça avance pas vite.

— On vient de m'informer que tu étais allé questionner Max Lavoie parce que Nadeau a auditionné pour son émission.

— C'est vrai. On néglige aucune piste qui pourrait nous renseigner.

— Lavoie, il est comment ?

— Ben sympathique.

— Ça me surprend pas. Il a l'air cool.

Court silence. Gauthier reste là, indécis. Pierre, tout en brassant son café, se demande ce que veut son collègue au juste. S'attend-il à des excuses pour avoir été « tassé » si cavalièrement l'autre jour ?

— Le jeune de Roberval, Richard Proulx, il a auditionné aussi, laisse finalement tomber Gauthier.

Pierre le regarde enfin.

— Comment tu sais ça ?

Gauthier explique que c'est lui qui a interrogé les parents de Proulx qui, évidemment, n'arrêtaient pas de pleurer. La mère (ou le père, le détective n'était plus bien sûr) affirmait que rien n'intéressait son fils sauf l'astronomie, qu'il était amorphe la plupart du temps... puis elle (ou il) avait glissé que Richard avait eu un petit regain d'énergie l'automne d'avant lorsqu'il avait auditionné pour *Vivre au Max*. Mais au bout de deux mois, comme il n'avait aucune nouvelle et qu'il en avait conclu que sa demande avait été rejetée, il était retombé dans son indolence habituelle.

— Et il auditionnait pour réaliser quel rêve? demande Pierre.

— Aucune idée.

— Pourquoi t'as pas mentionné ça dans ton rapport?

— Voyons, Pierre, pourquoi j'aurais noté ça? La mère ou le père a glissé ça par hasard dans son témoignage, c'est un détail qui n'avait rien à voir avec notre cas.

Pierre doit reconnaître que c'est vrai. Tout de même, il ne peut s'empêcher de croire que *lui*, il l'aurait noté... Gauthier ajoute:

— Mais quand j'ai su que tu étais allé voir Lavoie à propos de Nadeau, ce détail-là m'est revenu et... Je me suis dit que ça pourrait peut-être t'intéresser.

Pierre comprend enfin. En racontant cette histoire, Gauthier désire montrer qu'il n'en veut plus à son collègue et reconnaît ainsi avoir réagi trop promptement l'autre jour. Il est même prêt à aider s'il le peut.

— Ben... merci, Sam.

Gauthier hausse une épaule, feignant un certain détachement.

— Pas de problème...

Après un court silence embourbé, les deux hommes se séparent, aucun d'eux ne sachant comment présenter directement ses excuses à l'autre.

Cinq minutes plus tard, Pierre fait venir Chloé et Bernier dans son bureau et leur transmet l'information fournie par Gauthier. Bernier a une petite moue étonnée, mais sans plus. En fait, il semble surtout chercher une position confortable. Chaque fois qu'il n'est pas dans son bureau, le capitaine est mal à l'aise. D'ailleurs, il est plus souvent dans son bureau que dans sa propre maison. Tout le monde au poste sait que le couple de Bernier bat dangereusement de l'aile depuis quelques années et que moins le capitaine est en présence de sa femme (qu'il ne se décide pas à quitter), mieux il se sent.

— Tu songes à quoi, au juste ? demande-t-il enfin.

— Que les cinq auraient passé une audition pour l'émission ? poursuit Chloé.

— C'est loin d'être sûr, je le reconnais, mais admettons que ce soit ça, le fameux lien entre eux qu'on cherche depuis cinq semaines…

— D'accord, admettons. Alors ? Ça démontrerait quoi, au juste ?

— Peut-être qu'ils se sont rencontrés durant ces auditions, propose le détective.

Bernier soupire en se massant le front. Pourquoi une histoire aussi dingue est-elle arrivée sous son mandat ? Lui qui travaille à Drummondville pour avoir une vie tranquille !

— Il y avait des auditions partout au Québec, pourquoi les quatre membres du commando auraient auditionné à Drummondville ?

— Je sais pas, peut-être qu'ils étaient tous dans le coin à ce moment-là.

— Voyons, Pierre, t'es pas sérieux ! fait Bernier. En plus, on n'est pas sûrs du tout qu'ils se sont déjà rencontrés ! Peut-être que les quatre kamikazes ont juste rempli un contrat de…

— Écoute, là ! rétorque Pierre avec humeur. Ça fait un mois qu'on cherche un lien entre ces cinq personnes-là ! Est-ce qu'elles se connaissaient, est-ce qu'elles se sont rencontrées, est-ce qu'elles ont juste été engagées par quelqu'un d'autre, je le sais pas ! Mais faut ben qu'il y ait un lien quand même ! On a cherché, on est retournés interroger tout le monde, pis on a rien trouvé ! Là, on apprend qu'il y en a deux sur les cinq qui ont auditionné pour l'émission *Vivre au Max !* C'est sûrement juste un hasard, mais criss ! on peut-tu vérifier si les autres ont aussi auditionné ? On peut-tu juste faire ça ? Parce que sinon, le prochain *move*, c'est de vérifier si elles ont acheté leurs bobettes au même magasin !

Le rire cristallin et pimpant de Chloé danse tout à coup dans la lourde atmosphère de la pièce. Pierre la dévisage, peu habitué à faire rire les gens. La détective, sans cesser de sourire, approuve tout de même :

— T'as raison, Pierre. Il faut tout essayer…

Pierre s'assoit enfin.

◆

Le dimanche soir, après deux jours de coups de téléphone, les résultats sont peu encourageants : personne dans l'entourage de Siu Liang, Louis Robitaille ou Philippe Lacharité n'est au courant de la moindre audition pour *Vivre au Max*. Si la femme de Lacharité et le patron de Liang confirment que le fonctionnaire et la dentiste aimaient l'émission, les amis de Robitaille jurent que le peintre n'aurait jamais auditionné pour une telle niaiserie.

— Il faut dire qu'on a pas réussi à rejoindre les deux meilleures amies de Siu Liang, rappelle Pierre.

Elles sont peut-être parties ensemble pour le week-end. On leur a laissé un message pour qu'elles nous rappellent le plus rapidement possible. Pis si on a rien de plus d'ici deux jours, on appelle Lavoie pour lui demander carrément de fouiller dans ses archives.

Mais il dit cela sans y croire vraiment et Chloé semble penser la même chose : la piste des auditions pour l'émission ne mène sans doute nulle part.

Tandis qu'il conduit sa voiture sous la pluie, Pierre songe à sa fille. Depuis qu'il s'est dit qu'il lui répondrait si elle tentait de le joindre à nouveau, Karine n'a plus donné signe de vie. Alors pourquoi attendre un troisième appel ? Pourquoi ne pas l'appeler tout de suite ?

Parce que c'est à elle de tout avouer, d'assumer, de s'excuser et de demander pardon...

Il réalise alors que sa voiture va croiser le restaurant Jucep dans quelques secondes. Lui qui, depuis cinq semaines, évite ce chemin, a été distrait par ses pensées et est maintenant sur le point de se retrouver sur les lieux de la fusillade. Il serre son volant avec force et accélère.

Sa voiture passe exactement où était le fourgon. Pierre croit même entendre le son des AK-47... les cris de Rivard... et là, par terre... C'est rouge, ça ne peut être de la pluie... Mon Dieu, c'est du sang, plein de sang dans la rue, ça déborde jusque sur les trottoirs ! La ville ne l'a donc pas encore nettoyé ? Il accélère toujours, le visage couvert de sueur. Il doit s'éloigner de cet endroit... Mais il va trop vite, il va emboutir cette voiture devant... Non, ce n'est pas une voiture, c'est un fourgon ! Un fourgon arrêté, la porte arrière ouverte sur cette silhouette qui tourne son visage familier vers lui !

Pierre freine de toutes ses forces en poussant une sorte de couinement strident. Un autre son aigu retentit et, éperdu, il se retourne : une voiture s'est arrêtée à quelques centimètres de la sienne et le chauffeur en sort déjà, furibond. Le policier reporte son regard halluciné devant lui : aucun fourgon. Seulement le boulevard Saint-Joseph qui s'allonge en ligne droite. Pierre appuie son front contre le volant. De l'autre côté de la vitre de sa portière, le conducteur de la voiture arrière, dégoulinant de pluie, s'agite en tous sens en vociférant :

— Ostie de malade, tu sais pas conduire ? Envoie, sors ! Sors, qu'on règle ça !

Pierre garde la tête contre le volant tout en prenant de grandes respirations.

◆

Lundi après-midi, à son rendez-vous chez Ferland, Pierre résume où en est l'enquête et, devant l'air captivé de son auditeur, se dit une fois de plus que la curiosité du psychologue dépasse le simple intérêt clinique.

— Vous croyez donc que Nadeau et les quatre tueurs ont tous auditionné pour l'émission *Vivre au Max* ?

— C'est une piste mais, franchement, c'est peu probable. Et effectivement, elle semble mener nulle part.

Ferland hoche la tête, de plus en plus intéressé.

— Quand même, c'est intéressant. Vous devriez retourner voir Lavoie et lui poser carrément la question.

Voilà que son psy se permet des conseils pour l'enquête, à présent ! Poliment, Pierre dit :

— On a l'intention de l'appeler, Frédéric. On sait comment faire notre travail.

Ferland se sent obligé de se justifier et lève une main en signe de défense :

— Je ne dis pas ça pour me mêler des affaires de la police ! Comprenez-moi bien, Pierre : je vous ai conseillé de reprendre cette enquête pour que vous régliez vos comptes avec vos démons intérieurs. Moins l'enquête ira bien, plus vous aurez l'impression que vos démons gagnent. D'ailleurs, comment a été votre semaine, côté moral et émotif ?

À contrecœur, Pierre admet que ç'a été plus difficile.

— Vous savez pourquoi ? relance le psychologue. Parce que votre enquête piétine ! Mais vous ne devez pas faiblir. Vous devez aller au bout des pistes pour être plus fort que votre traumatisme.

— Je comprends, mais soyez sûr que je fais l'impossible dans cette enquête pis que je suis le premier à vouloir… heu… foutre une raclée à mes… mes démons, comme vous dites…

Ferland remonte ses lunettes.

— Très bien. Comme vous me semblez plutôt mal en point, j'aimerais qu'on se revoie plus rapidement. Que diriez-vous de jeudi, dans trois jours ?

Pierre n'est pas convaincu de l'utilité de la chose, mais accepte : si Bernier apprenait que son détective n'est pas coopératif, il pourrait lui enlever l'enquête. Juste avant qu'il ne sorte du bureau, Ferland lui demande avec curiosité :

— Ce Max Lavoie, il est comment ?

— Très sympathique ! Un gars super simple, proche du monde !

— Proche du monde, oui…

Et en marmonnant ces mots, Ferland a un sourire que Pierre n'arrive pas à interpréter.

— Est-ce que vous écoutez son émission ? demande le policier.

— L'année dernière, je ne l'écoutais pas, mais cet été, je n'en manque pas une.

— C'est bon, hein ?

— Non, pas vraiment.

La réponse désarçonne complètement Pierre. Sans autre explication, Ferland lui souhaite une bonne fin de journée.

Dehors, la pluie tombe pour la sixième journée d'affilée et Pierre, en montant dans sa voiture, se dit qu'il n'a pas vu un mois de juillet aussi pourri depuis des lustres. Il vient à peine de démarrer que son cellulaire sonne. C'est Chloé.

— J'aurais pu t'appeler il y a une demi-heure, mais je ne voulais pas te déranger pendant ta rencontre.

— Qu'est-ce qui se passe ?

— Les deux amies de Siu Liang qu'on n'arrivait pas à joindre ont rappelé à vingt minutes d'intervalle. Effectivement, elles étaient ensemble à la campagne. Je les ai questionnées et elles affirment que Liang a auditionné pour la première saison de *Vivre au Max* il y a presque deux ans, en octobre 2004.

Pierre arrête sa voiture à un feu rouge et écoute attentivement.

— Elles disent que Liang en parlait peu parce qu'elle craignait de ne pas être choisie, poursuit Chloé. C'est d'ailleurs ce qui est arrivé et ça l'a beaucoup déprimée.

La détective fait une petite pause et ajoute :

— Ça fait trois sur cinq, Pierre. J'avoue que ça commence à être intrigant.

— Très.

Il réfléchit rapidement, regarde l'heure sur le tableau de bord : dix-sept heures dix.

— Trouve-moi le numéro de téléphone des Studios Max et rappelle-moi.

Il raccroche. Le feu tourne au vert et Pierre se remet en route. Trente secondes plus tard, Chloé le rappelle pour lui donner le numéro. Pierre le mémorise, coupe la communication et compose la série de chiffres. Le secrétaire de l'animateur lui dit que monsieur Lavoie ne reviendra que le lendemain. Évidemment, il refuse de divulguer le numéro personnel de son patron.

— Je suis policier! insiste Pierre. J'ai vu monsieur Lavoie la semaine dernière!

— Et alors? répond froidement le secrétaire. Même si vous étiez le pape, je ne vous donnerais pas ce numéro. Monsieur Lavoie est un homme très sollicité qui…

Pierre coupe la communication en maugréant et s'arrête à un nouveau feu rouge. Il réfléchit rapidement. Il est bien conscient que rebondir chez le célèbre animateur sans prévenir est plutôt cavalier et qu'il est très possible que Lavoie ne soit tout simplement pas chez lui; mais il se trouve si près de Montréal que cela serait bête de ne pas essayer. Et puis, Ferland l'a drôlement fouetté avec son petit discours, au point que le détective se sent incapable de rentrer tout bonnement chez lui et d'appeler Lavoie demain.

Son psy veut qu'il aille au bout des pistes? Eh bien! il va y aller!

Trois minutes plus tard, il roule sur l'autoroute 20 en direction de Montréal.

◆

Comme tout bon policier, Pierre a un excellent sens de l'orientation et, malgré la pluie violente, trouve son chemin sans difficulté dans les rues d'Outremont. Il arrête sa voiture devant la grille fermée et, le veston relevé sur la tête, court jusqu'à l'interphone. Il appuie sur le bouton et, après ce qui lui semble une éternité, une voix nonchalante, avec un léger accent espagnol, demande de quoi il s'agit.

— Je voudrais voir monsieur Lavoie.

— Monsieur Lavoie est absent.

Et voilà, il fallait s'y attendre. Pierre demande tout de même :

— Vous attendez son retour pour bientôt ?

— Vous êtes qui, au juste ?

— Je suis de la police.

Silence. Pierre lisse ses cheveux trempés.

— Vous êtes encore là ? demande-t-il.

— Vous êtes vraiment flic ?

— Sergent-détective, répond Pierre, piqué par cette arrogance. Si vous voulez voir ma carte, hésitez pas à venir me rejoindre !

— Monsieur Lavoie devrait être de retour bientôt. Revenez dans trente minutes.

— Pis si je l'attendais confortablement avec vous ? Je sais pas si vous l'avez remarqué, mais c'est pas le temps idéal pour une balade en voiture…

Nouveau silence. Pierre, qui a de plus en plus l'impression de se transformer en éponge, est sur le point de perdre patience lorsqu'un timbre électrique se fait entendre et que la grille s'ouvre. Le détective retourne rapidement dans sa Suzuki et, une minute plus tard, se stationne près de la grande maison. Il gravit quatre à quatre les marches vers l'entrée, où un Espagnol en livrée l'attend dans l'embrasure de la porte ouverte.

— Je peux voir votre badge ? demande le major-dome d'un air hautain.

Pierre le lui met littéralement sous le nez. L'Espagnol daigne enfin s'écarter et Pierre entre. Tandis qu'il essuie l'eau sur son visage, le majordome lui indique à contrecœur le salon.

— Vous pouvez attendre monsieur Lavoie, il ne devrait pas tarder. Vous voulez quelque chose ?

— Ça va aller, fait Pierre, renfrogné.

Le majordome s'éloigne. Sympathique, l'hispano ! Si tous ceux de sa race sont comme lui, Pierre est bien aise qu'il n'y en ait pas trop à Drummondville !

Le salon est immense et, comme Pierre s'y attendait, chic et moderne, tout en tons de blanc et de noir. Même la table de billard, dans le fond, est blanche. Les grandes fenêtres ont une vue splendide sur la forêt qui entoure la maison. C'est quand même beau, la richesse… Pierre savait bien que la vue de l'intérieur de cette maison le déprimerait. Par contre, il se console en constatant que la télévision est plus petite que la sienne. L'écran diffuse un vidéoclip de chanson hip-hop et la musique jaillit des quatre haut-parleurs à un volume heureusement raisonnable. À trois mètres de la télé, installé dans un divan en cuir, un adolescent d'environ treize ans, bien habillé, cheveux noirs et bouclés, fixe l'écran avec attention. Debout à l'entrée du salon, Pierre examine un moment le jeune et le reconnaît enfin : c'est le neveu de Lavoie. L'animateur le trimballe presque partout avec lui. Comment il s'appelle, déjà ?

— Salut, fait Pierre avec un sourire de convenance.

L'adolescent tourne la tête vers le visiteur, qui fait quelques pas.

— Je suis policier pis je viens rencontrer monsieur Lavoie.

Au centre du visage impassible du garçon, le regard brille tout à coup d'une sourde hostilité. Pierre s'empresse de préciser :

— Rien de grave. Ça concerne pas directement ton oncle.

Aucune réaction chez l'adolescent. Pierre s'assoit dans un fauteuil.

— Je vais l'attendre. Tu peux continuer à regarder la télé.

Le jeune retourne donc à l'écran. Pierre jette un œil vers celui-ci. Le chanteur, un Noir recouvert de bijoux clinquants, est assis dans une sorte de trône et contemple avec orgueil trois filles en bikini qui marchent à quatre pattes autour de lui. Pierre se gratte la tête, quelque peu indisposé. Il essaie d'imaginer comment il aurait réagi si, lorsqu'il était adolescent, on avait diffusé de telles images à la télé. Mais peut-être qu'il est trop vieux jeu. Après tout, c'est peut-être vrai qu'aujourd'hui c'est cool pour une fille d'avoir l'air de... enfin, de...

— Tu aimes ce genre de musique ? finit-il par demander.

L'adolescent le regarde, entêté dans son mutisme. Pierre se sent vaguement mal à l'aise. N'a-t-il pas déjà entendu une entrevue où Lavoie précisait que son jeune protégé a une sorte de trouble psychiatrique ou quelque chose du genre ? Ça expliquerait son drôle d'air... mais ça n'explique pas pourquoi cette lueur agressive persiste dans son regard. Qu'est-ce qu'il a, il n'aime pas les visiteurs ? De plus en plus embarrassé, Pierre croise les jambes en regardant vers les grandes fenêtres et il se sent soulagé lorsque le garçon se saisit d'un *game boy* qui traîne à ses côtés pour se mettre à jouer. Eh bien, Lavoie ne doit pas s'amuser tous les jours avec un tel protégé... Pourtant, il doit l'aimer beaucoup : lorsqu'une photo de la star paraît quelque part, l'adolescent est à ses côtés une fois sur deux.

Le temps passe lentement et le policier, qui commence à en avoir assez des vidéos remplis de jeunes filles qui se caressent entre elles et des commentaires puérils de l'animateur qui parade entre chaque clip, se demande s'il doit attendre encore lorsqu'il entend la porte d'entrée s'ouvrir. Il se lève tandis que l'Espagnol marche rapidement vers l'entrée. De sa position, Pierre ne peut voir la porte à cause du mur du salon, mais, malgré les geignements de la chanteuse en string qui se recouvre le corps de champagne, il peut entendre l'Espagnol articuler :

— Un visiteur vous attend.

— Un visiteur ? Et tu l'as fait entrer ?

La seconde voix est celle de Lavoie.

— C'est un policier, précise le domestique.

Silence. Des pas se font entendre et Maxime Lavoie apparaît dans l'entrée du salon, à peine mouillé, habillé en complet-cravate comme s'il revenait d'une réunion d'affaires. En reconnaissant le détective, il affiche une expression tout à fait stupéfaite.

— Bonjour, monsieur Lavoie, fait Pierre en s'avançant à son tour, la main tendue.

Il s'attend à une exclamation joviale, du genre : « Hé ! Détective Sauvé ! » mais Lavoie, tout en tendant une main récalcitrante, bredouille :

— Ah, c'est vous, détective… heu… Comment, votre nom, déjà ?

— Sauvé, répond Pierre avec une petite pointe de déception. Pierre Sauvé.

Ils se donnent la main, mais l'animateur ne regarde même pas son visiteur. Il se tourne plutôt vers le majordome et lui ordonne :

— Miguel, va aider Luis au garage, il y a des problèmes avec la limo.

L'Espagnol s'incline et sort de la maison. Lavoie revient enfin à son visiteur.

— Est-ce qu'il y a quelque chose qui ne va pas ? Je croyais qu'on avait tout réglé la semaine dernière.

Pierre peut comprendre que sa visite indispose quelque peu Maxime Lavoie, mais franchement, il s'attendait à une réaction moins ouvertement réticente. En fait, réticente n'est pas le mot juste. C'est plus que ça.

— Absolument, s'empresse de confirmer Pierre. Le rapport de Diane Nadeau ne nous a pas appris grand-chose, mais il nous a au moins permis de confirmer ce qu'on pensait d'elle déjà.

— Alors ? fait Lavoie, qui n'a toujours pas souri depuis son arrivée.

— Ben, heu…

Décidément, le Max Lavoie qui se tient devant Pierre n'a plus rien à voir avec celui qu'il a rencontré la semaine dernière. Pierre s'en sent responsable et une pointe de culpabilité lui vrille la poitrine, lui qui pourtant ne se laisse jamais impressionner par les gens qu'il interroge.

— … nous avons découvert d'autres éléments assez spéciaux et vous pourriez encore nous être utile…

Lavoie le considère un moment, durant lequel on n'entend que la musique en provenance de la télé. La star regarde alors vers le salon, comme s'il songeait à quelque chose, et demande :

— Vous êtes resté avec Gabriel jusqu'à ce que j'arrive ?

— Oui.

— Et… tout a bien été ?

Pierre ne comprend pas trop où veut en venir l'animateur.

— Heu… oui, oui… Il joue depuis une quinzaine de minutes à son jeu vidéo.

Il ajoute en observant l'adolescent :

— C'est un petit gars qui aime jouer, on dirait.

À ces mots, Gabriel lâche le *game boy* et se lève d'un bond comme si le divan était devenu électrifié. Complètement transformé, ses yeux dilatés de rage tournés vers le policier, des sons sifflants et rauques fusent tout à coup de sa bouche crispée, et Pierre songe aussitôt aux feulements menaçants d'un chat. Lavoie rejoint rapidement son neveu et, en lui mettant les mains sur les épaules, l'apaise gentiment, lui assure que tout va bien et, peu à peu, Gabriel se calme. Mais au lieu de se rasseoir, il sort de la pièce, non sans avoir dévisagé Pierre avec animosité.

— Excusez Gabriel, fait Lavoie. Il est… Il a parfois des crises de ce genre, il ne faut pas prendre ça personnel. Assoyez-vous.

Pierre obéit, encore quelque peu secoué par la réaction du garçon. Lavoie s'installe à son tour, ferme la télé à l'aide de la télécommande et demande :

— Alors, détective, qu'est-ce que je peux encore faire pour vous ?

Il est plus affable que tout à l'heure, certes, mais il est encore loin du Max Lavoie convivial de la dernière fois. Même son langage est différent.

— Comme je vous l'ai déjà dit, nous cherchons un lien entre Diane Nadeau et ses quatre assassins. Et on vient peut-être d'en découvrir un : deux des membres du commando avaient aussi auditionné pour votre émission.

Pierre s'attend à une exclamation ou, du moins, à de grands yeux incrédules. Mais Lavoie, les bras croisés, ne réagit pas. Ou, plutôt, le policier a l'impression qu'il *s'efforce* de ne pas réagir : il voit bien la surprise passer sur son visage, mais elle est vite réprimée. Pierre, un peu démonté par cette attitude, se tait toujours et attend que son hôte dise quelque chose. Lavoie se gratte le coude, puis il lâche enfin d'une voix dénuée d'émotion :

— Et alors ?

— C'est tout l'effet que ça vous fait ?

— Vous savez combien de gens ont auditionné en deux ans ?

— Soixante-quatre mille, vous me l'avez dit l'autre soir.

— Exact. Ça fait beaucoup de monde, détective.

— Oui, mais soixante-quatre mille par rapport à la population totale du Québec, c'est loin de trois personnes sur cinq.

Sans cesser de gratter son coude, Lavoie étudie le policier avec de plus en plus d'attention, la mâchoire serrée. Pierre connaît bien ce genre d'attitude : celle de quelqu'un sur la défensive. Pourquoi donc ?

— C'est un hasard, tout simplement.

— C'est ben possible, je l'admets, mais dans mon métier, il faut tout envisager avant de conclure au hasard.

— Où voulez-vous en venir, détective ? demande assez sèchement Lavoie. J'ai un rendez-vous pour souper, je dois me changer, alors j'aimerais que vous alliez rapidement au but.

Mais pourquoi réagit-il ainsi ? Un peu penaud, Pierre explique :

— Je me suis dit qu'ils ont peut-être tous les cinq passé une audition pour votre émission et que c'est au cours de ces auditions qu'ils se sont rencontrés… Enfin, s'ils se sont rencontrés, ce qui est pas encore sûr.

— Comment voulez-vous qu'ils se soient rencontrés au même poste d'auditions ? Ils venaient de

Montréal, de Touraine, de Roberval, de Ville-Marie et de Drummondville !

— Comment vous savez ça ? demande Pierre, abasourdi.

— Comment je sais quoi ?

— Les endroits d'où ils viennent...

Lavoie se tait une seconde. Ses doigts s'activent un peu plus vite sur son coude.

— C'était écrit dans les journaux, répond-il enfin.

— Oui, mais... Vraiment, vous avez toute une mémoire ! Bravo !

Lavoie attend la suite et, cette fois, il montre clairement des signes d'impatience. Pierre se sent carrément misérable : il aurait aimé revoir la vedette amicale et serviable de l'autre soir. Il continue donc, presque sur un ton d'excuse :

— Écoutez, j'avoue que je sais pas trop ce que je cherche au juste, mais c'est le premier semblant de lien que j'ai, alors... Bref, ce que j'aimerais, c'est que vous alliez dans vos archives. Vous allez y trouver les rapports d'auditions de Richard Proulx et de Siu Liang, les deux dont nous sommes certains, mais vous pourriez vérifier si les deux autres y sont aussi.

— Vous croyez que je vais trouver ces rapports en quelques minutes ?

Pierre s'étonne à nouveau :

— Mais... Vous m'avez dit, l'autre jour, qu'ils étaient classés par région et par ordre alphabétique...

Lavoie ne dit rien, mais ses grattements sont maintenant presque frénétiques. Pierre poursuit :

— D'ailleurs, je vous suggère de commencer par les chercher tous les quatre dans la région de Drum-mondville, pour voir si ma première théorie est bonne. Sinon, regardez dans leur région respective. Je vous ai écrit leur nom et leur ville, ici...

Il sort de sa poche un papier et le tend à Lavoie. Ce dernier ne s'en préoccupe pas, agacé.

— Détective Sauvé, avouez que votre hypothèse est vraiment farfelue.

Pendant un moment, Pierre se sent encore coupable de tant importuner Lavoie… pour aussitôt se traiter d'idiot. Mais qu'est-ce qui lui prend de démontrer si peu d'assurance ? Ce n'est vraiment pas son genre ! Est-ce parce que Lavoie est une star, une star qu'il admire ? C'est indigne de lui, indigne du bon flic qu'il est ! Et d'ailleurs, pourquoi Lavoie rechigne-t-il tellement à l'aider ? Il ne lui demande pas la lune, quand même ! Pierre oublie donc sa ferveur pour la vedette, prend le visage officiel et imperturbable qu'il affiche toujours durant ses enquêtes et, d'une voix égale mais ferme, explique :

— Vous avez sûrement raison, mais c'est une piste que je veux vérifier jusqu'au bout, quitte à me tromper. Je vous demande donc quelques minutes de votre temps pour me rendre service. Après, vous ne me reverrez plus. Est-ce trop vous demander, monsieur Lavoie ?

Et il tend toujours la feuille de papier au bout de son bras. Lavoie soutient son regard. Il a cessé de gratter son coude. Enfin, son visage se décontracte et il présente même un sourire désolé.

— Bien sûr que non, détective. Vous avez raison, ça ne va prendre que quelques minutes.

Il se lève, plus détendu, et attrape la feuille. Le policier croit enfin reconnaître, jusque dans son langage, le gars sympathique de la semaine dernière :

— Je m'excuse, vraiment… Je vous l'ai dit, je suis crevé pis j'ai un souper tout à l'heure… Mais c'est pas une raison pour être plate, hein ?

— Je comprends, monsieur Lavoie, c'est moi qui m'excuse de vous déranger, fait Pierre, conciliant.

— Pis on sait jamais ! Si votre théorie est la bonne, ce serait vraiment *flyé*, *right ?* Je reviens dans cinq minutes.

— Je peux vous accompagner pour vous aider…

— Non, non, s'empresse de répondre Lavoie. J'aime fouiller dans mes affaires moi-même. Relaxez, ce sera pas long. Vous voulez un verre ?

— Non, merci.

— C'est vrai : jamais en service ! OK… (Et, prenant une voix grave comme celle de l'acteur Schwarzenegger :) *I'll be back !*

Devant l'absence de réaction du détective, il se souvient que le flic a autant d'humour qu'un ouvre-boîte et sort enfin.

Seul, Pierre est rassuré de voir la star plus coopérative. Tout de même, tout à l'heure, il était tellement antipathique ! A-t-il laissé transparaître, l'espace de quelques minutes, sa vraie personnalité ? Pierre espère bien que non. Cela signifierait que Lavoie est une vedette qui est prête à jouer les hypocrites quand ça l'arrange mais qui, de manière générale, déteste être dérangé par le commun des mortels. Ce serait décevant, non ?

Au bout de six minutes, l'animateur est de retour avec quelques feuilles de papier entre les mains. La mine désolée, il lance :

— *Sorry*, détective, mais votre théorie vient de planter. J'ai ben trouvé les auditions de Proulx et Liang, mais aucune trace des deux autres : Robitaille pis Lacharité ont pas auditionné pour mon émission.

Pierre se lève, dissimulant mal sa déception. Une autre fausse piste ! Comme pour enfoncer le clou, Lavoie tend les feuilles de papier vers le policier en ajoutant :

— Proulx a passé son audition dans sa propre région, au Saguenay, de même que Liang, à Montréal.

Pierre prend les rapports d'une main et se gratte la tête de l'autre. À croire que le destin s'amuse à lui donner de vains espoirs. Remarquant son air désappointé, Lavoie conclut :

— Vraiment désolé.

— C'est pas votre faute.

Il regarde les deux rapports sans enthousiasme, puis demande à l'animateur s'il peut tout de même les apporter. On ne sait jamais : ils pourront peut-être lui apprendre quelque chose sur la personnalité des tueurs. Après une très brève hésitation, Lavoie dit qu'il n'y voit pas d'inconvénients. À la porte d'entrée, les deux hommes se serrent la main.

— Je m'excuse encore de mon air bête de tantôt, détective Sauvé.

— C'est pas grave. De toute façon, maintenant que c'est clair que cette piste mène à rien, je ne vous achalerai plus.

Juste avant que Pierre ne sorte, Lavoie lui lance avec entrain :

— Continuez quand même d'écouter *Vivre au Max !*

— Certain !

Dehors, la pluie a cessé et le soleil brille pour la première fois depuis une semaine. Pierre jette les deux rapports sur le siège du passager de sa voiture et roule vers la grille. En la franchissant, il jette un coup d'œil dans son rétroviseur, vers la splendide villa qu'il quitte, et émet un petit soupir. Voilà, un bref instant, il aura entrevu ce que sont la gloire et la richesse. Une vie à des années-lumière de la sienne. Il revient à la route devant lui. Il pourra toujours raconter qu'il a discuté avec le célèbre Max Lavoie dans sa propre maison.

Et il ajoutera que sa télévision était plus petite que la sienne !

◆

Par la grande fenêtre du salon, Maxime observe la voiture de Sauvé franchissant la grille. Tout à l'heure, il s'est vraiment demandé s'il ne devait pas refuser tout simplement de retourner fouiller dans ses archives. Mais cela aurait été trop louche, le flic aurait flairé quelque chose. Le milliardaire aurait pu aussi prétendre qu'il ne trouvait pas les rapports de Proulx et Liang, mais cela aussi aurait paru suspect : comment justifier qu'il ne les avait pas alors qu'il se vantait de tous les conserver ? Surtout que Sauvé avait la preuve qu'ils avaient auditionné, alors… De toute façon, ces deux rapports, pas plus que celui de Nadeau, ne peuvent avoir le moindre impact.

Pas con, d'ailleurs, ce flic… Pas con du tout. Mais maintenant qu'il est convaincu que sa piste ne mène à rien…

— … il ne reviendra plus, complète Maxime à haute voix.

Il se tourne vers Gabriel. Ce dernier, qui est revenu au salon écouter la télévision, démontre un furtif allégement. Distraitement, Maxime va lui ébouriffer les cheveux puis marche vers le grand escalier. Un autre danger d'écarté.

À l'étage, il entre dans une grande pièce et marche vers son immense bureau en acajou. Sur le meuble, un dossier ouvert laisse voir une pile de feuilles. Maxime prend les quatre premières, qui sont brochées deux par deux. Ce sont deux rapports d'auditions pour son émission. Sur le premier rapport, on peut lire le nom de Philippe Lacharité. Sur le second, celui de Louis Robitaille.

Non, vraiment pas con, ce détective Sauvé...
S'il savait à quel point il est passé près du but...

Le visage funèbre, Maxime dépose les deux rapports sur la pile de feuilles et referme le dossier.

◆

Durant le trajet de retour, Pierre, démonté, révise toute l'affaire dans sa tête. Maintenant que la piste des auditions ne tient plus la route, il faut trouver un autre angle d'attaque pour l'enquête.

Lorsqu'il voit sa maison apparaître à cinquante mètres devant lui, l'enquête cesse immédiatement d'être l'objet de ses pensées. Quelqu'un est assis sur les marches de la petite galerie qui mène à sa porte, une silhouette qu'il reconnaît tout de suite. Le soleil sur son déclin est en partie caché, mais les rayons qui réussissent à passer entre les maisons inondent la jeune femme d'une luminosité magnifique, en parfait contraste avec son visage grave et austère. Sur le sol, à ses pieds, se trouve un petit sac de voyage. Pierre appuie sur les freins sans même s'en rendre compte. Sa voiture s'arrête à deux maisons de chez lui.

Karine, qui a tourné la tête, le voit. Le reconnaît. Le fixe sans bouger.

Pierre respire un peu plus fort. Enfin, il remet sa Suzuki en marche et entre dans l'aire de stationnement. Karine s'est levée. Sans s'occuper des rapports d'auditions sur le siège du passager, le détective sort lentement de la voiture. Il n'a encore aucune idée de ce qu'il va dire, de ce qu'il va faire. Il ne se sent ni fâché ni triste. Mais il a la frousse. Et il n'est pas question qu'il laisse paraître une émotion aussi incongrue. Se construisant un visage de marbre, celui que tous ses collègues connaissent si bien, il fait quelques pas et s'arrête à deux mètres de sa fille.

Ils gardent le silence un bon moment. Il n'y a personne dans la rue, sauf des enfants, plusieurs maisons plus loin, qui jouent à la cachette. Pierre remarque que Karine est habillée de manière plus sobre, plus classique qu'à l'habitude, avec un jeans sans fioritures et une longue blouse très ample, sans décolleté.

— Tu me rappelais pas, alors je suis venue, marmonne-t-elle enfin en évitant le regard de son père.

Il faut qu'il dise quelque chose.

— Pourquoi ? articule-t-il.

Il prend un ton froid, sûrement celui qu'il faut adopter en pareilles circonstances. Elle hausse une épaule. Il la trouve différente, changée. C'est dans son attitude. Moins désinvolte, moins au-dessus de ses affaires. Plus accessible... Elle le regarde dans les yeux.

— Pour qu'on se parle.

— T'es venue t'excuser ?

— C'est plus compliqué que ça, tu penses pas ?

— Je pense pas, non.

Il demeure imperturbable, même si à l'intérieur il se sent contracté à se casser les os. Karine propose :

— On devrait rentrer...

— Tu veux quoi, Karine, au juste ?

— Je te l'ai dit, je veux qu'on se parle tous les deux, qu'on se parle pour de vrai !

Et en disant cela, elle ressemble tellement à sa mère, elle a tellement la voix de Jacynthe que Pierre fait un pas de recul, convaincu pendant une seconde qu'il s'entretient avec un fantôme. Il se ressaisit et crache presque :

— Parler, parler ! J'ai rien à dire, moi !

— Ben je vais commencer, d'abord ! Ça va t'aider ! J'ai… j'ai plein de choses à dire, moi ! Pis pas juste sur le fait que je suis escorte !

— Si c'est pas des excuses, je veux rien entendre !

— Arrête donc ! Pour une fois que… que je suis prête à m'ouvrir, criss ! Tu pourrais en profiter !

Elle a les larmes aux yeux, maintenant, et avec une rage misérable, elle ajoute en serrant les poings :

— Aide-moi un peu, p'pa ! Ç'a déjà été assez dur de venir ici, aide-moi pis écoute-moi ! *Écoute-moi !*

Il ne l'a jamais vue si vulnérable, si seule dans sa détresse, du moins pas depuis des années. La dernière fois, elle était toute petite, recroquevillée dans le fond d'un bateau… Il ressent une soudaine envie de la prendre dans ses bras, mais quelque chose au fond de lui l'en empêche : la peur de tout ce que cela impliquerait, la crainte de l'ouverture vers l'inconnu, l'effroi de saisir le réel à pleines mains et de l'affronter sans détour, sans faux-semblant…

— De quoi tu veux me parler ? balbutie-t-il.

— De tout ! De nous deux, de la mort de maman, de…

Alors, la peur devient épouvante. Lui qui a toujours regretté que sa fille refuse de lui parler de la mort de Jacynthe, voilà que maintenant, devant cette éventualité, il se sent au bord de l'abîme. Il utilise donc la seule arme qu'il connaît pour repousser cette émotion qu'il a toujours fuie : la colère.

— Ah, on y est ! Ce que tu veux, c'est me dire mes torts ! Pour que je me sente coupable ! Tu veux m'accuser de pas avoir été un bon conjoint ni un bon père, c'est ça ?

— C'est pas ça, c'est plus comp…

— Ça marchera pas, ma petite fille ! C'est toi qui as fait tes choix ! C'est pas de ma faute ! Je m'excuse de rien ! *De rien !* C'est toi qui devrais t'excuser, pas moi !

— P'pa, écoute-moi !

— Je veux rien entendre ! crie-t-il soudain.

Silence. Les enfants au loin continuent de jouer. Maintenant, les larmes coulent sur les joues de Karine, qui dévisage son père avec le désespoir de celle qui se doutait que tous ses efforts aboutiraient à ce fiasco. Et Pierre, tout à coup, se sent remué à son tour. Il se calme promptement et propose :

— Si tu abandonnes ce... cette vie immédiatement pis que tu te trouves un vrai travail à Montréal, j'accepte de plus jamais te parler de ça.

C'est pas ça qu'elle veut ! C'est pas ça, et tu le sais !

Il ajoute :

— Avec le temps, tout va peut-être redevenir comme avant...

Le visage de Karine se crispe en une hideuse grimace amère et instantanément, comme si un brouillard avait littéralement jailli de son épiderme, la chape obscure qui l'enveloppe s'épaissit plus que jamais. Rapidement, elle prend son sac à ses pieds, le lance sur son épaule et marche vers la rue. Pierre écarte les bras, excédé :

— Karine ! Reviens ici, voyons ! Karine !

Il ressent alors une violente envie de se jeter vers elle, de la prendre dans ses bras et de la bercer contre lui pendant des heures et des heures, durant lesquelles il lui parlerait longuement, tendrement, lui racontant tant de choses dont il n'a en ce moment aucune idée, mais qui se mettraient à jaillir de lui aussitôt qu'il commencerait à parler, il en est convaincu. Mais il se borne à la regarder s'éloigner, traînant derrière elle sa fumée de ténèbres.

La colère le gagne à nouveau. Elle ne voit donc pas ses efforts ? Il a fait ce qu'il a pu, merde ! et elle ne voit rien, alors tant pis ! C'est elle qui veut tout gâcher, *elle !*

Enragé, il rentre chez lui en claquant la porte.

◆

Pierre pousse une longue expiration en rejetant les feuilles sur son bureau. Chloé, assise devant lui, s'obstine à relire les deux rapports, comme si une révélation allait surgir des feuilles.

Siu Liang a auditionné à l'automne 2004 pour réaliser un rêve absurde : devenir millionnaire afin de pouvoir se retirer du monde. Elle était convaincue qu'une fois riche, elle ferait ce qu'elle voudrait et pourrait se passer de la race humaine qu'elle détestait tant parce que personne ne la comprenait. Le rapport du psychologue la décrit comme une jeune femme influençable en dépression profonde, présentant un trouble de personnalité narcissique et tourmentée par une grande agressivité refoulée. De plus, elle était sous médication. Richard Proulx, lui, nourrissait un rêve encore plus dingue : voyager dans l'espace. Le rapport notait que plus l'audition progressait, plus les motivations de Proulx, d'abord poétiques, devenaient malsaines : au départ, il disait souhaiter contempler les étoiles de près, puis, peu à peu, il avouait vouloir vivre dans l'espace pour ne plus avoir à revenir sur la Terre, ce caillou merdique qui méritait de se désintégrer. Encore là, le psychologue parlait d'un homme manipulable, dépressif, ayant déjà été en observation psychiatrique deux fois et souffrant d'un trouble de personnalité antisocial inquiétant. Sur la première page des deux rapports, tout comme

sur celui de Diane Nadeau, on avait inscrit les lettres
«DEL», ce qui renforçait l'idée que ce code signifiait
«delete» puisque les deux auditions avaient été
évidemment rejetées.

Si on avait déjà noté que Nadeau et les quatre
membres du commando étaient plutôt déprimés, les
trois rapports d'auditions allaient plus loin en dé-
peignant Nadeau, Liang et Proulx comme influençables, dépressifs, arrogants et nourrissant des rêves
malsains.

— Bref, trois osties de malades qui ont fini par
exploser! conclut Pierre. Rien qu'on savait pas déjà!

Chloé, sans quitter les rapports des yeux, ajoute
avec tristesse :

— Mais aussi trois personnes infiniment malheu-
reuses, en pleine détresse, et qui ne trouvaient d'aide
nulle part...

Pierre jette un regard condescendant à sa collègue,
puis se lève en étirant son bras blessé.

— Retour à la case départ! Me semble que je fais
juste ça, revenir à la case départ...

Chloé trouve la formule étrange, comme si la
remarque de son collègue embrassait plus large que
le travail. D'ailleurs, Pierre n'est pas en forme
aujourd'hui et elle n'est pas convaincue que l'em-
bourbement de l'enquête en soit l'unique cause. Elle
brûle d'envie de lui demander s'il a eu des nouvelles de sa fille. Elle a la conviction que oui. Mais
elle s'abstient. Elle se lève soudain en claquant dans
ses mains :

— Bon! Je vais aller marcher dehors! Ça va me
changer les idées!

— Marcher?

— Il fait enfin beau, faut en profiter! Tu devrais
venir, ça va te faire du bien!

Pierre, tout à coup, envie son optimisme et sa capacité à se mettre si facilement sur le mode positif. Comment y arrive-t-elle ? Est-ce aussi simple que cela semble l'être ?

— Non, je vais remettre de l'ordre dans les papiers.

— Comme tu veux, monsieur Grognon.

Elle semble tout de même désolée de voir Pierre si maussade. Elle a alors un sourire coquin :

— Au moins, tu as revu ton cher Max Lavoie ! Tu devais être content !

— Ouais… Sauf qu'on aurait vraiment dit qu'il faisait tout pour éviter de m'aider, cette fois. Mais à la fin, il était plus gentil.

— C'est sûr, c'est Max Lavoie !

— T'as pas une marche à prendre, toi ?

Elle ouvre la porte en lâchant son rire que Pierre trouve si agréable. Il songe soudain à quelque chose et demande :

— Dans les journaux, est-ce qu'on avait écrit où habitaient les membres du commando ?

— J'imagine, oui.

— Mais les endroits précis ?

Chloé ne comprend pas. Pierre explique :

— Pour Lacharité, par exemple, est-ce qu'on avait écrit qu'il venait de la région de Gatineau ou de Touraine même ?

— Je ne sais pas. Tu veux qu'on vérifie ?

Pierre réfléchit une seconde et fait un geste las :

— Non… Non, c'est pas important.

◆

Trois jours pénibles.

Trois jours durant lesquels on reprend toute l'enquête depuis le début, durant lesquels on interroge tout le monde à nouveau. En vain.

Trois jours durant lesquels Pierre s'enfonce de plus en plus dans le marasme. Maintenant que l'enquête s'enlise, il recommence à angoisser et les rêves prennent de plus en plus de place durant ses nuits difficiles, rêves où le massacre de Nadeau et la dernière visite de sa fille s'entremêlent de manière surréaliste et cauchemardesque. Le deuxième soir, il va au cinéma. Mais lorsqu'au milieu du film, le gars sort son fusil et tire sur la femme, Pierre, pris de nausée, s'empresse de sortir. Chez lui, il écoute une émission d'affaires publiques où l'animateur, tout en grimpant littéralement sur son bureau, traite une juge de folle, un ministre d'imbécile et tous les bureaucrates de débiles mentaux. Pierre qui, normalement, approuve tout ce que dit cet animateur, ne se souvient même plus deux minutes plus tard des causes de sa véhémence.

Le jeudi après-midi, il va voir Ferland et lui résume sa visite chez Lavoie :

— Nadeau, Liang et Proulx ont bien auditionné, mais comme Lavoie a pas les rapports de Robitaille et Lacharité, le lien que je pensais avoir trouvé entre les cinq ne fonctionne plus.

Ferland écoute attentivement puis, après avoir réfléchi, il propose :

— Vous n'êtes vraiment pas en forme, Pierre, votre état émotionnel est en train de régresser. Je veux qu'on se revoie mardi, dans cinq jours. Et si à ce moment-là vous n'allez pas mieux, je crois que nous allons devoir envisager un autre traitement.

Il prononce ces dernières paroles à contrecœur. Pierre n'a même pas la force de protester.

Ce soir-là, tandis que Chloé continue d'interroger certaines personnes, Pierre demeure au poste et erre sans but. Bernier, qui traîne lui aussi un air morose, lui résume les affaires en cours à Drummondville : des vols de voitures qui ressemblent de plus en plus aux actions d'un gang organisé, une femme de cinquante ans qui s'est coupé les veines dans la toute nouvelle maison qu'elle vient de s'acheter, un vol à main armé dans un dépanneur... Peu à peu, son monologue devient plus personnel pour se transformer en lamentations sur sa propre vie, en particulier sur sa femme qu'il n'arrive pas à quitter par manque de courage. Pierre l'écoute sans aucun intérêt pendant une heure, puis il quitte le poste. Il fait un petit crochet par la salle de billard pour se joindre à quelques collègues, mais sans réussir à se distraire. D'ailleurs, ses coéquipiers ne l'aident pas tellement : ils racontent des blagues et poussent de grands éclats de rire, mais passent malgré tout la moitié de la soirée à se plaindre soit de leur famille, soit de leur travail, soit de leur vie en général. Le barman allume la télé pour la diffusion de *Vivre au Max,* à la grande joie de tous les consommateurs. En voyant Max Lavoie, le détective sent une certaine complicité et cela lui procure un plaisir parfaitement puéril. Mais à un moment, une jeune fille habillée de manière très provocante et vulgaire entre dans le bar, va parler à l'oreille d'un homme au comptoir... et aussitôt, le détective a l'impression de voir Karine.

Cette nuit-là, il rêve à la fusillade, mais cette fois, les quatre assassins ne tuent pas la silhouette dans le fourgon ; ils dirigent plutôt leurs armes vers Pierre et lui disent en souriant :

— Ça donne rien, pauvre con... Tu tournes en rond...

Derrière eux, dans le fourgon, Karine lui lance un regard suppliant. Et au moment où ils tirent vers Pierre, le policier se réveille en suffoquant.

Trois jours pénibles, durant lesquels le détective est sur le point de tout lâcher.

Puis, la quatrième journée, c'est le retournement complet.

◆

Ce n'est pas la première fois que Pierre remarque ce phénomène : une affaire s'embourbe pendant quelque temps et, tout à coup, plusieurs nouveaux éléments apparaissent simultanément, à quelques heures d'intervalle, pour relancer l'enquête.

Ce vendredi, Pierre fait la grasse matinée. Il se lève à dix heures et va manger au resto, trop amorphe pour se préparer de simples rôties. Il est assis devant la petite table depuis deux heures et demie à broyer du noir lorsque son cellulaire sonne. C'est Bernier qui lui dit qu'ils ont du nouveau. Tout à coup intrigué, Pierre sent son corps engourdi se réveiller tandis qu'il file au poste. Aussitôt qu'il entre dans la salle principale, Bernier et Chloé se précipitent vers lui et cette dernière, tout sourire, lui met la main sur l'épaule :

— Tiens-toi bien : il y a vingt minutes, un gars a appelé de Montréal pour parler à un responsable de l'enquête sur le massacre de Drummondville. C'est moi qui ai pris l'appel. Le gars dit être une connaissance de Louis Robitaille, qu'il a rencontré deux ou trois fois au Témiscamingue, lors de vernissages. Il a su, par des amis du peintre, que la police cherchait à savoir si Robitaille avait passé une audition à *Vivre au Max*. Eh bien, il nous a dit que oui.

Pierre hausse les sourcils.

— Comment il sait ça ?

— Le gars nous a dit qu'en janvier dernier, dans un bar à Amos, Robitaille lui a confié qu'il avait auditionné pour l'émission. Il ne l'avait encore dit à personne, par orgueil, mais là, il était tellement soûl qu'il s'en foutait.

— Il auditionnait pour quel rêve ?

— Quelque chose en rapport avec ses peintures, une sorte d'exposition sur lui. Il paraît que la boisson rendait les explications de Robitaille pas mal embrouillées. D'ailleurs, le gars est convaincu que Robitaille a eu honte de lui en parler, parce que le peintre l'a évité quand il l'a revu par la suite.

— C'est qui, ce gars-là ? Comment ça se fait qu'on l'a pas interrogé avant, quand on a rencontré les *chums* de Robitaille ?

— Parce qu'il vit à Montréal et qu'il ne voyait pas le peintre souvent. Mais il n'a pas voulu se nommer. Il nous a avoué ne pas être très net avec la police... Mais quand il a entendu parler de nos interrogatoires, il a tout de même voulu nous donner un coup de main, par respect pour Robitaille. On a retracé son appel, et ça provenait effectivement d'un café d'artistes, à Montréal.

— Attendez une minute ! Ce gars qui appelle pour nous donner cette information, sans vouloir nous dire qui il est... Ça peut être un clown qui veut nous faire marcher !

— Si c'est un clown, il en sait pas mal, intervient Bernier. Il sait qu'on a interrogé les amis de Robitaille, il sait qu'on cherche à savoir s'il avait auditionné pour *Vivre au Max*... Personne ne peut savoir ça, sauf les gens qu'on a interrogés. Donc, cet inconnu a vraiment rencontré les amis du peintre.

— Et puis, pourquoi nous aurait-il donné cette information si ce n'est pas vrai ? poursuit Chloé.

Pierre fait quelques pas en caressant sa moustache. Il a tout à coup l'impression d'être un mineur qui a été enseveli sous la terre pendant des semaines et qui enfin trouve un tunnel… mais en même temps, il demeure circonspect, car il sent que ce tunnel peut s'écrouler sur lui à tout moment. Dans la salle, il n'y a que deux autres policiers qui, maintenant, écoutent la discussion avec intérêt.

— Mais Lavoie m'a dit qu'il avait pas de rapport au nom de Louis Robitaille dans ses archives ! rappelle le détective.

— Je sais, fait Chloé avec un regard entendu.

Pierre observe sa collègue, ensuite Bernier, puis lève une main prudente.

— Pas trop vite ! Avant de conclure que Lavoie m'a menti, faudrait être sûr que ce coup de téléphone-là est fiable !

Il réfléchit encore un moment, puis dit qu'il a peut-être une idée. Tout d'abord, il faudrait trouver dans quelle ville de l'Abitibi-Témiscamingue Max Lavoie a organisé des auditions en automne dernier. Les deux détectives fouillent dans des archives de journaux sur Internet et finissent par trouver : il y avait des postes d'auditions à Val-d'Or, Rouyn et, justement, Ville-Marie, l'endroit où vivait Robitaille.

— On sait que, pour chaque point d'auditions, il y avait un analyste et un psychologue, explique Pierre. On pourra jamais trouver l'analyste, mais si on contacte les psys de la région de Ville-Marie…

— Mais Robitaille avait honte d'auditionner pour l'émission, lui rappelle Chloé. Peut-être qu'il est allé à Rouyn ou Val-d'Or pour ne pas se faire reconnaître.

— Alors, trouvons tous les psychologues de l'Abitibi-Témiscamingue. Il doit pas y en avoir des milliers !

Ils appellent l'Ordre des psychologues du Québec et découvrent qu'il y a quarante-deux psychologues dans toute la région. Ils prennent les numéros en note et, patiemment, se mettent à appeler les quarante-deux professionnels. La plupart du temps, ils tombent sur un répondeur téléphonique et laissent un message qui, en gros, explique qu'ils sont de la police et qu'ils cherchent le ou la psychologue qui a travaillé pour les auditions de *Vivre au Max* en Abitibi-Témiscamingue soit à l'automne 2005, soit à l'automne 2004. Le tout prend quelques heures.

Vers la fin de l'après-midi, Pierre reçoit un premier rappel : une psychologue de Ville-Marie qui dit avoir travaillé pour les auditions en 2004 et 2005. Pierre lui explique qui est Louis Robitaille, décrit le peintre, précise que son rêve avait un lien avec son art… mais la professionnelle, désolée, dit qu'elle ne se souvient pas. Elle a vu des centaines de candidats, alors… Déçu, Pierre raccroche. Quinze minutes plus tard, un autre psychologue, celui-là d'Amos, appelle : il a travaillé pour les auditions à Val-d'Or en 2005. Mais lui non plus ne replace pas Robitaille. Pierre s'assombrit. S'attendait-il vraiment à ce qu'on se souvienne d'un candidat alors que des centaines ont défilé dans chacun des postes d'auditions ?

Vers dix-sept heures quarante-cinq, Chloé apparaît dans la porte du bureau de Pierre :

— Bernier veut nous voir, il a reçu quelque chose qui pourrait nous intéresser.

Au moment où Pierre se lève, le téléphone sonne.

— Je suis Olivier Thibodeau, de Rouyn, se présente la voix nasillarde à l'autre bout du fil. J'ai eu votre message. J'ai travaillé pour les auditions de *Vivre au Max* à l'automne 2004.

Pierre met l'appel sur haut-parleurs afin que Chloé entende la discussion, puis explique la situation au psychologue. Thibodeau, comme ses collègues avant lui, précise qu'il a vu des centaines de personnes en quatre mois et qu'il serait donc peu probable qu'il puisse se souvenir de…

— J'en suis très conscient, mais on peut tout de même essayer, non? fait Pierre sans grande conviction.

Petit soupir à l'autre bout du fil, puis Thibodeau dit à contrecœur:

— Allez-y, décrivez-moi l'homme.

— Louis Robitaille, de Ville-Marie, cinquante-quatre ans, costaud, longs cheveux gris…

— Vous allez devoir m'aider un peu plus que ça!

— Il était artiste-peintre.

Silence. Pierre poursuit:

— Son rêve avait un lien avec ses peintures, une exposition qu'il aurait voulu organiser.

— Attendez une minute…

Pierre sent le téléphone devenir brûlant contre son oreille.

— Oui, je me souviens de lui, confirme Thibodeau.

— Comment pouvez-vous en être certain?

— Parce qu'il avait apporté plusieurs de ses tableaux avec lui, vous imaginez? Il nous les montrait, nous les expliquait, voulait nous convaincre qu'il était un génie et qu'on devait absolument organiser en Europe une immense exposition de son œuvre pour y inviter les plus grands critiques du monde artistique! Ç'aurait été plutôt farfelu si le gars n'avait pas été si dépressif. Et agressif, aussi… Quand on lui a dit que son temps était terminé, il s'est fâché, a même cassé une de ses toiles et nous a littéralement menacés! Je ne me suis senti rassuré que lorsqu'un gardien de sécurité est venu le chercher. Vous admettrez que ça s'oublie difficilement.

Pierre remercie le psychologue, raccroche et regarde Chloé dans les yeux.

— Lavoie t'a menti, murmure-t-elle.

Pierre serre les lèvres, puis secoue la tête en faisant quelques pas.

— Mais pourquoi ? Qu'est-ce que ça lui donne ?

— Peur du scandale : quatre tueurs qui ont auditionné pour son émission, c'est pas très bon pour l'image…

D'un air entendu, elle ajoute :

— Et peut-être cinq. Car s'il a menti pour Robitaille, il a peut-être menti aussi pour Lacharité.

— Il n'a peut-être pas menti pour Robitaille, s'entête le détective. Il a peut-être juste égaré le rapport. Ou alors il a mal regardé.

Chloé se met les mains sur les hanches, avec un sourire moqueur.

— En fait, ce qui t'achale dans ça, c'est l'idée que Max Lavoie ne soit pas aussi net que tu l'imagines !

— Franchement ! Je suis plus pro que ça pis tu le sais ! Tu m'insultes, Chloé !

Mais Chloé rigole en se claquant dans les mains. Pierre songe à se fâcher, mais finit par détourner les yeux. Bon, son admiration pour Lavoie est réelle, certes, mais ce n'est pas ce qui l'importune vraiment. En fait, il ne voit pas quel intérêt aurait l'animateur à lui mentir, et la peur du scandale suggérée par sa collègue ne le convainc pas vraiment.

— On en reparlera plus tard, fait Chloé plus sérieusement. Si on allait voir ce que veut nous montrer Bernier ?

Leur capitaine les attend devant une table sur laquelle se trouve un petit colis. Bernier explique qu'ils viennent de recevoir ce paquet par courrier express de la maîtresse de Philippe Lacharité. En faisant du ménage dans ses affaires, elle a retrouvé un vieux manteau d'hiver que son amant enfilait souvent quand il allait lui rendre visite. Elle avait oublié d'en parler aux policiers lors de leur visite et ce n'est qu'en tombant dessus qu'elle s'est souvenue de son existence. Elle a fouillé dedans et a découvert dans les poches des trucs ayant appartenu à Lacharité. Elle a donc envoyé le tout à la police, en se disant que ça pourrait l'intéresser. Tandis que Pierre déballe le paquet, Chloé résume à Bernier leur conversation avec le psychologue de Rouyn.

— Lavoie t'a donc menti, Pierre! s'exclame le capitaine.

Contrarié, le détective éparpille sur le bureau le contenu du colis: un paquet de cigarettes, quelques pièces de monnaie et deux morceaux de papier pliés en deux. Le paquet de cigarettes, aux trois quarts vide, ne leur apprend rien. Le premier bout de papier est un coupon donnant droit à une entrée gratuite dans un cinéma. Le second papier est une feuille arrachée d'un agenda de poche, comportant les dates des 29, 30 et 31 mars derniers; mais dans la case du 31, Pierre déchiffre ce court message: *Déluge: 265 Pottier, 21:00*

— Ah ben, criss…, marmonne le policier.

Tandis que ses deux collègues consultent le papier à leur tour, Pierre est saisi d'un bref déséquilibre: ce matin, il songeait à tout abandonner et à se laisser couler lentement jusqu'au fond de la dépression, et voilà qu'en quelques heures, les événements le remontent si rapidement à la surface que la tête lui en tourne.

— Comme sur le calendrier de Diane Nadeau! s'exclame Chloé.

— C'est pas la même adresse, précise Pierre en fouillant dans sa mémoire. Pis la dernière des quatre dates de Nadeau était le 27 mars, pas le 31. Mais dans les deux cas, il y a le mot «déluge».

— Et tu sais quoi? fait Chloé. Je suis prête à parier que ce 265 Pottier est l'adresse d'une salle communautaire en Outaouais, qui a été louée par une compagnie qui n'existe pas.

Pierre ne dit rien, mais son silence est éloquent. Il relit le mot énigmatique, ce code qui doit bien signifier quelque chose : déluge... déluge... Tout à coup, une révélation lui traverse l'esprit avec tant de force qu'elle annule sur-le-champ son vertige. Il lève les yeux vers Chloé et Bernier.

— Vous vous souvenez qu'on se demandait ce que voulait dire ce « DEL » sur les rapports ?

Le visage de Chloé s'illumine.

— Merde, Pierre, tu penses que...

Le policier se contente d'effleurer sa moustache. La giclée d'adrénaline qui déferle en lui anéantit toute trace d'effondrement, et tandis que son capitaine essaie encore de comprendre, Pierre demande à Chloé d'une voix sarcastique :

— As-tu envie de visiter la maison de mon *chum* Lavoie ?

CHAPITRE 6

Le générique de fin commençait à peine que Francis était debout et applaudissait à pleines mains.

— Bravo ! criait-il avec exagération. Un chef-d'œuvre du post-modernisme ! Encore, encore ! Tant qu'à faire du n'importe quoi, on le fait comme ça ! Bravo !

Les nombreux autres spectateurs, tout en quittant la salle, lançaient des regards embarrassés vers le trouble-fête. Assis à ses côtés, Maxime n'arrivait pas à démontrer la même joyeuse ironie que son ami. Et dire que des critiques avaient dit que *Cabin Fever* était jusqu'à maintenant le meilleur film d'épouvante de 2003 !

— Mieux vaut en rire, non ? commenta Francis en arrêtant enfin son petit numéro et en avalant une ultime poignée de pop-corn.

— Désolé, mais je suis trop en maudit ! maugréa Maxime en se levant. Comment les gens peuvent-ils être rendus crétins à ce point ?

Francis cessa de sourire et dévisagea son ami avec reproche. Maxime se renfrogna et marcha vers la sortie. Ils se retrouvèrent dans l'immense station-nement du centre commercial Place Versailles qui, à cette heure tardive, ne comptait que les voitures des spectateurs du film, et marchèrent vers le métro tout près. La nuit était chaude et Francis suggéra d'aller prendre un verre. Maxime accepta du bout des lèvres.

— Je sais que tu es rarement très joyeux, mais ce soir, tu m'as l'air pire que d'habitude, fit remarquer Francis.

Ils franchirent la porte de la station Radisson et, tout en marchant vers le guichet, le PDG expliqua brièvement :

— C'est à cause de la prochaine réunion du Conseil, la semaine prochaine.

Francis prit un air entendu. Il était au courant. Depuis qu'il avait visité les *sweatshops* aux Philippines trois ans plus tôt, et à la suite de son incapacité de convaincre Masina d'en faire des usines respectables, Maxime avait continué à tenter de « sauver les meubles », comme disait son ami. Il y parvenait de moins en moins. Masina n'osait toujours pas lui tenir ouvertement tête au Conseil, mais il prévenait de plus en plus souvent Maxime à l'avance qu'il ne l'appuierait pas dans tel ou tel projet. Le jeune PDG songeait de plus en plus souvent à arrêter le combat. En fait, c'étaient les stimulations de Francis qui le soutenaient. Francis, encore plus idéaliste que lui, encore plus confiant que son ami… Heureusement qu'il était là.

Mais la semaine d'avant, Masina était venu lancer un avertissement plus catégorique à son président :

— À la prochaine réunion, le Conseil va proposer la fermeture de l'usine de la Côte-Nord. Je suppose, évidemment, que tu vas t'y opposer.

— Évidemment.

— Eh bien, moi, je vais l'appuyer.

Derrière son bureau, Maxime avait serré les mâchoires.

— Tu me lâches, Michaël ?

— Je ne te lâche pas. Il y a tout simplement des limites à soutenir tes lubies.

— Sauver des centaines d'emplois, tu appelles ça une lubie ?

— Nous avons ouvert l'usine de la Côte-Nord il y a quinze ans. Elle a commencé à être moins rentable en 1998, mais c'était encore acceptable. Maintenant, cinq ans plus tard, elle nous fait carrément perdre de l'argent.

— Faux : elle ne nous en fait pas faire autant que tu voudrais.

— Ça revient au même. D'ailleurs, c'est de ta faute : tu n'avais qu'à ne pas ouvrir deux autres usines en cinq ans, une en Abitibi et une en Gaspésie ! Il faut fermer celle de la Côte-Nord, sinon on va perdre au minimum vingt millions de dollars.

— Vingt millions sur trois cent soixante-dix, c'est vraiment une catastrophe…

— On ne va pas revenir là-dessus, n'est-ce pas ?

Maxime, buté comme un enfant, avait fait pivoter sa chaise vers la grande fenêtre qui donnait une formidable vue aérienne sur Montréal.

— Je vais m'opposer quand même.

— Tu seras le seul.

Ce n'était pas la première fois que Masina venait prévenir Maxime, mais ce dernier avait senti que cette fois c'était différent. Dans quelques mois, la loyauté du vieil homme pour les Lavoie ne serait plus une raison suffisante pour appuyer le jeune idéaliste. Maxime se retrouverait bientôt tout à fait seul. Comme pour confirmer cette présomption, l'Italien avait ajouté :

— Et j'aime mieux te prévenir : je ne pourrai plus te protéger encore longtemps. Nos actions baissent, nous avons eu des démissions importantes... Le prochain qu'on voudra voir partir, ce sera toi. Le Conseil va bientôt m'obliger à choisir mon camp. Je n'aurai plus le choix. À moins que...

Il n'avait pas poursuivi. Dehors, sur la corniche en pierre de la fenêtre, un faucon était venu se poser. Il apparaissait ainsi au moins deux fois par jour depuis quatre ans et Maxime continuait d'éprouver un véritable malaise à la vue de cet oiseau de proie immobile sur son perchoir.

— À moins que quoi ? avait-il demandé en se tournant vers Masina. Que j'abandonne par moi-même ? C'est ce que tu attends, hein ? Que je vende mes parts et que je lâche la business ?

Masina avait secoué lentement la tête :

— Non, Maxime. J'attends que ta crise d'adolescence se termine et que tu deviennes un *adulto*.

Et Maxime fut convaincu que l'Italien ajoutait mentalement : *L'adulte que ton père aurait souhaité que tu sois*.

— Deux dollars et vingt-cinq, répéta d'un air morne le préposé au guichet.

Maxime sortit de ses pensées, glissa un ticket dans la petite fente et rejoignit Francis de l'autre côté du tourniquet. Ils posèrent leurs pieds sur l'escalier roulant et se laissèrent descendre.

— Tu crois que Masina irait jusqu'à approuver ta destitution si le Conseil la demandait ? lança Francis.

— Je ne pense pas qu'il irait jusque-là. Je suis sûr que, dans mon dos, le Conseil l'a souvent proposée et que Masina m'a toujours protégé. De quelle manière il a convaincu les membres, avec quelles magouilles, ça, je l'ignore. Mais maintenant, il doit songer à se

protéger lui aussi. En fait, il n'aura qu'à cesser de me
soutenir aux réunions. Ce qu'il fera dans cinq jours.
Il espère ainsi que je vais rentrer dans le rang.

— Ce que tu vas faire ? demanda Francis avec un
sourire facétieux.

— Tu sais bien que non.

Il soupira.

— Mais je commence à être tanné, Francis. Ben
tanné…

Ils arrivèrent en bas et marchèrent jusqu'au quai.
Si Masina avait appris que son PDG prenait le métro,
il en aurait fait une syncope. Mais Maxime trouvait
bête de se déplacer en voiture à Montréal, idée que
le vieil Italien ne comprendrait pas. Pas plus qu'il ne
comprenait pourquoi Maxime, depuis son accession
à la tête de Lavoie inc., s'était accommodé d'un
simple bungalow dans Ahuntsic au lieu d'un château
à Westmount.

Cinq autres personnes seulement attendaient sur
le quai du métro. Du côté de Maxime et de Francis,
deux hommes étaient assis, à bonne distance l'un
de l'autre : un jeune Noir en cravate, perdu dans ses
pensées, et un quadragénaire habillé d'un jeans et
d'un t-shirt, assis sur un banc, l'air plutôt hagard. De
l'autre côté de la fosse, en face, un couple debout se
tenait enlacé en se disant des mots coquins, tandis
qu'une adolescente, assise, écoutait la musique de son
baladeur en battant la mesure avec sa tête. Maxime
et Francis firent quelques pas sur le quai, puis s'arrêtèrent.

— Si tu lâchais tout, ce serait pour faire quoi ? demanda Francis. Retourner enseigner à temps partiel
comme moi ?

— Tu as toujours dit que le modeste impact que
tu as sur tes étudiants était une façon tout à fait gratifiante de contribuer à l'amélioration de ce monde.

— Pour moi, oui. Mais tes petites réussites en tant que PDG, aussi minimes soient-elles, ont certainement un impact plus grand que les miennes.

— Le problème, c'est que je ne suis plus sûr de vouloir changer les choses.

Francis fronça les sourcils. Maxime lâcha dans un grommellement :

— Après tout, les gens ont peut-être juste ce qu'ils méritent…

La tête basse, il ajouta comme pour lui-même :

— … et des fois, je me dis qu'ils méritent pire.

— Qu'est-ce qui t'arrive, Max ?

Le PDG leva la tête et remarqua l'inquiétude sur le visage de son ami.

— Au début de notre amitié, tu étais comme moi : révolté contre la bêtise et l'injustice, mais convaincu qu'on pouvait changer les choses. Mais avec les années, ton pessimisme empire… Ton agressivité aussi…

Troublé, Maxime détourna le regard. Francis prit un ton ironique, mais d'une ironie plus dure :

— Si tu ne crois plus à rien, si tu détestes tant les gens, qu'est-ce que tu suggères, alors ? C'est quoi, la solution ?

Maxime observa à nouveau son ami, frappé par les paroles de ce dernier, comme si ces mots venaient secouer quelque chose d'inconscient en lui, brasser des cendres anciennes qui n'attendaient qu'un vent nouveau pour les rallumer…

… tel un flambeau…

Mais Francis semblait tout à coup intrigué par quelque chose qui se déroulait derrière Maxime. Ce dernier se retourna. Le quadragénaire, un peu plus loin, s'était levé et se tenait maintenant tout près de la fosse. Le visage toujours égaré, il fixait les rails en prenant de grandes respirations. Francis, tout à coup soucieux, marcha très lentement vers l'inconnu.

— Ça va, vieux ?

Aucune réaction de l'homme, toujours enfoncé dans la contemplation des rails. Maxime se dit que son ami se faisait des idées : il ne croyait tout de même pas que…

— Hé, ça va ? répéta Francis qui s'approchait toujours.

Cette fois, l'homme sursauta, tourna la tête et, le souffle court, lâcha d'une voix fébrile :

— Approche pas !

Alors Maxime comprit que son ami avait vu juste et un désagréable frisson lui engourdit le dos. Francis s'arrêta à trois mètres de l'homme. Plus loin, le Noir ne leur accordait aucune attention, pas plus que les trois autres personnes sur le quai d'en face, particulièrement le couple qui poursuivait ses minauderies.

— C'est juste que t'as l'air de quelqu'un qui a des drôles d'idées, insista Francis, sans la moindre trace de nervosité dans la voix. Quelqu'un qui est sur le point de commettre une grosse erreur…

— T'es qui, toi ?

Le gars voulait avoir l'air menaçant, mais le désarroi l'emportait. Francis se remit à avancer très lentement.

— Quelqu'un qui veut te convaincre qu'il y a d'autres solutions…

Une note basse roula subtilement contre les murs de ciment et Maxime, à l'écart, vit tout au fond du tunnel un point blanc apparaître. Le métro. Celui de leur côté.

— Non, gémit l'homme en se remettant à contempler les rails, ouvrant et fermant ses mains convulsivement. Non, ça donne rien… Je le sais…

— Il y a *toujours* d'autres solutions… Écoute-moi un peu…

— Approche pas, j'ai dit ! cria alors l'homme.

Francis s'arrêta à moins de deux mètres. Maintenant, le Noir les reluquait avec suspicion. Même le couple de l'autre côté, toujours enlacé, observait la scène. Seule l'adolescente au baladeur ne se rendait compte de rien. Maxime voyait avec anxiété le point blanc qui grossissait à vue d'œil dans le tunnel, en synchronisme avec le sourd vrombissement. L'homme, qui respirait de plus en plus rapidement, avança ses pieds, dont la moitié dépassait dans le vide.

— Francis…, souffla Maxime.

— Viens, fit Francis d'une voix plus forte pour couvrir le vrombissement qui gonflait toujours, et il tendit un bras vers le malheureux. Viens, on va sortir et on va aller jaser, OK ?

— *Fuck you !* cria le gars.

Il tourna vers son sauveteur un visage tordu par la misère. Le grondement avait maintenant des résonances de fin du monde, mais Maxime discerna tout de même ce que cria l'homme vers son ami :

— Je les connais, les gars comme toi ! Tu vas me donner de l'espoir, mais ça donnera rien ! Parce que ça changera pas ! T'es une illusion ! Une illusion qui sert à rien, comprends-tu ça ? *À rien !*

Et en hurlant les deux derniers mots, il se jeta dans la fosse, au moment même où le métro surgissait à toute vitesse du tunnel, mais Francis s'était lui aussi élancé, accomplissant malgré sa corpulence un saut spectaculaire qui lui permit d'agripper le bras du misérable au moment où les pieds de ce dernier quittaient le sol. De son autre main, l'homme fit un geste vers Francis, et même plusieurs mois plus tard, Maxime ne saurait toujours pas si l'infortuné avait voulu repousser son sauveteur ou *l'amener* avec lui. Peu importe l'intention du geste, Francis s'en trouva déséquilibré et, les yeux écarquillés d'horreur, il bascula aussi dans la fosse. Le vacarme du métro recouvra tout : l'impact des deux hommes sur les rails, le son à la fois mou et sec des roues passant sur les corps, le long hurlement de Maxime.

Les crissements de frein déchirèrent l'air et lorsque le métro s'immobilisa enfin, le Noir secouait la tête gravement, tandis que le jeune amoureux, de l'autre côté, serrait contre sa poitrine sa dulcinée en larmes. Maxime, les bras écartés du corps, avait toujours la bouche grande ouverte, mais plus aucun son n'en sortait.

Assise sur le banc, l'adolescente au baladeur, le regard dans le cirage, dodelinait toujours de la tête pour battre la mesure.

◆

Les funérailles. Maxime ne parla à personne. Fixa le cercueil d'un œil voilé de ténèbres. Masina assista à l'enterrement, même si sa présence représentait, pour son PDG, la plus mordante des ironies.

Pendant quatre jours, il n'alla pas au bureau. Il restait chez lui, assis dans son fauteuil, à ne rien faire. À entendre dans sa tête les derniers mots du suicidé, ce qu'il avait crié à Francis :

« *T'es une illusion ! Une illusion qui sert à rien, comprends-tu ça ? À rien !* »

Et le train les avait frappés. Le désespéré et le croyant. Le lucide et l'idéaliste. Même résultat pour les deux.

Quand, la cinquième journée, il assista à la réunion du Conseil et que les membres proposèrent de fermer l'usine de la Côte-Nord, tous se tournèrent vers leur président. Masina demeurait impassible, mais son regard était sans concession et le message qu'y lisait le milliardaire ne pouvait être plus clair. Maxime, le visage morne, les yeux cernés, la bouche amère, hocha mollement la tête et marmonna :

— J'approuve.

Satisfaction de tous autour de la table ovale. Masina, d'une voix égale, donna aussi son appui à la proposition. Lorsque les membres du Conseil se levèrent et, tout en sortant, parlèrent entre eux, le septuagénaire prit Maxime par le bras et lui glissa discrètement :

— Heureux de voir que tu embarques enfin dans le bateau.

Puis il se mêla aux autres actionnaires, sous l'œil indifférent de Maxime.

Une minute plus tard, le PDG retournait dans son bureau. Il vit de l'autre côté de la grande vitre le faucon installé sur son perchoir de pierre. Dans un accès de rage, Maxime fonça sur la fenêtre et la martela de son poing droit. Mais l'oiseau l'observait de son œil noir sans broncher d'une plume. Maxime appuya son front contre la vitre. Cinquante-huit étages plus bas, la ville s'étendait, lui apparaissait dans toute sa petitesse et son insignifiance.

« *Heureux que tu embarques enfin dans le bateau.* »

Masina se trompait. Maxime avait *toujours* été dans un bateau, sauf qu'il s'agissait d'une embarcation de sauvetage. Et lui tentait de sauver tous les gens qui se noyaient autour de lui, même s'il y croyait de moins en moins. Mais l'un des noyés lui avait hurlé qu'il n'était qu'une illusion et qu'il ne servait à rien, puis il avait saisi le bras tendu vers lui pour le tirer vers les flots noirs. Alors, Maxime décida qu'il allait tout simplement changer de bateau. Désormais, il serait dans un yacht de tourisme et, amer, observerait les gens se noyer.

En se disant que s'ils avaient refusé d'apprendre à nager, c'était bien de leur faute.

◆

Pendant neuf mois, Maxime fut un PDG parfaitement passif, qui se borna à accepter les propositions de son conseil d'administration. Pendant neuf mois, il vécut comme un vrai milliardaire : il mangeait dans les bons restaurants, partait souvent en vacances, rencontrait des gens importants. Masina semblait satisfait de la situation, même s'il étudiait souvent son président avec perplexité, comme s'il sentait que quelque chose clochait dans cette attitude. Mais le vieil homme mettait cela sur le compte du chagrin provoqué par la perte de son ami. Pendant neuf mois, Maxime vécut comme sa position de grand homme d'affaires lui dictait de vivre. Il se dit qu'il finirait bien par s'habituer, qu'il finirait bien par y trouver du plaisir. Ce ne fut pas le cas. Il n'y trouva ni agrément ni véritable douleur : sa désillusion, désormais totale, l'empêchait de se sentir coupable ; mais il conservait sur la superficialité de sa vie une lucidité suffisante pour lui éviter d'être heureux. Pendant neuf mois, son cynisme s'exacerba et presque tout ce qu'il entendit autour de lui, presque tout ce qu'il vit à la télévision, presque tous les faits et gestes de « monsieur-et-madame-tout-le-monde » lui confirmèrent qu'il avait eu raison d'abandonner. Pendant neuf mois, il vécut par indifférence, comme un enfant qui boude ses parents tout en continuant de profiter de la maison.

Mais au bout de cette aigre gestation, il réalisa qu'il ne pourrait pas continuer ainsi longtemps, qu'il n'était pas fait pour vivre sans objectif, que l'impudence ne pouvait être son seul moteur. Comment toutefois trouver un moteur lorsque le désir d'aider son prochain s'est transformé en mépris ? Souvent, il se rappelait les derniers mots que lui avait dits Francis, sur le quai du métro…

« Si tu ne crois plus à rien, si tu détestes tant les gens, qu'est-ce que tu suggères, alors ? C'est quoi, la solution ? »

Francis avait posé cette question sur le ton de l'ironie réprobatrice, mais Maxime n'arrivait pas à se sortir ces mots de la tête, comme s'ils lui envoyaient un message involontaire, incompréhensible et pourtant sur le point de lui crever les yeux.

Après neuf mois de cette vie inconsistante, il se demandait pour la première fois si, après tout, le mieux n'était pas de quitter tout simplement ce monde qu'il n'arrivait ni à changer ni à imiter, lorsqu'il entreprit son bref séjour en Gaspésie…

CHAPITRE 34

Très tôt lundi matin, en cette dernière journée ensoleillée de juillet, une fourgonnette appartenant à la police de Drummondville roule dans les rues d'Outremont, sur les flancs du mont Royal. Pierre est le conducteur. Sur le siège du passager est assise Chloé, et le sergent Boisvert occupe la banquette arrière. On a emmené ce dernier en cas de grabuge, mais Pierre doute fort que Lavoie oppose la moindre résistance. Il s'attend à de la contestation, vraisemblablement de la colère, mais sûrement pas à de l'agressivité. Un homme de son statut ne peut se permettre un comportement si primaire.

Durant le week-end, les deux détectives ont cherché ce 265, Pottier (l'adresse trouvée dans la poche du manteau de Lacharité) en Outaouais et l'ont trouvé : il s'agit effectivement d'une petite salle communautaire dans la ville de Gatineau, du même genre que celle de Victoriaville mais sans traces de sang cette fois. Elle a été louée les 11 et 27 février et le 15 mars par la compagnie Drüls, qui se spécialise dans la confection de jeux de rôle, ainsi que le 31 mars à une compagnie d'électronique, Azert. Après recherches, on s'est rendu compte que ces compagnies n'existent pas.

— Méchantes cabanes, commente Chloé en observant les maisons environnantes.

— Ouais, fait Boisvert, envieux. Y en a qui l'ont, l'affaire…

Chloé le regarde de travers.

— Tu penses qu'ils « l'ont l'affaire » juste parce qu'ils vivent dans des grosses maisons ?

— Comment peux-tu pas être heureux en vivant ici ? rétorque le sergent avec aplomb.

Chloé secoue la tête et préfère ne rien ajouter. Elle se tourne plutôt vers Pierre.

— Il va être surpris de nous voir, à sept heures et quart du matin !

Pierre hoche la tête. C'était son idée, de ne pas prévenir Lavoie de leur visite. Parce que si la star a vraiment quelque chose à cacher, elle aurait tout le temps voulu pour se débarrasser de certains dossiers entre l'appel de la police et l'arrivée de celle-ci. Rien ne vaut une visite-surprise. Surtout avec un mandat. Une autre façon de ne courir aucun risque. Le mandat n'a pas été facile à obtenir (c'était à se demander si le juge était un fan de Lavoie !), mais Pierre a précisé qu'il ne souhaitait obtenir que les rapports d'auditions et qu'il ne mêlerait pas les journalistes à tout cela.

La voiture s'engage sur la route qui s'enfonce littéralement dans la forêt, désormais familière pour Pierre, puis la grille apparaît à cent mètres devant.

— On dirait l'entrée du château de Moulinsart dans Tintin, commente très sérieusement Boisvert.

Quelques secondes plus tard, Pierre appuie sur la sonnette de l'interphone. Pour tout accueil, la voix à l'accent espagnol du dénommé Miguel leur lance sur un ton maussade :

— Je ne crois pas que monsieur Lavoie ait un rendez-vous à sept heures du matin. À moins que vous soyez quelqu'un de très important, je ne veux même pas vous entendre.

— La police, c'est assez important pour toi ?

Soupir électronique, puis :

— Je vais prévenir monsieur Lavoie qu'il va devoir interrompre son petit déjeuner.

— Non, tu nous ouvres tout de suite pis tu vas prévenir monsieur Lavoie après. Et je dis bien : tout de suite.

Moins de trois secondes plus tard, la grille s'ouvre et la voiture roule vers le domaine. Boisvert émet un sifflement d'admiration.

En se dirigeant vers les marches qui montent à la porte d'entrée, Pierre ressent cette exaltation grisante qui explique pourquoi il aime tant être flic, émotion qu'il n'éprouve jamais ni avec d'autres personnes, ni seul chez lui, ni dans aucune autre situation. Ce n'est que lorsqu'il éprouve cette sensation qu'il se sent vraiment, réellement utile, important… vivant.

Il se trouve au milieu de l'escalier lorsque Lavoie apparaît par la porte ouverte, en robe de chambre et décoiffé. La colère qui recouvre ses traits est une expression que bien peu de gens du grand public peuvent se vanter d'avoir déjà vue chez lui.

— Vous pensez pas que vous charriez un peu ?

Plus aucun effort pour cacher son irritation, cette fois, et Pierre se félicite d'avoir un mandat. Lavoie, en voyant les deux autres policiers derrière, s'exaspère :

— Et vous avez amené des amis, en plus !

— Je sais que je suis matinal, mais je voulais pas vous manquer, fait Pierre en s'arrêtant devant lui.

Il présente ses deux collègues qui l'ont rejoint. Boisvert salue humblement, impressionné :

— Bonjour… Vous faites une maudite bonne émission…

Pierre se retient pour ne pas le traiter d'imbécile…
mais lui-même ne s'est-il pas senti ainsi, lors de sa
première rencontre avec le célèbre animateur ? Lavoie
toise Boisvert avec morgue. Quant à Chloé, elle ne
montre aucune trace de timidité devant le milliardaire. Au contraire, elle l'observe avec une sorte
d'assurance hautaine, une expression que Pierre ne
lui a jamais vue. Lavoie ne s'écarte pas de la porte. De
toute évidence, il n'a pas l'intention de faire entrer
ses invités.

— J'espère que vous avez une bonne raison. Je
ne vois vraiment pas ce que je pourrais faire de plus
pour vous.

— Nous avons découvert que Louis Robitaille a
lui aussi auditionné pour votre émission.

Lavoie soupire et croise les bras. Sous la colère
de son regard brille maintenant la méfiance.

— Et alors ?

— L'autre jour, vous m'avez dit que vous aviez
pas son rapport. Pourquoi ?

— Vous n'avez jamais songé que je l'avais peut-
être tout simplement égaré ? Ou que j'avais mal regardé ? D'ailleurs, je peux retourner voir et fouiller
mieux, si vous tenez tant à ce foutu rapport !

Pierre ne répond rien. Lavoie est bien coopératif,
tout à coup. Chloé, qui l'observe toujours, semble
penser la même chose. Quant à Boisvert, il admire
avec envie le décor bucolique autour de la maison.
L'animateur, excédé par le silence de Pierre, demande
froidement :

— C'est tout ? C'est l'unique but de votre visite ?

— Pas tout à fait…

Pierre brandit devant le visage de Lavoie le rapport
d'audition de Liang.

— Ce petit mot sur les trois rapports, « DEL »…
c'est vous qui l'avez écrit ?

Lavoie approche son visage du papier, puis émet un ricanement.

— Ne me dites pas que c'est pour ça que vous êtes venu jusqu'ici ! Un coup de téléphone aurait été tout aussi efficace !

Boisvert paraît dérouté par le niveau de langage de Lavoie qui ne parle jamais ainsi à la télé.

— C'est un code pour moi, lorsque je lis les rapports. J'inscris ces lettres sur ceux que je rejette. Ça veut dire « delete ». C'est de l'humour un peu noir, j'avoue, mais, bon… Content ?

Pierre hoche la tête. Exactement ce qu'ils avaient cru eux-mêmes au départ. La voix neutre, il demande :

— C'est pas une abréviation pour « déluge », par hasard ?

Soudainement, le visage de l'animateur *blêmit,* dans le sens littéral du terme. Il décroise lentement les bras et l'inquiétude, qui jusque-là ne faisait que percer, remplit maintenant son regard. Non, en fait, ce n'est plus de l'inquiétude, mais un véritable affolement, mêlé à une confusion totale et impossible à camoufler. Cette expression atterrée ne persiste que quelques secondes, mais c'est suffisant pour Pierre : désormais, il est *convaincu* que Lavoie cache des informations.

— Comment, déluge ? rétorque Lavoie d'une voix trop forte en reprenant son air courroucé. C'est quoi, ça ? De quoi vous parlez ?

Trois questions en cascade. Vieux réflexe pour camoufler le trouble, se dit Pierre. L'animateur-vedette qu'il admirait tant a complètement disparu : le policier a désormais devant lui un menteur et, par conséquent, un suspect. Et les suspects n'ont jamais impressionné le sergent-détective Sauvé. Ils ne sont que des défis à relever. De potentiels trophées de chasse. Du combustible pour son feu intérieur. Il lance un bref coup d'œil vers Chloé, qui approuve d'un imperceptible mouvement de tête, puis annonce à Lavoie :

— Je veux tous les rapports d'auditions de tous ceux qui ont auditionné au cours des deux dernières années.

Cette fois, Lavoie a un sourire frondeur.

— Vous n'êtes pas sérieux !

— Très sérieux.

La star tourne la tête vers les deux autres policiers : Boisvert, qui évite son regard, et Chloé, qui le soutient sans peine. Derrière, à l'intérieur de la maison, Miguel tente de comprendre ce qui se passe. Enfin, Lavoie articule avec aplomb :

— Ça suffit, Sauvé, vous dépassez les bornes. Au lieu de perdre votre temps en venant me harceler, vous devriez enquêter plus efficacement et interroger les bonnes personnes. Et si vous revenez me voir, j'appelle votre supérieur, compris ?

Alors que Lavoie fait mine de refermer la porte, Chloé s'approche et exhibe un papier devant l'animateur.

— C'est un mandat, explique-t-elle. Ce qui nous donne l'autorisation de fouiller votre maison jusque dans les entrailles de vos matelas, si on en a envie. Mais nous nous contenterons des rapports d'auditions.

Lavoie lit le mandat d'un air interdit, puis lève les deux bras, retenant manifestement une suprême colère.

— Pourquoi ? souffle-t-il. Tout ça parce que je n'ai pas trouvé le rapport de ce Robitaille ?

— Pour ça, répond Pierre. Mais aussi parce que sur les cinq personnes impliquées dans la tuerie, il y en a au moins quatre qui ont auditionné. Aussi parce que ces trois lettres, DEL, nous intriguent pas mal. Pis à cause de votre attitude générale.

Le visage du milliardaire se durcit et Pierre y voit une émotion surprenante, une émotion que les gens croient connaître mais qui, dans sa pureté, n'apparaît que très rarement sur des traits humains : la haine. Pierre se laisse troubler pendant un bref moment, mais reprend rapidement sa confiance et demande :

— Alors, vous nous laissez entrer ?

◆

Au milieu de la grande pièce vitrée, les trois policiers attendent patiemment, tandis que Lavoie fouille dans un garde-robe de style *walk-in*. Boisvert continue de regarder partout comme un imbécile.

— En voilà cinq, grommelle Lavoie en venant déposer brusquement cinq dossiers sur son bureau.

Et il retourne dans le garde-robe. Pierre et Chloé s'approchent et examinent les chemises. Sur la première est inscrit « Mauricie », puis une région différente sur les quatre autres : Québec, Charlevoix, Gaspésie et Lanaudière. Chacune contient une quarantaine de rapports d'auditions.

— En voilà cinq autres ! fait Lavoie en venant déposer d'autres chemises.

Même si le policier n'est plus impressionné par le statut du milliardaire, il ne peut s'empêcher d'être frappé par la situation : il se trouve chez la plus grande star québécoise avec un mandat, pour une affaire qui traite d'une des tueries les plus spectaculaires de l'histoire du Québec !

Crois-tu vraiment que cette méga-vedette est impliquée dans cette boucherie insensée ? Vraiment ?

Honnêtement, Pierre ne le croit pas. Mais il sait une chose : Lavoie, impliqué directement ou non, ne lui dit pas tout. Peut-être, effectivement, par peur du scandale. Mais maintenant qu'il est acculé au pied du mur, pourquoi ne pas vider son sac? Et ce DEL insolite, qui ressemble tant à «déluge»… Mais peut-être n'est-ce qu'un hasard. Peut-être que ce sigle veut vraiment dire «delete». Mais ça commence à faire beaucoup de hasards…

Peu importe ce que tu nous caches, Lavoie, que ce soit grave ou anodin, je vais le trouver.

Lavoie revient au bureau et dépose d'autres dossiers en lâchant:

— Et voilà les six derniers!

Il croise les bras et toise ses visiteurs avec réprobation. Pierre regarde les seize dossiers d'un œil dubitatif. C'est Chloé qui dit ce qu'il a en tête:

— Vous avez dit que vous conserviez *toutes* les auditions. Il n'y a pas soixante-quatre mille rapports là-d'dans. Quelques centaines au maximum.

Lavoie balance un moment, comme s'il réfléchissait à toute vitesse. Pierre se demande s'ils vont être obligés de fouiller la maison eux-mêmes lorsque Lavoie dit enfin:

— Vous savez combien de boîtes ça représente, soixante-quatre mille rapports d'auditions? Ça fait cent vingt-huit mille feuilles de papier!

— J'y ai pensé, rétorque Pierre sans se démonter. C'est pour ça que nous sommes venus en minivan.

Lavoie a un geste d'abandon, puis marche vers le placard en lâchant:

— Vous êtes complètement cinglés!

Il traîne hors du *walk-in* deux boîtes en carton, puis retourne dans le placard et en tire deux autres. Avec une ironie sans joie, il dit au détective:

— Il y en a vingt en tout! Si vous ne voulez pas passer la matinée ici, je vous suggère de vous y mettre tout de suite!

Les trois policiers commencent donc à charger les boîtes dans la fourgonnette, sortant et rentrant dans la maison plusieurs fois. Au bout d'une quinzaine de minutes, tandis que Boisvert descend une des deux dernières boîtes, Chloé et Pierre demeurent dans le bureau et la jeune femme demande :

— Ces boîtes renferment toutes les auditions rejetées, c'est ça ?

— C'est ça, bougonne Lavoie en refermant son garde-robe.

— Pourquoi vous les gardez ?

— Quand j'ai le cafard, je les relis ! fait le milliardaire sur un ton sarcastique.

— Et celles-là, qui sont classées par région ? demande Pierre en indiquant les seize chemises sur le bureau. Pourquoi sont-elles à part ?

De nouveau, Lavoie, tout en rattachant sa robe de chambre, donne l'impression de se faire aller les méninges à la vitesse grand V.

— Ce sont des auditions rejetées, mais qui pourraient être éventuellement sélectionnées, répond-il avec mauvaise grâce. Au cas où un participant annule. Ou si, l'année prochaine, pour la saison trois, il y a moins d'auditions. Une sorte de banque de seconde main.

— Vous en avez pas d'autres à votre studio ?

— Seulement celles des participants qu'on a choisis pour les émissions. Vous les voulez aussi, je suppose ?

— Pas pour le moment, répond Pierre en s'approchant de l'unique boîte restante.

Il regarde à l'intérieur et fronce les sourcils.

— Les auditions dans les boîtes ne sont pas classées ?

— Pourquoi je classerais celles qui sont définitivement rejetées ?

Pierre se tourne vers lui.

— Ça veut donc dire que l'autre fois, quand vous avez cherché le rapport de Robitaille, vous avez fouillé seulement dans les seize dossiers classés, pas dans les milliers de rejetés?

Lavoie est visiblement coincé. Tandis que Boisvert, de retour et en sueur, va chercher la dernière boîte, Pierre, outré, fait un pas vers l'animateur:

— Cette fois, vous pouvez pas le nier: vous m'avez menti!

— Ben oui! Je n'allais quand même pas relire ces milliers de rapports juste pour trouver celui d'un tueur dont je me fous éperdument!

— Vous auriez pu me le dire qu'ils étaient pas tous classés, tout simplement!

Lavoie se tait et se frotte le front d'un doigt irrité. Chloé ne le quitte pas des yeux. Pierre est maintenant tout près de l'animateur.

— Je vais encore vous laisser une chance, monsieur Lavoie. Je vous répète mes questions pis si vous me donnez enfin des réponses satisfaisantes, on ramène tout de suite vos boîtes et toute cette histoire sera terminée dans deux minutes, d'accord?

— D'accord.

— Avez-vous, oui ou non, le rapport d'audition de Louis Robitaille?

— Je l'ignore. J'avoue que j'aurais dû vous dire, l'autre jour, que je n'avais pas le cœur de fouiller dans ces boîtes. J'imagine que son rapport s'y trouve quelque part.

— Et Philippe Lacharité?

— Je n'en sais rien.

— Pourquoi m'avoir menti? Pourquoi ne pas m'avoir dit que les rapports définitivement rejetés n'étaient pas classés?

— Je ne sais pas. Pour en finir rapidement. Je m'excuse, j'ai été idiot, je l'admets.

Il affecte un air désolé. Pierre continue :

— Que veut dire DEL ?

— Je vous l'ai dit : « delete ».

— Ça veut pas dire « déluge » ?

— Absolument pas. Je ne sais même pas de quoi vous parlez.

Les deux hommes se défient du regard quelques secondes, puis Pierre désigne les seize chemises sur le bureau :

— OK, on s'en va.

Boisvert, gêné, et Chloé, imperturbable, prennent chacun une moitié des dossiers et les trois policiers sortent de la pièce. Tandis qu'ils franchissent la porte d'entrée que le majordome tient ouverte d'un air hautain, Lavoie les rattrape sur la galerie et va jusqu'à saisir l'épaule de Pierre.

— Tout ça est complètement grotesque ! Vous m'accusez d'avoir un lien avec cette fusillade, c'est scandaleux !

Pierre se dégage sans brusquerie et nuance d'une voix neutre :

— On vous accuse de rien, monsieur Lavoie. On veut juste clarifier certains points. Faites-vous-en pas, vous allez récupérer vos auditions.

Il se remet en marche. Sur la galerie, Lavoie, quelque peu cocasse dans sa robe de chambre désordonnée, regarde les policiers monter dans le véhicule débordant de boîtes, puis, l'air digne et hautain, il leur lance :

— Parfait, amusez-vous bien ! Quand vous aurez perdu suffisamment de temps à lire tout ça, vous vous rendrez peut-être enfin compte de l'ineptie de vos agissements !

Pierre met le moteur en marche. Boisvert, juste avant de refermer la portière, salue modestement le milliardaire. Avant même que la fourgonnette n'atteigne la grille, Lavoie, en furie, est déjà rentré dans son palace.

Les trois policiers gardent le silence jusqu'à ce qu'ils sortent d'Outremont. Une fois sur l'avenue du Mont-Royal, Boisvert demande :

— Ça veut dire quoi, ineptie ?

— Absurdité, répond Chloé.

Puis, avec un enthousiasme juvénile, elle commente :

— C'était amusant, non ? On se serait cru dans un film !

Mais Boisvert, piteux, marmonne :

— Il parle pas pantoute comme à la télévision…

Chloé éclate de rire.

— Tu pourrais tout de suite vérifier si les rapports de Robitaille et Lacharité sont dans les chemises, propose Pierre sans l'ombre d'un sourire.

Tandis que la voiture tourne dans Papineau, Chloé fouille dans le dossier de l'Abitibi : pas de trace de Robitaille. Elle s'attaque ensuite à celui de l'Outaouais : pas de trace de Lacharité non plus. Pierre en conclut qu'ils sont sûrement dans une des vingt boîtes.

— On n'est quand même pas sûrs que Lacharité a auditionné pour l'émission, lui rappelle Chloé.

— Quatre sur cinq ont auditionné, pourquoi pas cinq ? Et avec le message qu'on a trouvé dans le manteau de Lacharité, avoue qu'on a de bonnes raisons de le croire.

— Tu penses vraiment que Lavoie est lié à la tuerie de Drummondville ? demande Boisvert sur un ton incrédule.

Pierre secoue la tête en s'engageant sur le pont Jacques-Cartier.

— Franchement, je le sais pas. Mais il nous cache quelque chose. Avez-vous vu sa réaction quand j'ai prononcé le mot «déluge»?

— C'est vrai, approuve sa collègue. On aurait dit que tu venais de lui annoncer que tu avais découvert qu'il était pédophile.

— Voyons, Lavoie est pas pédophile! s'insurge Boisvert.

Chloé éclate de rire à nouveau.

◆

Quand ils arrivent au poste, le plan de match est rapidement mis sur pied. Il ne s'agit pas de lire tous ces rapports, mais juste de mettre la main sur celui de Robitaille et, possiblement, celui de Lacharité. On en profitera pour trouver d'autres rapports qui porteraient le code DEL. Pour ce travail quelque peu aliénant, les deux détectives demandent l'aide de Boisvert ainsi que de cinq autres collègues.

Installés dans une petite pièce comportant une longue table ainsi que les vingt boîtes, les huit policiers se mettent au travail. À deux ou trois occasions, Bernier vient les voir, l'air curieusement nerveux, mais ne reste que quelques secondes chaque fois. Des surprises viennent ponctuer ces longues et lourdes heures: à quelques reprises, les agents tombent sur quelqu'un qu'ils connaissent et ne peuvent s'empêcher de lire le rapport à haute voix. Pierre lui-même déniche l'audition d'un de ses voisins et en dévoile le contenu aux autres: le gars, père d'un garçon de seize ans, rêve d'avoir une piscine creusée afin que toutes les jeunes copines de son fils viennent en bikini se baigner chez lui. Tout le monde fait des gorges chaudes de cet étalage de vie privée, sauf Chloé qui ne semble pas apprécier.

— C'est fou à quoi les gens rêvent, quand même, hein ? commente Pierre.

— C'est surtout triste, marmonne Chloé sans cesser de fouiller dans sa boîte.

Si, de son côté, elle tombe aussi sur des rapports de gens qu'elle connaît, elle n'en montre aucun signe.

Vers seize heures, Pierre examine un rapport dont le nom le pétrifie d'ahurissement : Gilles Bernier ! Sur le moment, il se dit que c'est un homonyme, mais il réalise rapidement qu'il s'agit bien de leur capitaine, qui a passé une audition l'année dernière. Surpris, il lit pour lui-même la description du trip. Bernier, homosexuel refoulé, rêve de coucher avec un Noir, de vingt ou vingt-cinq ans si possible. Il n'a jamais osé. Il voudrait que l'émission de Lavoie l'aide à réaliser ce rêve, mais tout en gardant son anonymat. Il veut bien être à la télé, mais avec un masque, ou quelque chose du genre. S'il osait passer à l'acte, cela lui donnerait peut-être enfin le courage de quitter sa femme. Pierre relit le rapport de l'analyste une deuxième fois.

— T'es tombé sur un autre que tu connais ? demande Boisvert, qui remarque son air renversé.

Le détective, en remettant rapidement le rapport dans la boîte, répond un « non » sec. Quand, plus tard, Bernier revient faire son petit tour, toujours avec son air équivoque, Pierre évite carrément son regard.

Vers vingt et une heures, après douze heures de travail presque continu (les repas ont été pris en quelques minutes), les huit agents sont passés à travers les vingt boîtes. Les yeux embrouillés, les traits tirés, le cou douloureux et les doigts engourdis, ils se regardent avec déception : aucune trace des rapports de Robitaille et de Lacharité. Et aucun autre rapport ne porte le code DEL. Pierre remercie ses six collègues et leur donne congé en leur rappelant que tout ce qui a trait à cette affaire est confidentiel : Lavoie est une star et si son image est entachée sans preuve, la police de Drummondville va avoir de gros problèmes. Les agents ne se font pas prier pour partir. Une minute plus tard, Pierre est seul dans la petite salle avec Chloé.

— On sait que Robitaille a auditionné, résume le détective qui trouve encore l'énergie de marcher de long en large. Pour Lacharité, on n'a pas de preuves mais de fortes présomptions. En plus, DEL ne peut pas vouloir dire « delete », sinon on aurait trouvé ce sigle sur les milliers de rapports rejetés. De deux choses l'une : ou, par hasard, les rapports de Robitaille et Lacharité ont été égarés… ou ils se trouvent ailleurs, dans une autre chemise qu'on a pas. Une chemise qui ne comporterait que les rapports portant la mention DEL.

— Tu penses quoi, exactement ? demande Chloé, appuyée contre un mur, café à la main. Que Lavoie cache un dossier secret ? Un dossier « déluge » qui renfermerait les rapports de Robitaille et Lacharité ?

— Peut-être.

— Et ce serait quoi, ce dossier « déluge » ? Des tueurs à la solde de Lavoie ?

Et elle rit en secouant la tête, comme pour souligner l'absurdité d'une telle supposition. Pierre se gratte le crâne ; lui-même trouve ce scénario plutôt tiré par les cheveux.

— Alors, on fait quoi ? demande la policière. On retourne voir Lavoie et, cette fois, on fouille nous-mêmes sa maison et son studio à la recherche de cet hypothétique dossier ?

— Justement, l'existence de ce dossier n'est qu'une hypothèse, on aura pas un second mandat avec de telles spéculations… De toute façon, s'il existe vraiment un dossier «déluge», c'est sûr que Lavoie l'a maintenant caché en un lieu sûr, qu'on trouvera jamais.

Il lève les bras en soupirant.

— Pis peut-être que je déraille! Peut-être qu'effectivement, le dossier de Robitaille a été égaré! Peut-être que les dates avec le mot « déluge » trouvées chez Nadeau et Lacharité ont rien à voir avec le DEL de Lavoie! Peut-être que tout ça, c'est juste une série de hasards!

Son bras gauche lui fait mal et il se renfrogne en le massant. Il est exténué et le visage de sa collègue indique qu'elle-même n'en mène guère plus large. Il se met les mains sur la tête et conclut:

— Mais là, on a besoin d'un *break*. Demain, on va peut-être voir plus clair.

Il donne rendez-vous à Chloé le lendemain pour treize heures, puisqu'il doit voir son psychologue le matin.

— Si j'étais pas si fatiguée, je t'inviterais à aller prendre une bière, dit en souriant la détective sur le point de sortir de la pièce.

— Une autre fois, pourquoi pas?

— Des promesses, des promesses!

Elle sort en lui lançant un clin d'œil.

Cette nuit-là, Pierre ne rêve pas à la fusillade. Mais il rêve à Karine. Une Karine égarée qui court vers lui sans s'approcher, comme si elle faisait du surplace. Lui, immobile, la regarde sans réagir, tenté de lever la main pour l'atteindre, mais effrayé à l'idée de ce geste.

Car une fois qu'il aura agrippé la main de sa fille, il n'a aucune idée de ce qu'il devra faire.

◆

Le lendemain matin, Pierre se rend à son rendez-vous chez Ferland. Avec enthousiasme, il lui explique qu'ils ont maintenant des pistes ; complexes et bizarres, mais des pistes tout de même.

— C'est votre visite chez Max Lavoie qui a déclenché tout ça ? demande le psychologue avec intérêt.

— Nous sommes retournés chez lui hier matin ! Mais c'est encore loin d'être certain que Lavoie lui-même est directement concerné.

— Vous êtes retournés chez lui ? Et vous avez découvert quoi, au juste ?

Pierre observe Ferland attentivement, à nouveau traversé par cette idée saugrenue que le psy est plus intéressé par l'enquête que par son client. Le policier réalise alors qu'il est en train de divulguer les détails d'une enquête très secrète, qui concerne en plus l'une des plus grandes personnalités du Québec. Ferland a beau être son psychologue, il est peut-être temps d'établir des limites. Pierre change donc de position sur son fauteuil et commence avec doigté :

— Prenez-le pas personnel, Frédéric, mais l'enquête rentre maintenant dans une phase, heu… vraiment confidentielle, alors vous comprenez…

Ferland rappelle à son client qu'il est lui aussi tenu au secret professionnel. Le détective comprend mais, tout de même, il croit qu'il serait plus professionnel, justement, de ne pas donner trop de détails.

— Mais je dois pouvoir juger des effets positifs ou négatifs de l'enquête sur votre état émotif, insiste le psychologue.

— Pour ça, je peux vous dire que mon état émotif est numéro un ! Cette nuit, pour la première fois, je n'ai pas rêvé au massacre !

Évidemment, il ne précise pas qu'il a rêvé à sa fille.

— À partir de maintenant, je pourrai donc vous dire, *grosso modo*, si l'enquête avance ou pas, mais ça restera… imprécis.

Une réelle déception apparaît sur le visage de Ferland. En fait, plus que cela : de la frustration, comme si Pierre avait devant lui un enfant à qui l'on vient d'enlever son jouet préféré. Mais le psychologue se reprend rapidement et, avec un sourire d'excuse, admet :

— Je comprends. Je crois que je m'étais passionné malgré moi pour cette enquête.

Pierre hoche la tête d'un air conciliant. Ferland lui pose alors une série de questions sur son état émotif ; après quoi, il affirme :

— Effectivement, comparé à la dernière fois, vous semblez aller beaucoup mieux. Il faut croire que cette enquête était finalement ce qu'il vous fallait.

— C'est vrai. En fait, je me sens tellement mieux que je pense que je peux arrêter mes consultations.

Il ne frime pas. L'emportement de l'enquête chasse désormais toute angoisse ; il ne voit plus le massacre comme un moment traumatisant de sa vie qu'il doit fuir, mais comme un défi à relever en hommage à ses collègues morts : s'il a survécu à cette tragédie, c'était justement pour faire justice. En fait, s'il n'y avait pas cette histoire avec Karine, tout serait parfait. Mais Ferland ne voit pas les choses aussi simplement : mettre fin au traitement lui paraît un peu prématuré. Si l'enquête recommençait à faire du surplace, Pierre aurait peut-être une nouvelle rechute.

— Revenons à un rendez-vous par semaine, propose Ferland. Encore deux ou trois rencontres, et, à mon avis, vous serez suffisamment solide pour cesser de me voir. Qu'en pensez-vous ?

Pierre accepte le compromis et les deux hommes se séparent après une solide poignée de main.

◆

Ferland, tout en allumant une cigarette, se poste à sa fenêtre pour observer Pierre montant dans sa voiture. Il fume un moment devant la vitre, songeur, puis va à son téléphone. Il prend à distance les messages laissés sur son répondeur chez lui. Il y en a deux. Sur le premier, il reconnaît tout de suite la voix provocante de Lucie.

— Salut, vieux cochon. Juste un petit coup de fil pour t'inviter à une fête chez moi, samedi dans deux semaines. Ça doit faire presque un an qu'on ne t'a pas vu ! Ne me dis pas que tu es tombé en amour, ce serait vraiment un gâchis total ! En tout cas, si j'étais toi, je manquerais pas ça, il va y avoir beaucoup de monde, ça va gicler toute la nuit ! (rire) Si t'as une nouvelle blonde et qu'elle tombe sur ce message, va falloir que tu lui confesses ton ancienne vie, hein ? (rire) Allez, j'espère que tu vas venir ! Dans tous les sens du mot !

Ferland sourit, mais sait très bien qu'il ne se rendra pas à la partouze. En fait, au cours des derniers mois, il n'a eu aucune relation sexuelle, n'a pratiqué aucune activité extrême, ne s'est plongé dans aucun livre philosophique... Il n'a plus besoin de toutes ces vaines tentatives.

Son flambeau lui suffit amplement.

Le second message est de Maxime Lavoie qui demande au psychologue de le rappeler. Ferland compose donc un numéro. Quand une voix à l'accent espagnol lui répond, il dit seulement : « Bonjour, Miguel, c'est Frédéric. » Vingt secondes plus tard, la voix de la star se fait entendre.

— Bonjour, Frédéric. Que dirais-tu d'un petit brunch chez moi dans trois jours?

Ces rencontres avec Lavoie, qui ont lieu une fois toutes les deux semaines environ, se déroulent toujours de la même façon. Lavoie raconte des événements importants de son passé qui démontrent, en quelque sorte, à quel point il a tout essayé avant d'en arriver *là*. Puis, il demande à Ferland de raconter à son tour les grandes brisures de sa vie, ce qui procure au milliardaire des preuves supplémentaires de la justesse de ses actions. En fait, ce que recherche Lavoie à travers Frédéric est une oreille complaisante qui le comprenne et lui donne raison. Rôle que le psychologue joue sans trop de difficulté.

— Avec plaisir, Maxime. Je serai chez toi vers onze heures.

— J'en profiterai pour te parler d'un problème assez embêtant.

— Grave?

— Disons qu'au pire ça pourrait mettre en péril mon flambeau...

— Et le mien?

— Comment veux-tu que je le sache, puisque tu refuses de me dire en quoi il consiste.

Il y avait du reproche dans la voix de Maxime, mais dénué de réelle rancune. Frédéric, le combiné contre l'oreille, tourne les yeux vers le fauteuil où était assis Pierre Sauvé quelques minutes plus tôt et, avec un mince sourire, dit d'une voix satisfaite :

— En tout cas, je peux au moins te dire qu'il avance...

◆

À treize heures moins cinq, en entrant au poste, Pierre tombe sur Bernier et un certain malaise s'ins-

talle entre les deux hommes, comme si le capitaine
se doutait que son détective a lu son audition.

— Alors, à part mon enquête, c'est mollo au poste?
demande Pierre pour dire quelque chose.

— Oui et non. On est en train de régler l'affaire
des vols de voitures, mais on a un gars qui a enlevé sa
fille de huit ans à la sortie de l'école, hier. Il n'avait
plus le droit de la voir à cause de son passé violent.
J'imagine qu'on va le dénicher assez vite.

Ils ne trouvent rien à se dire de plus et Bernier,
emprunté, s'éloigne rapidement. Pierre va rejoindre
Chloé.

— Hier, pour trouver les auditions de Lacharité
et Robitaille, on a fouillé dans les boîtes, mais pas
dans les rapports classés par région, fait remarquer
Pierre. Tu sais, ceux qui servent de « banque de seconde main » à Lavoie, comme il dit...

— On a regardé dans les chemises Abitibi-Témiscamingue et Outaouais, lui rappelle Chloé.

— Oui, mais pas dans les autres. Ça ne coûte
rien d'essayer, non? Peut-être que les deux rapports
ont été mal classés.

Chloé lui donne raison, puis ils entrent dans la
pièce où se trouvent les vingt boîtes. Ils ont la surprise d'y retrouver Boisvert qui, figé au milieu de
la pièce, est en train de lire une des auditions.

— Qu'est-ce que tu fous ici? lui demande Pierre,
réprobateur.

Embrouillé, Boisvert admet qu'il est venu jeter
un œil sur les rapports classés par région. En fait, il
a fouillé dans la chemise « Centre-du-Québec ».

— Comme c'est notre région, j'étais curieux de
voir si... heu... si je connaissais du monde qui avait
auditionné...

— Pas fort, ça, Boisvert, dit Chloé d'un air outré.
Franchement, on fait une enquête, pas du potinage!

Pierre, qui n'a jamais vu sa collègue fâchée, la considère avec intérêt. Mais il doit bien admettre qu'elle a raison. Boisvert lui-même hoche la tête, mais son visage accablé intrigue enfin le détective qui remarque :

— T'as ben l'air bizarre.

— C'est parce que… Je suis tombé sur ce rapport-là pis… Je voulais vous le montrer… Ça chavire pas mal…

Il tend les deux feuilles agrafées. Pierre prend le rapport et le nom lui saute au visage : Henri Guérin ! Leur collègue qui s'est suicidé l'année dernière ! Leur compagnon qui, à deux ans de la retraite, dans un acte de démence déconcertant, a battu sa femme, violé sa voisine et volé une banque pour ensuite se pendre dans une cabane dans les bois ! En voyant l'air de Pierre, Chloé s'approche et lit le nom. Elle n'était pas encore à Drummondville au moment de cette sordide histoire, mais elle en a entendu parler souvent. Enfin, pas si souvent : Guérin est devenu une sorte de sujet tabou au poste.

— Lis son trip, insiste Boisvert.

Pierre lit à haute voix.

Monsieur Guérin, qui est policier, voudrait accomplir un acte criminel en toute impunité. Il dit qu'il n'en peut plus de faire respecter l'ordre, d'avoir une vie si rangée, si ennuyeuse, et que l'envie du crime l'attire de plus en plus. Nous lui avons précisé que nous ne pouvons rien réaliser de criminel.

Pierre tourne la page et lit le rapport du psychologue :

Monsieur Guérin semble en dépression profonde. De plus, comme il ne fait plus la différence entre le bien et le mal, on pourrait soupçonner un trouble d'ordre psychotique. Il est d'ailleurs sous médication depuis longtemps. Si on en juge par ses réponses à certaines questions, il est évident qu'il est extrêmement manipulable. Monsieur Guérin devrait prendre un congé de maladie et consulter un psychiatre. Son médecin le lui a d'ailleurs souvent suggéré, ce qu'il a toujours refusé.

Il laisse retomber ses bras le long de ses cuisses.

— J'ai mon voyage !

— Si vous aviez su…, commence Chloé.

— Si on avait su quoi ? rétorque le détective tout à coup sur la défensive. On avait tous remarqué que Guérin était pas en forme, mais pas qu'il était dépressif au point de… de… Qu'est-ce qu'on aurait pu faire de toute façon, hein ?

— En tout cas, s'il a cru que *Vivre au Max* l'aiderait, ajoute Chloé sans agressivité, c'est parce qu'il devait pas se sentir très compris dans son entourage.

Pierre la dévisage avec l'intention de répliquer quelque chose, mais détourne finalement la tête.

— Je me demande si quelqu'un savait qu'il avait auditionné pour l'émission, se demande Boisvert à haute voix.

Pierre croit bon de préciser :

— Pas un mot là-dessus à personne, OK ? Par respect pour… Par respect pour Henri…

Il trouve sa formule malhabile, mais Chloé et Boisvert approuvent gravement. Puis, il dit à Boisvert qu'il peut disposer et lui ordonne avec sévérité de ne plus venir fouiner dans ces dossiers. L'air repentant et encore secoué, Boisvert quitte la pièce. Pierre réexamine le rapport de son collègue défunt. Est-ce que Guérin, lorsqu'il a auditionné, avait déjà en tête les actes insensés qu'il allait commettre quelques mois plus tard ? Ou croyait-il sincèrement que cette

émission allait réaliser son rêve dément de crimi-
nalité ? Peut-on être misérable à ce point ? Sans savoir
pourquoi, il songe soudain à Karine.

Il remarque alors que la première page du rapport
de Guérin est barrée d'un grand X. Curieux… Aucun
des milliers de rapports qui lui sont passés sous le
nez hier ne portait une telle marque. Il le dit à Chloé
qui se met à feuilleter la chemise « Centre-du-
Québec ».

— La plupart de ces rapports sont aussi marqués
d'un X, dit-elle en tournant quelques pages. Parce
qu'ils ont été rejetés, peut-être ?

De plus en plus intrigué, Pierre feuillette une
autre chemise, celle de Charlevoix. Presque tous les
rapports sont marqués d'un X. Il consulte celle des
Cantons-de-l'Est : même chose.

— Ça tient pas debout, dit-il, son regard passant
des boîtes aux chemises sur la table. Les rapports
classés par région représentent une banque de secours
pour Lavoie, pis ils sont tous marqués d'un X comme
s'ils étaient éliminés, alors que les milliers dans les
boîtes, qui sont définitivement rejetés, ne portent pas
ce X !

Chloé, tout en écoutant, continue de feuilleter les
rapports dans la chemise « Centre-du-Québec »,
lorsque tout à coup elle s'écrie :

— Yvonne Peters, tu te souviens d'elle ?

Pierre fouille dans sa mémoire :

— C'est pas cette femme qui s'est suicidée la semaine dernière dans sa nouvelle maison luxueuse,
tout près d'ici, à Saint-Guillaume ?

— Exactement, acquiesce Chloé en lui tendant le
rapport.

Tandis qu'il prend les deux feuilles agrafées, Pierre
sait déjà quel nom il lira sur la première page. Bien
sûr, il s'agit d'Yvonne Peters. Qui, selon le rapport,

a auditionné en septembre dernier. Qui, toujours selon le rapport, voulait goûter à la vie de reine, ne serait-ce qu'une fois dans sa misérable existence, s'offrir quelque chose qu'elle ne pourrait jamais se permettre en temps normal, afin que tous la traitent enfin en grande dame jusqu'à sa mort. Qui, selon le psychologue du rapport, démontrait de graves signes de dépression, et avait même éclaté plusieurs fois en sanglots durant l'entrevue.

La première feuille du rapport est marquée d'un X.

— Seigneur! s'exclame Chloé. On fait des découvertes joyeuses aujourd'hui!

Elle essaie d'être ironique, mais n'y parvient pas vraiment. Pierre, songeur, propose:

— Continue à lire les noms du dossier. Au cas où on connaîtrait quelqu'un d'autre. Et au cas où…

Mais il n'ose pas terminer son idée. Une idée trop dingue pour être envisagée. Chloé passe rapidement tous les rapports de la région, puis s'arrête sur l'un d'eux.

— Simon Paradis, de l'Avenir, marmonne-t-elle.

L'Avenir fait partie de la MRC de Drummond. Quand il s'y passe quelque chose, c'est la police de Drummondville qui s'en occupe. Mais ce nom ne dit rien à Pierre.

— Je venais d'arriver à Drummondville et c'est moi qui m'étais rendue sur les lieux, précise la policière.

— Les lieux de quoi?

Chloé demeure impassible, mais elle est vraiment, *vraiment* blême.

— De son suicide, articule-t-elle.

Pierre se frotte le bras gauche qui, tout à coup, lui fait mal.

— Que dit le rapport?

Simon Paradis, un jeune homme de trente et un ans, vendeur d'assurances, marié et père de deux enfants, a eu son audition l'année dernière, en novembre 2004. Il souhaitait que *Vivre au Max* l'aide à devenir chanteur. Sauf qu'il ne voulait pas d'un simple passage à la télé, il voulait *vraiment* devenir une *rock star,* aimée et reconnue. L'analyste de l'audition lui a évidemment dit que l'émission n'avait pas un tel pouvoir, que c'était le public qui choisissait ses idoles, mais Paradis insistait et affirmait avoir assez de talent comme chanteur et guitariste pour en être capable. À la fin, selon le rapport, il était devenu suppliant et pathétique, affirmant que personne ne lui avait jamais donné sa chance.

— À la fin de l'été dernier, le groupe des Cowboys Fringants est venu faire un spectacle à Drummondville, explique Chloé. Tu te souviens de ce qui s'est passé ? Durant le show, un dément a sauté sur scène, a littéralement assommé le chanteur, a pris la guitare d'un des musiciens et s'est mis à chanter. Ce fou furieux, c'était Paradis. Évidemment, aucun autre membre du groupe ne jouait : ils étaient pétrifiés et ne savaient comment réagir, impressionnés par l'agressivité du gars. Le son n'était pas coupé, car Paradis avait payé le sonorisateur, qui était dans le coup. La foule a protesté, hurlé, a même lancé des objets sur Paradis qui, dans un état second, chantait toujours. Au bout de deux minutes, trois *goons* sont venus le chercher.

Pierre se rappelle maintenant très bien l'événement survenu onze mois plus tôt. À Drummondville, on en a parlé durant des semaines ! Et il se rappelle maintenant la suite, beaucoup moins farfelue. Chloé termine tout de même l'histoire :

— Trois jours plus tard, la femme de Paradis nous appelle : son mari s'était suicidé dans le garage, par asphyxie. C'est moi, la nouvelle recrue, qu'on a envoyée.

Pierre doit tout à coup s'asseoir. Que se passe-t-il donc ? Au départ, ils ont voulu fouiller dans les rapports de Lavoie pour trouver celui de Robitaille, vraisemblablement celui de Lacharité et, peut-être, quelques autres portant la mention DEL... et voilà qu'à la place ils découvrent des faits qui laissent présager le pire. Comme pour confirmer cette impression, il demande d'une voix égale :

— Est-ce qu'il y a une marque sur la première page du rapport de Paradis ?

Chloé, sans même jeter un œil sur le rapport, répond sur le même ton :

— Un X.

◆

Munis des seize chemises, de crayons et de café, les deux détectives vont s'installer près d'un ordinateur et commencent leurs longues recherches, utilisant autant Internet que le téléphone. À dix-sept heures trente, ils font une pause et commandent une pizza qu'ils mangent presque en silence, plongés dans leurs pensées. Ils reprennent le travail à dix-huit heures. Une heure plus tard, Bernier vient s'informer :

— Vous découvrez des choses étonnantes ?

Sa voix est si ambiguë que Pierre saisit aussitôt le véritable sens de sa question. Le détective regarde son supérieur longuement et bredouille :

— Ça avance...

Par le regard, Pierre veut lui faire comprendre qu'il n'a rien à craindre, qu'il gardera le secret, mais Bernier est déjà reparti.

À vingt heures quinze, ils s'arrêtent enfin. Ils ont entièrement vérifié deux des chemises, celle du

Centre-du-Québec, qui contient quarante-quatre rapports, et celle des Cantons-de-l'Est, qui en renferme quarante-trois. Les résultats sont terrifiants. Tous les demandeurs dont le rapport est marqué d'un X se sont suicidés dans les mois qui ont suivi leur audition. Ils se sont enlevé la vie après avoir accompli un acte ou une série d'actes, souvent excessifs, absurdes et irrationnels, ressemblant de près ou de loin au rêve qu'ils voulaient réaliser à l'émission de Lavoie. Les quelques demandeurs dont le rapport n'est pas marqué d'un X (cinq pour le Centre-du-Québec, trois pour les Cantons-de-l'Est) seraient, selon leurs recherches, toujours vivants.

Pierre et Chloé, assis côte à côte, se regardent intensément, comme si chacun voulait lire dans les pensées de l'autre, espérant y trouver une explication plus encourageante, plus logique que l'hypothèse soufflée par les résultats de leurs recherches. Dans le poste de police, on entend les murmures des policiers qui vont et viennent dans d'autres locaux, et pourtant ces sons paraissent tout à coup provenir d'un autre monde, rassurant mais lointain. C'est finalement Chloé qui brise leur mutisme. Elle se claque dans les mains, se lève d'un bond et, en totale opposition avec l'expression qu'elle affichait deux secondes plus tôt, elle lance sur un ton qui n'acceptera aucun refus :

— On a besoin d'un verre ! On y va !

◆

Chloé prend une bonne gorgée de son rhum et dépose son verre. Le Saint-Georges est presque vide. Depuis son arrivée, Pierre, peu loquace, ne peut s'empêcher de jeter des coups d'œil vers le couple assis à la table d'en face. Tous deux dans la quarantaine. Mornes. Éteints. Ils boivent leur verre sans se regarder, sans dire un mot.

Pierre se penche vers sa collègue :

— As-tu remarqué que les auditions classées dans les chemises concernent des rêves plus difficiles à réaliser que ceux des auditions définitivement rejetées ? Souvent, ils sont carrément impossibles ! Alors, pourquoi les garder dans une « banque de seconde main » ?

La détective approuve, l'air dépassé. Puis elle ajoute plus doucement :

— Ce qui est le plus déprimant, c'est de lire tous ces rapports d'auditions : ces rêves pour la plupart insignifiants, pathétiques, ou alors si désespérés... Toutes ces recherches du bonheur dans la futilité, ces quêtes de sens dans l'éphémère...

— Il faut pas exagérer. Plusieurs passent à l'émission de Lavoie juste pour avoir un peu de fun.

— Crois-tu ? Dans tous ces rapports qu'on vient de lire, tu n'as pas vu toute cette détresse, tu n'as pas entendu tous ces appels à l'aide ?

Pierre n'aime pas trop la tournure de la discussion. Il regarde à nouveau l'homme et la femme devant lui, qui se taisent toujours et fixent leurs verres.

— Toi, Pierre, ce serait quoi, ton rêve ?

— Mais... J'ai tout ce qu'il me faut, moi.

— Vraiment ? Tu travailles douze heures par jour !

— Justement ! C'est là que je suis le plus heureux, quand je travaille.

— Et tu trouves ça normal ?

— Pourquoi pas ? fait Pierre avec agacement. Tu crois que le bonheur est nécessairement dans le couple et la famille ? J'ai déjà donné, tu sauras. Regarde-les, eux autres !

Et il pointe le menton vers les deux zombies silencieux.

— Tu trouves qu'ils ont l'air heureux ? épanouis ?

Chloé demeure silencieuse une seconde, puis répète :

— Tu ne m'as toujours pas dit ce que serait ton rêve…

Pierre ne sait quoi répondre. Chloé avance la tête et, tout à coup, il la trouve superbe, au point qu'une soudaine et incompréhensible envie de l'embrasser se saisit de lui. Envie rapidement anéantie par la phrase de sa collègue :

— Tu ne rêverais pas, en ce moment même, de retrouver Karine, de *vraiment* la retrouver ?

Pierre songe d'abord à se choquer mais, par orgueil, décide d'émettre un grognement ironique :

— C'est pas l'émission de Max Lavoie qui pourrait régler ça !

— C'est en plein ça, Pierre ! rétorque Chloé avec véhémence. *C'est en plein ça !*

Pierre la dévisage. La jeune femme roule son verre entre ses paumes et, le visage réellement attristé, marmonne :

— Le plus triste, c'est que non seulement on encourage les gens à chercher aux mauvais endroits, mais ils y croient.

— Voyons ! Pourquoi ce serait de même ?

— Parce que c'est facile.

Elle prend une gorgée de son verre et grimace, comme si le rhum passait mal, mais elle esquisse tout de même un sourire.

— C'est pour ça que je suis devenue flic, moi. Pour aider les gens.

Son sourire démontre qu'elle est parfaitement consciente du côté ringard de sa profession de foi, mais qu'elle l'assume totalement. Son collègue continue de l'observer, comme s'il la découvrait tout à coup.

— Pour les aider vraiment, insiste Chloé.

Singulièrement ébranlé, Pierre termine sa bière. En face de lui, le couple se lève en silence et marche vers la sortie.

◆

Au cours des deux journées suivantes, les deux détectives dressent une liste de tous les suicidés du dossier « Centre-du-Québec » et questionnent le maximum de gens dans l'entourage de ces personnes, que ce soit des parents ou amis. Dans quelques cas, ils peuvent même fouiller dans la maison du défunt. Ils rencontrent ainsi une quinzaine de personnes qui ne leur apprennent pas grand-chose, sauf dans un cas : sur le calendrier d'un certain Marleau, un homme de Saint-David qui s'est tué il y a deux mois, le mot Victoriaville est inscrit sur trois dates : 7 février, 23 février et 11 mars.

— Les mêmes dates que celles sur le calendrier de Nadeau, fait Chloé, assise sur le bord du bureau de son collègue.

— Mais dans le cas de Nadeau, il y en avait une quatrième avec le mot « déluge », lui rappelle Pierre, qui marche de long en large. Marleau serait donc aussi allé à ces réunions, sauf à la dernière.

— Lui et tous les autres suicidés ?

Pierre secoue la tête, comme pour souligner la démesure d'une telle possibilité.

— Et il se passait quoi, durant ces réunions ? demande Chloé.

— Je me demande surtout qui les organisait.

La détective penche la tête sur le côté.

— Seigneur, Pierre, qu'est-ce que tu insinues ? Qu'est-ce que tu crois que Lavoie *fait* au juste ?

Pierre s'immobilise, une main sur le front, et garde le silence. Que peut-il bien répondre à *ça ?*

Tandis qu'il retourne chez lui, il n'a toujours pas trouvé de réponse à cette question. Sa voiture passe devant le grand terrain de l'exposition, sur lequel règne un joyeux désordre, mélange de vaches laitières que l'on guide jusqu'aux enclos et d'ouvriers qui finissent d'installer une série de manèges : grande roue, montagnes russes, autos tamponneuses... Pierre se rappelle que l'exposition agricole annuelle commence demain. Toute petite, Karine adorait s'y rendre, surtout pour les manèges, ce qui exaspérait Pierre qui, lui, détestait ce genre de sensations fortes inutiles.

Mais s'il pouvait ramener sa fille à cet âge, il l'accompagnerait dans tous les manèges sans rechigner.

Plus tard, il s'installe dans son salon pour regarder l'émission *Vivre au Max* et observe l'animateur avec attention. Lavoie est tout aussi dynamique, souriant, cool... mais le détective le sent un tantinet différent.

Nerveux, Lavoie ? Tu sais qu'on risque de trouver quelque chose de compromettant sur toi, n'est-ce pas ?

Pourtant, lorsque Pierre ose envisager certaines hypothèses, cela lui donne tellement le tournis qu'il se dit que ce n'est pas possible... que c'est de la paranoïa pure... L'émission se poursuit sous le regard préoccupé du détective. En temps normal, il se serait claqué les cuisses de rire en regardant le premier invité, un travesti obèse qui chante du Dalida en faussant de manière pathétique, mais ce soir, il n'esquisse pas même l'ombre d'un sourire. Durant

l'exploit du second participant – une femme fait
l'amour à un pompier dans un camion filant à toute
allure –, le policier songe à ce que lui a dit Chloé sur
la désespérance émanant des rapports d'auditions
qu'ils ont lus. Et tandis que le dernier invité, qui vient
tout juste d'humilier en direct son frère, explique à
Lavoie à quel point il a l'impression d'avoir vécu
un des plus grands moments de sa vie, Pierre, pris
d'un malaise qu'il s'explique mal, accomplit un
geste qu'il ne fait jamais au cours d'une émission.

Il ferme le téléviseur.

◆

— Alors, ça avance ?

Bernier, qui, en temps normal, est toujours cerné,
paraît aujourd'hui plus amoché que jamais. À croire
qu'il n'a pas dormi de la nuit. Debout devant le
bureau de leur supérieur, Pierre et Chloé tempo-
risent.

— On a des pistes, mais… rien de concluant
encore, répond Pierre.

— C'est-à-dire ?

— On ose pas trop s'avancer.

— Lavoie est impliqué, oui ou non ?

— Sûrement, mais on ne sait pas encore de quelle
manière.

— *Wow !* Vous êtes vraiment clairs, merci beaucoup !

Chloé ne peut s'empêcher de glousser. Le capitaine
frotte ses yeux puis lève les bras.

— Voulez-vous ben me dire ce qui se passe à
Drummond depuis quelque temps ! Un quadruple
meurtre, une fusillade sur le boulevard Saint-Joseph,
un gang de voleurs de *chars*, pis là, ce maudit Gagnon
qu'on retrouve pas !

— C'est qui, ça, Gagnon ? demande Chloé.

— Stéphane Gagnon, le gars qui a enlevé sa fille il y a quatre jours.

— Il a peut-être quitté la ville, propose la policière.

— C'est ça qu'on pense. Quand je vous dis que tout arrive en même temps ! Qu'est-ce que t'as, donc ?

C'est à Pierre qu'il pose la question, car ce dernier paraît soudain intrigué.

— Stéphane Gagnon, marmonne-t-il. Ça me dit quelque chose, ça...

Mais il y a tellement de noms qui lui sont passés sous le nez dernièrement... Tout à coup, ça lui revient. Comme si Chloé avait eu la même idée que lui, elle sort rapidement de la pièce. Bernier demande où elle va, mais Pierre ne répond rien et attend le retour de sa collègue. Elle revient avec l'un des dossiers de Lavoie, celui du « Centre-du-Québec ». Elle consulte rapidement les rapports et en exhibe un :

— Stéphane Gagnon. C'est une des cinq auditions qui ne sont pas barrées d'un X.

Pierre se saisit du rapport et le lit rapidement. Gagnon, qui a passé l'audition en octobre dernier, rêve de pouvoir bénéficier de la garde partagée de sa fille de huit ans, Annabelle. Comme il a un passé violent, la DPJ lui refuse ce droit. Gagnon ne peut voir son enfant que deux heures par mois, en présence de la mère, et il n'en peut plus. Le rapport du psychologue parle de dépression, de médication, de trouble de la personnalité de type borderline...

— Qu'est-ce qui se passe ? demande Bernier. Gagnon est dans les archives de Lavoie ?

Sans répondre, Pierre revient au rapport de l'analyste :

On a beau expliquer à Gagnon que l'émission ne peut pas contrevenir à une décision légale (celle

de la DPJ), il nous implore tout de même et nous
dit qu'il ne demande pas grand-chose : aller avec
sa fille dans un zoo, juste elle et lui, ou dans un
parc d'attractions. Malheureusement, nous l'avons
prévenu que…

Pierre lève la tête, le front ridé par l'effort de réflexion.

— La foire agricole, ça commence aujourd'hui,
non ?

Bernier le dévisage, dérouté par cette question
incongrue. Chloé répond que c'est ouvert depuis ce
matin. Pierre relit une phrase du rapport.

… aller avec sa fille dans un zoo, juste elle et lui,
ou dans un parc d'attractions…

— Gagnon est là-bas, annonce-t-il en marchant
vers la porte.

— Mais… mais comment tu sais ça ? bredouille
Bernier.

Mais Pierre est déjà sorti, suivi par Chloé.

◆

La voiture de Pierre et les trois autos-patrouille
s'arrêtent le long du trottoir, tout près de la clôture
en fer forgé qui entoure le terrain de l'exposition,
mais les policiers qui en sortent sont tous en civil :
plus ils seront discrets, plus ils prendront Gagnon
par surprise. À part Pierre et Chloé, il y a Boisvert et
cinq autres agents qui, malgré leur air quelconque,
cachent tous un pistolet sous leur veste ou leur
manteau, qu'ils ont dû enfiler malgré la chaleur. Au
guichet, Pierre montre sa plaque de police et la jeune
guichetière paraît impressionnée.

— La police ? Y se passe-tu quelque chose ?

— Ça devrait aller… mais n'ébruitez pas notre présence, ce sera plus sécuritaire.

— Sécuritaire ? Allez-vous tirer sur quelqu'un ? insiste la jeune fille, avec un mélange de crainte et d'excitation.

Les policiers entrent enfin sur le site. De la musique pop jaillit des haut-parleurs installés un peu partout. Il y a du monde, mais ce n'est pas la cohue du week-end ou de la soirée. Si Gagnon est ici, ils devraient le trouver sans trop de difficulté. Les policiers se divisent en quatre groupes de deux, chaque duo muni d'un walkie-talkie et d'une photo de Gagnon. Un groupe va voir du côté des enclos à vaches, les trois autres se dispersent dans le parc d'attractions proprement dit. Pierre et Chloé déambulent côte à côte parmi les visiteurs qui, pour le moment, sont essentiellement des adultes avec leurs jeunes enfants qui se bourrent de friandises. Les deux policiers scrutent chaque visage qui se trouve dans leur champ de vision. Trois fois, ils aperçoivent un homme seul avec une fillette, pour se rendre rapidement compte que ce n'est pas celui qu'ils recherchent.

— Il a dû se cacher quelque part avec sa fille durant quatre jours, en attendant que l'exposition ouvre, dit Pierre. Enfin, j'espère que j'ai raison…

— Une fois la journée terminée, il aurait sans doute rendu sa fille à sa mère… mais après ? demande Chloé d'un air entendu. Tu crois qu'il aurait fait quoi ?

Pierre ne répond rien, mais il sait très bien que Chloé songe à la même chose que lui. Un collègue les appelle sur le walkie-talkie :

— On l'a trouvé, Pierre. Il fait la file avec sa fille pour la grande roue.

Pierre donne ses ordres aux trois équipes afin de bien cerner Gagnon. Une minute plus tard, lui et

Chloé voient apparaître la file pour la grande roue. Une dizaine de personnes attendent sagement et, parmi eux, un jeune trentenaire, avec une moustache blonde, discute joyeusement avec la gamine à ses côtés tout en lui tenant l'épaule. La petite Annabelle paraît lasse. Elle regarde souvent autour d'elle et Pierre croit comprendre : son père lui a sûrement promis que maman arriverait bientôt. Il doit le lui promettre depuis quatre jours. Le détective distingue, de l'autre côté de la file, Boisvert et son acolyte qui approchent. Les quatre autres policiers sont aussi postés à des endroits stratégiques, de sorte que si Gagnon tente une fuite, il ne pourra aller nulle part.

Immobile, le détective étudie rapidement la foule. Beaucoup de risques. Le mieux serait d'attendre que Gagnon ait terminé sa petite virée avec sa fille, pour le cueillir à la sortie de l'expo, en pleine rue, où il n'y aura presque personne. Indécis, il examine le kidnappeur avec plus d'attention. Malgré son air guilleret, l'homme a souvent des regards furtifs autour de lui, accompagnés chaque fois d'une prise plus forte sur l'épaule de sa fille qui, par deux fois, se crispe légèrement sous la poigne. *Il est instable,* se dit Pierre. *Il pourrait faire du mal à sa fille sans le vouloir.* Il se demande toujours pour quelle stratégie opter lorsque Gagnon pose son regard sur lui. Est-ce la paranoïa qui rend l'homme particulièrement physionomiste ou l'est-il de nature ? Toujours est-il qu'en apercevant l'expression de Gagnon, Pierre sait qu'il vient de se faire repérer.

— On y va, marmonne-t-il à Chloé.

Mais ils n'ont pas fait deux pas que Gagnon, prenant sa fille par la main, sort de la file comme pour s'éloigner. Cependant, Boisvert et son acolyte se sont aussi mis en marche, l'expression si peu subtile que le ravisseur, déjà en alerte, les remarque aussitôt. Il piétine sur place, tourne un visage empreint de rancune vers Pierre et lui crie :

— Laissez-nous tranquilles !

Pierre, qui n'est plus qu'à cinq mètres, tend une main autoritaire.

— Ça suffit, Gagnon, vous êtes cerné, vous pouv...

— Laissez-nous tranquilles ! répète-t-il cette fois avec tant de force que tous les gens dans un rayon de dix mètres se tournent vers lui.

Il met les deux mains sur les épaules de sa fille, l'agrippant avec tant de force que la petite pousse un couinement de douleur. Tout va alors très vite. Pierre et Chloé s'arrêtent aussitôt ainsi que les six autres flics, mais Boisvert, alerté par le cri d'Annabelle et ne distinguant Gagnon que de dos, sort son Glock, le met en joue et crie : « Bouge pas, Gagnon ! » À la vue du pistolet, cinq ou six personnes crient, un mouvement de fuite se met en branle dans la foule et la file d'attente de la grande roue s'effiloche autour de Gagnon qui, immobile au centre de la tourmente, tient toujours son enfant avec une hargne dont il n'est pas conscient. Maintenant, trois autres policiers ont sorti leur pistolet, dont Pierre qui, tout en mettant l'homme en joue, traite intérieurement Boisvert d'imbécile. Il n'y a presque plus personne dans un rayon de cinquante mètres. Les quelques curieux qui veulent regarder se font repousser par trois des policiers. Deux hommes et une femme sont figés sur place près de Gagnon, mais l'un des agents leur crie de se tirer de là et ils finissent par détaler comme des lapins. Seul le contrôleur de la grande roue demeure dans sa petite cabine, éberlué. Quatre armes sont maintenant pointées vers le ravisseur.

— Allez, rendez-vous, ordonne Pierre avec autorité. Vous voyez bien que vous pouvez pas aller nulle part…

— Pensez à votre fille, ajoute Chloé.

— C'est justement ça que je fais ! réplique Gagnon avec rage. Ostie, vous auriez pu au moins me laisser finir ma journée avec elle ! *C'est pas compliqué, me semble !*

— Papa, c'est quoi qui se passe ? marmonne la gamine, embrouillée. Pourquoi ils…

— Tais-toi, Annabelle ! rétorque l'homme. Tout va bien, inquiète-toi pas !

Annabelle se tait, lançant un regard interrogateur à Chloé, qui réussit à lui sourire pour la réconforter. Pendant quelques instants, on n'entend que la musique des haut-parleurs qui recouvre en partie les marmonnements des curieux observant la scène de loin.

— C'est fini, Gagnon, fait Pierre en avançant d'un pas.

— Non, c'est pas fini !

Et il serre à nouveau sa fille avec trop de force. Le visage de celle-ci se contorsionne et Pierre croit l'entendre marmonner : « Je veux retourner dans ma maison… »

— Pas tout de suite ! continue Gagnon d'un air buté. Je veux faire un tour de grande roue avec ma fille, c'est clair ? Après, je vous la rends, promis !

Il y a de la supplication dans sa voix.

— Pas question ! rétorque Pierre. Vous al…

— *On va faire un tour de grande roue !* hurle le forcené en plaquant la gamine contre lui.

Annabelle se plaint, répète qu'elle veut partir.

— Vous voyez bien que votre fille en a pas envie !

— Oui, elle en a envie ! C'est son manège préféré, pis j'ai jamais monté dans la grande roue avec elle, *jamais* !

Par ricochet, Pierre songe soudain à Karine et rejette cette pensée en se traitant d'idiot. Boisvert et les autres policiers ne bougent pas d'un centimètre, aux aguets. Chloé s'approche de son collègue et murmure :

— Laisse-le faire. Je suis sûre qu'il va la rendre après.

— Je veux pas le laisser seul dans le manège avec la petite !

— Je vais monter avec eux.

Pierre lui décoche un regard soupçonneux, mais Chloé lance déjà vers l'homme :

— Parfait, monsieur Gagnon. Faites votre tour avec Annabelle. Mais je vais monter avec vous, d'accord ?

— Hein ? Non, non, je veux être...

Chloé donne son Glock à son collègue et marche les bras levés, affirmant qu'elle n'a pas d'arme. Gagnon résiste, s'humecte plusieurs fois les lèvres, puis finit par accepter. La fillette ne quitte pas Chloé des yeux.

Tandis qu'ils montent tous les trois dans la cabine, la policière demande au contrôleur combien de rotations fait la roue pendant un tour normal. Le jeunot réussit à balbutier le chiffre « cinq ».

— Parfait, approuve Chloé. On fait les cinq tours, d'accord ?

Le contrôleur, blanc comme neige, hoche la tête, puis met le manège en marche. Tandis que la roue commence sa rotation, Pierre et Chloé se lancent un regard de soutien. Lorsque la détective est hors de vue, le brouhaha des curieux devient plus fort et Pierre se mordille la lèvre inférieure en abaissant son arme. Après tout, peut-être que les méthodes douces peuvent parfois être efficaces...

◆

Lorsque la cabine arrive tout en haut, le visage d'Annabelle s'éclaire de joie, comme si elle avait momentanément oublié la précarité de sa situation. Assise tout près de son père, elle se penche vers l'extérieur de la cabine pour regarder en bas, mais Gagnon, d'une voix très tendre, lui dit tout en l'obligeant à se rasseoir :

— Penche-toi pas, mon lapin, faut pas que tu tombes en bas ! Tu te ferais des gros bobos.

La petite s'assoit mais continue à reluquer vers le bas. Assise en face d'eux, Chloé étudie attentivement Gagnon. Ce dernier semble beaucoup plus calme, rassuré même. Il est affalé sur le siège comme s'il se relaxait après une dure journée de travail. Un sourire aérien flotte sur ses lèvres et, tandis qu'il regarde sa fille impressionnée par le manège, il marmonne :

— J'ai réussi...

La cabine arrive en bas, passe devant le pauvre contrôleur. Durant ce bref passage, Chloé a le temps de voir Pierre qui darde son regard sur elle. Elle revient à Gagnon.

— Vous avez réussi quoi ?

Elle est convaincue qu'il ne parle pas de l'enlèvement de sa fille, du moins pas *uniquement* de cela. Gagnon semble se rappeler la présence de la policière puis, d'un air condescendant, répond :

— Vous pourriez pas comprendre...

— Vous seriez surpris de tout ce qu'on sait sur vous. On sait que vous avez passé des auditions pour *Vivre au Max*.

L'homme a un grognement insolent et triste à la fois :

— Une perte de temps ! Comment ai-je pu croire que la solution à mes problèmes était là ? J'étais vraiment aveugle...

Chloé se demande s'il frime ou non. Il a l'air sincère. Elle s'assure d'un rapide coup d'œil qu'Annabelle est toujours subjuguée par le spectacle aérien, puis :

— On se doute aussi que... que vous êtes allé à des réunions à Victoriaville, en février et en mars derniers. Vous et pas mal d'autres personnes.

Elle s'attend à ce que Gagnon lui rétorque «Quelles réunions ? » avec l'air de celui qui sincèrement ne comprend pas de quoi on lui parle... ou, plutôt, elle *souhaite* cette réaction : cela prouverait que le dessin qui prend peu à peu forme au fil de l'enquête ne sera finalement pas aussi dément que l'esquisse le laisse présager. Mais l'ahurissement qui apparaît sur le visage de Gagnon pulvérise totalement cet espoir et tout à coup, pour la première fois depuis le début de l'enquête, Chloé se dit : *C'est trop gros ! C'est trop gros pour nous !* Elle s'efforce de repousser cette pensée indigne d'elle.

— Comment vous savez ça ? demande l'homme devant elle.

La cabine passe près du sol pour la seconde fois.

— On ne sait pas tout, répond Chloé. On sait qu'il s'est passé des choses terribles durant ces réunions, mais on ne sait pas lesquelles exactement.

— Non, pas terribles ! corrige Gagnon dont la voix redevient planante. Au contraire... Juste des constats lucides. Et réconfortants, une fois qu'on les assume...

En parlant, il caresse la cuisse de sa fille, l'air absent. Chloé comprend qu'il est dans une bulle si épaisse qu'il a sûrement commencé à se la construire depuis un bon moment. D'une voix qu'elle veut la plus douce, la plus encourageante possible, elle demande :

— Qu'est-ce qui se passe, durant ces réunions ?

L'homme ne répond pas, le visage si détendu qu'il en est troublant.

— Stéphane, expliquez-moi… Je veux comprendre, moi aussi.

Le visage du ravisseur se contracte alors d'une douleur intérieure.

— Il faut souffrir pour comprendre… Il faut se rendre compte que rien n'a de sens… Nous, nous l'avons compris…

Chloé sent la chair de poule courir sur la surface de ses bras. Elle conserve tout de même une voix indulgente en demandant :

— Oui, vous l'avez compris, Stéphane… Et une fois que vous avez compris, vous faites quoi ?

La main du père cajole toujours la jambe de sa fille, laquelle continue à regarder le sol qui approche. La grimace de Gagnon se dissipe et, même si la douleur persiste, une certaine quiétude vient adoucir ses traits.

— On trouve notre flambeau…

La policière penche la tête sur le côté.

— Votre flambeau ? souffle-t-elle.

— Oui, poursuit l'homme dans un état second. Quand on l'a trouvé, on l'allume… et on profite pleinement de son éclat avant qu'il s'éteigne.

Tout à coup, presque extatique, il articule avec emphase, comme s'il récitait un texte appris par cœur :

— L'éphémère ébloui vole vers toi, chandelle… crépite, flambe et dit : Bénissons ce flambeau !

Chloé plisse les yeux, désorientée. Le manège termine son troisième tour et Annabelle lève la tête vers son père, à nouveau inquiète :

— Est-ce que je vais pouvoir retourner chez maman après la grande roue ?

Gagnon regarde sa fille en souriant.

— Oui, mon lapin. Promis.

La fillette, satisfaite, se remet à contempler le sol sous ses pieds qui s'éloigne.

— C'est quoi, ce flambeau ? demande Chloé, qui réalise qu'elle n'a plus du tout de salive dans la bouche.

Gagnon secoue la tête avec dédain. Chloé décide de changer son angle d'approche et pose enfin *la* question, tellement convaincue de la réponse que, malgré l'angoisse qui rampe sous sa peau, elle dit sur un ton plus affirmatif qu'interrogatif :

— C'est Maxime Lavoie qui a organisé ces réunions…

Gagnon la considère avec un réel étonnement.

— Lavoie, l'animateur-télé ? Il a rien à voir là-d'dans, voyons !

Chloé est tellement prise au dépourvu qu'elle ne trouve rien à répliquer sur le moment. Leur cabine arrive tout en haut de la grande roue et, tandis qu'elle entreprend sa descente, la policière demande enfin :

— C'est qui, alors ?

— Il s'appelle Charles… Il a tout compris…

Le regard redevenu vaseux, Gagnon a un petit soupir. Son visage se crispe bizarrement, en une sorte de désespoir réjoui, comme un masochiste qui trouverait un sens à sa souffrance.

— Et il avait raison. Le flambeau ne brûle pas longtemps, mais sa chaleur est si intense… si intense qu'elle annule tout le froid emmagasiné en nous.

Chloé se sent engourdie. Elle n'a aucune idée de ce dont il parle et, pourtant, elle a l'impression de saisir parfaitement. Quand la cabine passe près du sol et commence sa remontée, Annabelle s'écrie avec enthousiasme :

— C'est le dernier tour !

Gagnon contemple la petite.

— Oui, mon lapin. Le flambeau est éteint...

Avec une bienveillance si extraordinaire que Chloé sent les larmes lui monter aux yeux, Stéphane Gagnon dépose un baiser sur les cheveux de sa fille. Ensuite, il relève la tête et regarde au loin. Juste avant que la cabine n'atteigne son plus haut niveau, il revient à la policière et, le visage maintenant illuminé par une mélancolique sérénité, articule d'une voix parfaitement neutre :

— Je peux maintenant me retirer.

Cette phrase brise enfin l'engourdissement de la policière et, à la seconde où elle se rappelle qu'il s'agit de la même formulation que celle qu'a utilisée Diane Nadeau deux mois plus tôt, Gagnon, avec une rapidité en total contraste avec son état léthargique, se lance par-dessus la rambarde de métal de la cabine. En poussant un hoquet d'effroi, Chloé se propulse vers lui, bouscule la fillette hébétée et attrape une jambe de l'homme. Mais l'autre pied lui percute la mâchoire et, sous le choc, elle lâche sa prise.

Le cri de Chloé l'empêche d'entendre les hurlements provenant du sol et qui s'élèvent telle une nuée de corbeaux obscurcissant le ciel. Instinctivement, le souffle court, elle presse contre elle la fillette qui, le visage figé, répète d'une voix molle : « Maman... maman... maman... »

◆

Bernier marche de long en large. Debout derrière son bureau, les bras croisés et fixant le sol avec gravité, Pierre ne bouge pas. Chloé vient de finir de raconter ce qui s'est passé entre elle et Gagnon, assise sur une chaise, le front appuyé sur sa paume droite.

Plusieurs fois, elle a été sur le point d'éclater en sanglots, mais a tenu bon.

Tout à coup, le capitaine, excédé, exige des explications : à propos des rapports barrés d'un X, des suicides, de Lavoie ; bref, il désire comprendre. Pierre, qui ne veut toujours pas s'avancer, lui demande encore quelques jours.

— De toute façon, si on se fie à ce qu'a dit Gagnon à Chloé, Lavoie a rien à voir là-d'dans ! lui rappelle Bernier.

— Faut voir, rétorque Pierre.

Bernier s'appuie de la main droite sur son bureau et dresse un doigt vers son détective.

— Écoute bien, Pierre... Max Lavoie, c'est *big* ! Juste ses avocats doivent gagner en une heure ce que je me fais en une année ! Nous autres, on est la petite police de Drummondville ! Fait que si tu veux l'inculper de quelque chose, t'as besoin d'avoir un dossier solide, parce qu'il va nous bouffer tout crus !

— Je le sais. C'est pour ça que, pour l'instant, on avance rien.

Bernier approuve, lisse son crâne rasé, puis sort en grommelant qu'il veut être tenu au courant bientôt. Une fois le chef parti, Pierre contourne son bureau, observe sa collègue et, timidement, pose une main sur son épaule.

— Ça va aller ?

Elle dit oui, même si toute son attitude démontre le contraire. Pierre hoche la tête et reste planté près d'elle, embarrassé.

— Il a dit qu'il pouvait maintenant se retirer, marmonne la policière. La même expression qu'utilisait Nadeau.

— Exact, fait Pierre. Pis si Lavoie avait encore ses rapports entre les mains, il inscrirait sûrement, dans les prochains jours, un gros X sur celui de Gagnon.

— Mais Gagnon a dit que Lavoie a rien à voir là-dedans !

Pierre, embêté, se masse le cou en retournant derrière son bureau.

— Combien il y avait de rapports dans la chemise du Centre-du-Québec qui n'étaient pas marqués d'un X ? demande-t-il enfin.

— Cinq.

— Avec Gagnon en moins, il en reste quatre. Il faut qu'on rencontre ces quatre personnes-là. Elles ont peut-être, elles aussi, participé aux rencontres à Victoriaville. Il faut leur parler avant qu'elles… qu'elles trouvent leur « flambeau », comme Gagnon.

— C'est quoi, cette histoire de flambeau, à ton avis ?

— Aucune idée. Mais je me souviens que Nadeau, une couple de semaines avant son quadruple meurtre, avait dit à sa meilleure amie qu'il fallait que « ça flambe au plus vite »…

Ils se taisent. Chloé prend une grande respiration en redressant le torse.

— Je ne pourrai plus travailler aujourd'hui, Pierre, je suis trop…

Elle ne complète pas sa phrase. Le détective regarde l'horloge : dix-sept heures quinze. Franchement, il se sent lui-même un peu secoué : le corps de Gagnon s'est écrasé à un mètre de lui, spectacle dont il aurait très bien pu se passer. Et qui, par ricochet, l'a renvoyé à l'image sanglante de Rivard, criblé de balles.

— OK. On reprend ça demain.

La détective se lève, hésite et demande à Pierre s'il viendrait manger au resto avec elle. Elle est si désemparée qu'elle ressemble à une petite fille perdue dans une forêt funèbre. Il accepte. Elle propose d'aller ailleurs qu'au Charlemagne : elle n'a pas envie de voir des visages connus. Il accepte aussi.

Au restaurant, Chloé mange à peine. Elle se laisse aller peu à peu, explique à Pierre qu'elle a l'impression que c'est de sa faute si Gagnon est mort : elle aurait dû prévoir qu'il se suiciderait, elle aurait dû l'en empêcher... Elle lui a attrapé une jambe et l'a lâchée ! Quelle idiote elle fait, une vraie novice ! Elle pleure même un peu, discrètement mais sans honte.

— C'est insupportable, cette sensation de culpabilité ! gémit-elle en essuyant ses yeux.

Pierre, qui au début de ce repas se sentait rebuté par ce débordement émotif, s'attendrit peu à peu et la dernière phrase de Chloé lui chavire tout à coup l'estomac. Il admet qu'il sait ce qu'elle vit, que la culpabilité qu'il a ressentie à la suite du massacre de Nadeau lui a saccagé l'âme un bon moment et que, même si l'enquête lui fait du bien, il ne peut se débarrasser totalement de ce sentiment destructeur. En fait (mais de cela, il ne dit mot à sa collègue), il sait très bien qu'il est en train de mélanger les choses, qu'il songe surtout à sa relation avec Karine. Il s'efforce aussitôt de repousser sa fille loin de sa conscience, mais n'y arrive pas vraiment.

Appelle-la ! Appelle-la dès ce soir, ostie d'imbécile !

C'est à son tour, soudainement, de ne plus avoir faim. Les deux collègues demeurent immobiles de longues minutes devant leur assiette à moitié pleine, sans dire un mot. Chloé lève le regard vers lui, comme si elle comprenait que jamais ils n'ont été si proches que dans ce silence.

Quand Pierre arrête sa voiture devant l'immeuble où habite la jeune femme, cette dernière tarde à sortir, l'air aux abois. Étonné lui-même de sa sensibilité, Pierre lui dit :

— Je vais te reconduire.

Elle lui lance un regard tout aussi ému que reconnaissant.

Deux minutes plus tard, ils entrent dans l'appartement. Le seul éclairage provient de la fenêtre, éclaboussée du soleil déclinant. Chloé, à nouveau sur le point de pleurer, se tourne vers son collègue.

— Moi qui suis devenue flic pour aider les gens ! Quel gâchis !

— Mais tu aides les gens, voyons !

— Ah oui ? Qui ça ?

Pierre hésite une seconde et répond avec un petit sourire :

— Eh ben… moi.

Elle penche la tête sur le côté, sourit à son tour… puis, elle le prend par le cou, attire son visage jusqu'au sien et l'embrasse sur les lèvres. S'il résiste, c'est au plus l'instant d'un souffle. Leurs lèvres s'ouvrent, et leurs mains se multiplient sur leurs corps fusionnés.

L'acte sexuel s'avère plutôt boiteux. Manifestement, Chloé souhaite une extrême douceur, avec de longues caresses et des mouvements d'apesanteur. Pierre se montre coopératif un moment, mais, peu à peu, il accélère les choses et transforme les attouchements en commodités, mettant cela sur le compte de l'ardeur, alors qu'en fait la tendresse de sa partenaire commence à l'indisposer. Chloé abdique et, à défaut de faire l'amour, accepte de baiser. Au moment de l'orgasme, le détective pousse un long grognement, fixant les seins de Chloé plutôt que ses yeux qu'il sent pourtant rivés aux siens. Il se laisse retomber sur le côté : cela a été agréable. Une jouissance comparable à toutes celles qu'il a vécues depuis sa séparation avec Jacynthe, il y a quinze ans : un orgasme sans caractère, mais tout à fait satisfaisant. Quant à Chloé, il l'a bien entendue gémir, mais il ne saurait

dire si elle a joui. Toutefois, en sentant les doigts de
la jeune femme le caresser et ses lèvres lui embrasser
le cou, il se dit qu'elle doit être comblée.

Elle lui dit qu'elle n'a pas eu de relation sexuelle
depuis qu'elle a quitté son ex, il y a deux ans. Le
genre de détails que Pierre n'est pas sûr de vouloir
connaître. Quand elle lui demande si c'est vrai qu'il
n'a eu aucune véritable relation depuis la mort de
Jacynthe, il se dit que c'est le moment de partir.
Tandis qu'il enfile son caleçon, elle l'assure qu'il
peut dormir ici.

— Je te demande pas de déménager, capote pas !
pouffe-t-elle. Je t'offre juste de dormir ici.

— Toutes mes affaires sont chez nous. Ça va être
plus simple.

Elle n'insiste pas. Elle n'a l'air ni déçue ni surprise.

Tandis qu'il marche vers la porte, il regarde autour
de lui d'un œil curieux. Il fait sombre, mais les couleurs de l'appartement semblent vives et le policier
devine bon nombre de bibelots et de tableaux sur
les murs. Son regard tombe sur un petit bureau de
travail, dans une autre pièce, qui est recouvert de
journaux et de coupures diverses. Il se rappelle alors
tous ces journaux que Chloé achète à la tabagie. Il a
envie d'aller jeter un œil mais se retient : ce ne sont
pas ses affaires.

Rien, ici, n'est de ses affaires.

Dans sa voiture, il s'interroge : cette petite partie
de jambes en l'air était-elle une bonne idée ? Mieux
vaudrait ne pas répéter l'expérience. De nouveau, il
se demande pourquoi il résiste tant à Chloé, pourquoi
il refuse d'entreprendre une relation avec elle, alors
qu'il est clair qu'il la trouve très intéressante. Comme
n'importe quelle réponse, une phrase toute simple
et pourtant équivoque lui traverse l'esprit :

*Tu ne veux pas que ta vie privée contamine ta
vie professionnelle.*

Qu'est-ce que ça veut dire, ça, au juste ? Curieusement, il décide de ne pas approfondir le sens de
cette pensée, comme s'il appréhendait d'y trouver
une révélation trop troublante.

Il arrive chez lui à vingt-trois heures dix et il est
frappé pour la première fois par l'absence totale de
personnalité de sa maison. Les couleurs sont neutres,
il y a sur les murs deux ou trois tableaux qui représentent des paysages anonymes, les meubles sont
dépareillés… Pourquoi cela lui saute-t-il au visage,
tout à coup ? Parce qu'il revient de chez Chloé ? De
mauvaise humeur, il va au téléphone et constate qu'il
a deux messages. Le premier est évidemment de sa
mère, qui veut encore prendre des nouvelles. Le
second le paralyse dès les premiers mots :

— Bonsoir, monsieur Sauvé, c'est Marie-Claude,
la coloc de Karine… Heu…

Courte pause. La voix de la jeune fille vibre encore
des sanglots qu'elle a manifestement émis peu de
temps avant l'appel. En un instant, Pierre oublie
Chloé, Lavoie et tout le reste de l'enquête, comme
s'il savait que tout cela n'est que broutilles en comparaison de ce qu'il va apprendre dans moins de
deux secondes. La voix de Marie-Claude reprend
enfin :

— Karine est à l'hôpital. C'est… c'est pas mal
grave…

FOCALISATION ZÉRO

Vingt-trois heures vingt.

Chloé Dagenais, couchée dans son lit, caresse son clitoris, a enfin son orgasme puis fixe le plafond, songeuse.

Gilles Bernier, tandis que sa femme dort, s'enferme dans la salle de bain pour regarder des revues pornographiques homosexuelles, son plaisir parasité par la frustration qui lui ronge le cœur.

La petite Annabelle, le visage vacant, n'arrive pas à s'endormir malgré les berceuses de sa mère abattue.

Gabriel, endormi, pousse des gémissements traqués et curieusement enfantins dans son sommeil, et Maxime Lavoie vient lui caresser les cheveux.

Marc Goulet, l'homme qui, quelques heures plus tôt, a humilié son frère devant presque trois millions d'auditeurs dans le cadre de l'émission *Vivre au Max* (en lui criant, entre autres, qu'il était un salaud qui trompait sa femme depuis des années), cherche encore le sommeil, hanté par l'idée que, tout bien considéré, il a peut-être fait une grosse, très grosse bêtise, sans se douter qu'à la même seconde, son frère, qui songe à poursuivre Goulet en cour, pleure à chaudes larmes dans un bar, sa valise remplie de vêtements à ses pieds.

Pierre Sauvé, dans sa voiture, roule à toute vitesse vers Montréal.

CHAPITRE 35

Maxime joue un moment avec le ticket de métro entre ses doigts, le regard fixé sur la date inscrite sur le petit bout de carton : 12 août 2003. En trois ans, presque jour pour jour, c'est la première fois qu'il raconte la tragédie. Qu'il la raconte *pour de vrai*, qu'il explique ce que ce drame a représenté pour lui.

— Ç'a été la confirmation que je faisais fausse route, que je me démenais inutilement, conclut Maxime. Que je ne pourrais pas changer le monde. Pendant neuf mois, j'ai vécu dans un brouillard, sans savoir quoi faire... puis il y a eu mon petit séjour en Gaspésie. Mais je t'ai déjà raconté ça.

Ferland, assis face à lui, approuve en mastiquant une bouchée de pain. D'ailleurs, chaque fois que Maxime lui raconte une partie de sa vie, le psychologue écoute avec intérêt, pose des questions et, surtout, comprend. Ne serait-ce que pour cette raison, Maxime se félicite d'avoir impliqué cet homme dans son aventure. Il faut bien l'admettre : Frédéric Ferland est un interlocuteur plus stimulant que Gabriel. Maxime tourne la tête vers la fenêtre du salon, à trois mètres sur sa gauche. Gabriel, boîte de Froot Loops entre les cuisses, est toujours sur le divan, le regard rivé à la télé où deux animateurs de Musique Plus entraînent une adolescente dans les boutiques les plus

in d'Hollywood, provoquant ainsi l'hystérie de la
jeune fille qui avoue vivre l'un des plus beaux jours
de sa vie. Maxime étire sa main vers la bouteille de
vin et emplit son verre. Aucun souffle de vent ne
vient balayer la terrasse et les arbres environnants
recouvrent les deux hommes d'une ombre confortable. La table est garnie de pâtés, de fromages, de
baguettes de pain, de diverses salades et de deux
bouteilles de vin, repas que l'animateur a préparé lui-
même puisqu'il a donné congé aujourd'hui à ses deux
assistants espagnols. Mais l'animateur n'a presque
rien mangé, contrairement au psychologue qui dîne
avec appétit depuis une heure, tout en écoutant attentivement son hôte.

— Donc, tu avais besoin de quelqu'un pour remplacer Francis, remarque Ferland. Je suis venu remplir
ce rôle.

— Cela te froisse ?

— Pas du tout. Je me demande seulement (il prend
une bouchée de pâté) si Francis aurait compris ce que
tu fais. S'il aurait approuvé.

Maxime s'assombrit. Cette question, il se l'est
posée souvent et, chaque fois, le visage chagriné et
désapprobateur de Francis est apparu dans son esprit,
cette même expression qu'il avait affichée durant cette
lointaine nuit universitaire où il avait aidé Maxime
à se sortir du pétrin.

Non, son ami n'aurait pas approuvé, le milliardaire
le sait bien. Mais il aurait eu tort, voilà tout. Francis
n'avait pas vu assez d'ignominies pour admettre la
vacuité de tout. Il n'avait pas eu René Lavoie comme
père, il n'avait pas été PDG d'une compagnie inhu-
maine, il n'avait pas été entouré de rapaces uniquement intéressés par son argent, il n'avait pas vu
son ami mourir de façon injuste…

… il n'était pas allé en Gaspésie…

— Toi, tu me comprends ? demande Maxime en avançant la tête. Tu m'approuves ?

— Je te comprends, bien sûr.

— Et tu m'approuves ? insiste l'animateur.

Ferland essuie sa bouche avec une serviette, signifiant qu'il a enfin terrassé son appétit, et répond en observant son hôte droit dans les yeux :

— Si j'étais contre toi, Maxime, est-ce que je t'aurais suivi jusqu'à aujourd'hui, en écoutant ta vie et en te posant tant de questions ? Est-ce que je ne t'aurais pas déjà dénoncé ? Et, surtout, est-ce que j'aurais trouvé mon propre flambeau ? C'est grâce à toi que je l'ai trouvé.

— Mais tu refuses de me dire en quoi il consiste !

— Parce que c'est un *work in progress* et te le dire maintenant gâcherait tout.

Maxime recule sur sa chaise. Il s'est longtemps demandé si ce mystère qu'entretient le psychologue autour de son flambeau n'est pas la preuve que Ferland lui joue dans le dos. Mais il a fini par reconnaître que ce raisonnement ne tient pas la route. Comme Ferland vient de le lui dire, il ne l'aurait pas suivi jusqu'à aujourd'hui, il l'aurait dénoncé depuis longtemps.

— Nous brûlerons nos flambeaux ensemble, Max, côte à côte.

Ferland paraît sincèrement enchanté de cette idée et Maxime se sent rassuré. Il met le ticket de métro dans ses poches : tout à l'heure, il ne doit pas oublier de le remettre dans son petit musée privé, en haut. Du salon provient faiblement le bruit de la télévision. Ferland jette un œil vers la fenêtre.

— Un peu contradictoire que tu permettes à Gabriel d'écouter ces conneries, non ?

— Au contraire. Plus il va en écouter, plus il sera convaincu de la légitimité de ce que l'on fait.

Maxime prend une gorgée de vin puis, l'air tout à coup soucieux, examine son verre comme l'aurait fait une voyante avec une boule de cristal. Comme s'il lisait dans les pensées de son hôte, Ferland, tout en remplissant un verre à son tour, tend une perche :

— Au téléphone, tu m'as dit que tu avais un problème…

Maxime dépose son verre et joint ses mains au-dessus de son assiette vide.

— Il y a un détective qui est en train de fouiller dans mes affaires. Au départ, ce n'était pas problématique, mais là, ça commence à le devenir.

Ferland, tout en prenant une gorgée, prend un air intéressé.

— C'est qui, cet inspecteur ?

— Il s'appelle Pierre Sauvé, de Drummondville.

— Drummondville ? Comment il a fait le lien avec toi ?

Maxime lui explique alors les trois visites de Sauvé. Ferland écoute attentivement, mais l'animateur n'aime pas le flegme de son invité.

— Tu n'as pas l'air de réaliser ce que je suis en train de te dire, Frédéric. Il est parti avec tous les rapports. Les classés et les rejetés.

— Et aussi ceux du Déluge ?

— Non, heureusement.

— Pourquoi ne pas lui avoir donné que les rejetés ? Les dossiers classés comportent environ six cent quarante rapports, ton flic n'aurait pas remarqué leur absence sur soixante-quatre mille !

— Il *fallait* que je lui donne les classés : je lui avais dit que je classais tous les rapports ! Si je lui avais donné juste les boîtes, non seulement il se serait demandé comment j'avais pu trouver les rapports de Nadeau, Liang et Proulx si rapidement, mais il aurait su que j'avais menti !

— Il l'a su de toute façon…

— Je sais, je sais, marmonne Maxime en se passant les deux mains dans les cheveux. Mais j'avais trois flics chez moi avec un mandat, tu penses que c'est la situation idéale pour trouver la meilleure solution rapidement ?

— Mais pourquoi lui avoir fait croire dès le départ que tu classais tous les rapports ?

Maxime pose ses deux mains sur la table.

— Écoute, Frédéric : si, dès le départ, je lui avais dit que la majorité de mes soixante-quatre mille rapports n'étaient pas classés, il aurait pu me demander à n'importe quel moment, pour m'éviter du travail, d'y fouiller lui-même pour trouver ce qu'il cherchait. En lui disant que je classais tout, il n'avait plus aucune raison de vouloir mettre son nez dans mes affaires. Je gardais le contrôle et je me débarrassais de lui.

— Tout un contrôle ! fait Frédéric en suivant des yeux le vol d'une mésange. Maintenant, il a tout emporté avec lui.

Maxime penche la tête sur le côté. Il mettrait sa main au feu que le psychologue se fout de sa gueule.

— Pas tout, non, précise-t-il. Je t'ai dit que j'ai conservé le dossier Déluge. Et au cas où Sauvé reviendrait avec un autre mandat, je l'ai caché à un endroit sûr.

— Si la police n'a pas le dossier Déluge, tu n'as pas à t'en faire.

— Frédéric, ils ont tous les autres ! S'ils se mettent à fouiller à fond, ils pourraient faire des rapprochements, remarquer des coïncidences troublantes…

Le psychologue croise ses mains sous son menton.

— Cette idée, aussi, d'avoir conservé tous ces rapports ! Seuls ceux du Déluge sont importants, pourquoi tu n'as pas jeté tous les autres ?

Quelque peu empêtré, Maxime prend une gorgée de vin.

— J'aime garder des objets qui représentent différentes étapes de ma vie. Je t'ai expliqué tout ça en te faisant visiter mon petit musée, l'autre jour…

— Oui, acquiesce Ferland en plissant les yeux. Chaque fois que tu m'as fait visiter ce garde-robe, j'ai été frappé par l'orgueil qu'il renferme. Et c'est aussi à cause de cet orgueil qu'au cours des deux denières années, tu as souvent dit en entrevue que tu gardais toutes les auditions. Tu ne peux évidemment pas avouer ton projet secret, mais tu veux en révéler le plus possible, divulguer le maximum d'informations sans te compromettre, comme par défi, comme pour narguer cette société que tu méprises, en lui disant : « Regardez, je vous dis presque tout, et vous ne comprenez toujours pas ! » Ton émission a exactement le même but. Tu te dis que malgré toutes les chances que tu donnes aux gens de s'ouvrir les yeux, ils persistent à ne *rien voir*.

— Parce qu'ils le veulent bien, ajoute Maxime avec dépit.

Ferland réfléchit à cette réplique un moment, puis, en prenant son verre, consent :

— Tu as raison.

— Content de te l'entendre dire !

Le psychologue termine son verre et désigne du menton la bouteille.

— Excellent vin, vraiment.

— Tu devrais être un peu plus nerveux, Frédéric. Si je tombe, tu tombes avec moi, tu peux en être certain.

— Écoute, je pense que tu te fais du mauvais sang pour rien. Tu sais exactement ce que la police a entre les mains. Est-ce vraiment suffisant pour qu'elle t'accuse sérieusement de quoi que ce soit ?

— C'est loin d'être impossible. Demain matin, non, mais à force de chercher…

Il se frotte les mains et ajoute d'une voix plus basse :

— J'ai pensé à une solution drastique…

Ferland fronce les sourcils. Le milliardaire précise sur un ton négligent :

— Je pourrais faire disparaître Sauvé, de manière définitive.

Il s'attendait, au mieux, à de l'indifférence de la part du psychologue ou, au pire, à une vague désapprobation, mais certainement pas à cet air effaré.

— Tu… tu veux dire le tuer ?

— Qu'est-ce que tu crois ? Que je vais lui payer un voyage sur Mars ?

Ferland demeure sans voix pendant un bref moment, ce qui étonne l'animateur au plus haut point.

— Je ne crois pas que ce soit très sage, dit-il enfin. Un flic est en train d'enquêter sur toi, et au même moment, il se fait tuer ! Vers qui les soupçons se tourneront-ils, selon toi ?

Maxime y a songé. C'est d'ailleurs pour cette raison qu'il tergiverse.

— Tant que tu n'es pas réellement menacé, tu devrais attendre, poursuit Ferland. Garde cette solution au cas où tu n'aurais vraiment plus le choix.

Il joue les désinvoltes, mais Maxime le sent réellement tendu. Néanmoins, il sait que le psychologue a raison et il finit donc par dire :

— D'accord, je vais attendre. Peut-être qu'on n'aura pas à se rendre jusque-là.

Ferland approuve, ce qui conforte Maxime : bon signe que son invité s'inquiète un peu. Ça prouve qu'il souhaite se rendre jusqu'au bout avec Maxime. Ferland emplit à nouveau son verre :

— Allez, relaxons-nous un peu, maintenant.

Maxime ne réagit pas, songeur, et Ferland fait remarquer :

— Depuis que je te connais, je ne t'ai pas vu t'amuser très souvent, toi…

— S'il y a une chose que tu devrais avoir comprise, Frédéric, c'est que si je fais tout cela, ce n'est certainement pas pour m'amuser.

Ferland devient plus austère et prend une gorgée de son verre en hochant la tête. Maxime poursuit :

— Toi-même, quand je t'ai rencontré, tu n'étais pas vraiment un boute-en-train. Aujourd'hui, par contre…

— Quand tu m'as rencontré, plus rien ne m'intéressait dans la vie. Tu es arrivé… et tout a changé.

Cette remarque pourrait être de la vile flagornerie, mais Max ne met pas en doute un seul instant la sincérité de son compagnon. En déposant son verre, le psychologue ajoute avec un mince sourire :

— De plus, au début de notre relation, il y a eu ces séances à Victoriaville qui étaient… Eh bien, disons qu'elles m'ont quelque peu mis en état de choc. Ce qui était assez normal, non ?

Maxime a un petit signe d'assentiment, sans sourire. Il se souvient lorsqu'il est allé chercher Ferland pour la première séance, il y a quelques mois, en cette froide journée de février…

CHAPITRE 18

Frédéric se trouvait sur le trottoir depuis une dizaine de minutes et sentait ses joues s'engourdir sous l'effet du froid de février. Il n'avait jamais compris pourquoi les journées les plus ensoleillées de l'hiver étaient souvent les moins chaudes. Il y avait eu une tempête durant la nuit et quelques voisins étaient en train de déblayer leur voiture. Frédéric les observait avec envie : au moins leur activité leur procurait de la chaleur. Il aurait bien attendu dans la maison, mais Lavoie avait insisté pour qu'il soit déjà dehors à l'arrivée de la voiture.

Le célèbre animateur l'avait appelé la semaine précédente. C'était leur premier contact depuis leur seule et unique rencontre du mois de décembre.

— Bonne année 2006, monsieur Ferland, lui avait souhaité Maxime d'une voix parfaitement indifférente. Même si, au fond, il n'y a aucune raison qu'elle soit meilleure que les autres.

— Merci, avait répondu le psychologue, satisfait que l'animateur le rappelle, tel qu'il l'avait promis. À vous aussi.

— Les séances dont je vous ai parlé vous intéressent toujours ?

Et comment, que ça l'intéressait! Lavoie ne lui avait-il pas dit qu'il comprendrait ses véritables intentions durant ces réunions?

— La première aura lieu la semaine prochaine, le 5 février. À Brossard, près de chez vous.

Frédéric avait accepté, mais Lavoie avait cru bon de préciser:

— En passant, il se pourrait que vous y rencontriez des gens que vous connaissez. Peu probable, mais pas impossible.

— Comment ça?

— Cette séance est pour les gens de la Montérégie, région dont vous faites partie.

— Qu'est-ce que... C'est une séance ouverte au public? s'étonna le psychologue.

— Pas vraiment. Vous posez trop de questions pour l'instant, Frédéric. Répondez seulement à celle-ci: est-ce que le risque de tomber sur quelqu'un que vous connaissez vous importune ou pas?

Frédéric se souvenait d'une partouze à laquelle il avait participé plus d'un an auparavant, dans sa propre ville, chez un couple reconnu pour organiser des orgies vraiment *hard*. Après avoir baisé avec un couple, il était entré dans une des chambres à coucher dans l'intention d'observer le spectacle en attendant que ses forces lui reviennent. Sur le lit, un homme était en train de s'insérer un bâton de baseball dans l'anus tandis qu'un homme et une femme lui taillaient une pipe. Frédéric avait reconnu un de ses clients et ce dernier l'avait manifestement reconnu aussi, car ses râles de plaisir avaient cessé net. Le psychologue s'était empressé de quitter les lieux. Le client ne s'était pas pointé au rendez-vous suivant, ni à aucun autre.

— Eh bien... Comme je n'ai aucune idée de quel genre de séance il s'agit, je... je préférerais garder l'incognito.

— Vous connaissez des gens dans le Centre-du-Québec ?

— Heu… Pas vraiment…

— Parfait. Deux jours plus tard, le 7, je me rends à Victoriaville pour une séance semblable. Ça vous irait ?

— Comment, vous donnez ces séances à plusieurs endroits ?

— Le 7, à treize heures, attendez-moi dehors devant votre maison. Donnez-moi votre adresse.

À treize heures deux minutes exactement, une jeep qui tirait une roulotte de camping tourna le coin de la rue et vint s'arrêter devant Ferland, qui ne s'attendait pas à un pareil attelage. Il essayait de regarder à l'intérieur de la roulotte par les fenêtres quand la porte s'ouvrit : il reconnut Gabriel. Le psychologue s'empressa d'entrer.

L'intérieur ressemblait à toutes les roulottes habituelles de camping. Lavoie était assis sur l'une des deux banquettes de chaque côté de la petite table. Il fit signe à Frédéric de s'asseoir en face de lui. Ferland obéit, tout en se frottant les mains pour les réchauffer, tandis que l'adolescent retournait s'asseoir aux côtés de son tuteur. Le véhicule redémarra.

— Mon jet privé serait certes plus rapide et agréable, mais il serait moins discret, expliqua Lavoie sans même donner la main à son invité. Et ma limousine serait trop visible.

— Vous croyez qu'une roulotte en plein mois de février, c'est discret ?

— Bien sûr. J'ai l'air de quelqu'un qui vient tout juste de l'acheter. Ou qui s'en va en Floride. De plus, ça évite de coucher dans les hôtels durant nos tournées et d'attirer ainsi l'attention.

— Vos tournées ?

— Comment va le travail ?

Indifférent, Frédéric répondit qu'il ne voyait que cinq ou six clients par semaine, question de se faire un peu d'argent. Pendant un moment, les deux hommes parlèrent de choses sans importance, tandis que Gabriel regardait par la fenêtre. Après une vingtaine de minutes, le psychologue demanda enfin :

— Alors, vous allez m'expliquer plus en détail ce qui se passe ?

Lavoie jaugea son passager, comme s'il délibérait une ultime fois avant de l'impliquer dans ses affaires, puis il ouvrit la mallette déposée sur la table. Il en sortit une chemise qu'il tendit à Ferland.

— Je ne sais pas si vous étiez au courant, mais je lis absolument tous les rapports d'auditions pour mon émission. J'en choisis trente-trois pour la saison. La très grande majorité des milliers d'autres est rejetée… mais j'en conserve aussi un certain nombre, que je classe par région.

Frédéric prit le dossier, sur lequel était inscrit *Centre-du-Québec*. Ce dernier devait contenir près de soixante-dix rapports.

— J'aimerais que vous les lisiez, proposa l'animateur.

— Tous ?

— Disons une dizaine.

Ferland, sans rouspéter, se mit au travail. Le silence s'installa dans la roulotte. Au bout d'un moment, Lavoie ouvrit un panneau sur la paroi du véhicule et un petit bar apparut. Le milliardaire se prépara un gin tonic, tandis que Gabriel, étirant sa main vers le sol, fit apparaître une boîte de Froot Loops déjà ouverte. Durant la quinzaine de minutes qui suivit, les seuls sons dans le véhicule se résumèrent à l'entrechoquement des glaçons dans le verre de Lavoie et aux céréales se brisant sous les dents de Gabriel, qui continuait d'observer le morne décor de l'autoroute 20. Alors que Frédéric terminait la lecture du onzième rapport, Lavoie demanda :

— Et alors ?

Le psychologue leva un regard interrogateur. L'animateur précisa :

— En tant que psychologue, quel point commun décelez-vous entre ces personnes ?

— Eh bien, c'est hasardeux de présenter un diagnostic sur des gens que l'on n'a pas rencontrés... Mais ce qui ressort clairement, c'est que toutes ces personnes sont en pleine dépression, en dépression *profonde,* au point d'en avoir le jugement altéré. En fait, j'espère qu'elles sont suivies par un psy...

— Le psychologue de l'entrevue devait demander cette information au postulant, l'interrompit Lavoie. Si ce dernier voyait un psy au moment de son entrevue, ça devait être indiqué dans le rapport. Aucun de ceux contenus dans ce dossier ne renferme cette mention.

— Dans ce cas...

Frédéric referma le dossier et ajouta avec cynisme :

— ... je ne serais pas surpris qu'on retrouve un jour ou l'autre un certain nombre de ces postulants pendus dans leur maison.

— Vous diriez donc qu'ils sont suicidaires ?

— C'est un diagnostic grave, et après un si court rapport, c'est une conclusion précipitée mais... Disons qu'en gros, ils semblent avoir le profil, oui.

— Et c'est exactement pour cette raison que je les ai sélectionnés.

Frédéric n'était pas sûr de comprendre.

— Tous les autres candidats de cette chemise sont aussi dépressifs que ceux que je viens de lire ?

Lavoie s'installa au fond de son siège, fit jouer les restes de glaçons dans son verre presque vide.

— J'ai fait une sélection parallèle à travers mes milliers de demandeurs. J'ai choisi les plus déprimés, les plus dépressifs, les plus instables, les plus inquiétants et les plus manipulables. Par ailleurs, ils pouvaient prendre des médicaments avec ordonnance d'un médecin, mais ne devaient pas être en traitement avec un psy : ils pouvaient en avoir consulté un dans le passé, mais pas au moment de l'entrevue. En deux ans, j'en ai sélectionné environ mille six cents, répartis dans seize régions à travers le Québec. Vous n'avez pas idée du nombre de personnes suicidaires et manipulables qui croient que *Vivre au Max* peut les aider...

— Quand on est suicidaire et influençable, on est prêt à croire n'importe quoi.

— Exactement, marmonna Lavoie.

Il termina son verre d'une gorgée et regarda par la fenêtre. La voiture venait de dépasser la sortie de Saint-Nazaire.

— Vous avez entendu parler de ce gars qui assassinait des gens dans un garage de Saint-Nazaire, il y a quelques années ? demanda l'animateur. Une bien curieuse histoire...

— Pourquoi avez-vous sélectionné les suicidaires parmi tous les auditionnés ? demanda Ferland, ignorant la question du milliardaire.

— Il tuait ses victimes de fort atroce façon, paraît-il.

— Maxime...

— Il aurait même écartelé un adolescent à l'aide d'une chaîne et d'un treuil, vous imaginez ?

Lavoie tourna la tête vers Ferland et ajouta, le visage énigmatique :

— Si on savait tout ce qui passe dans la tête des gens...

Frédéric n'ajouta rien. Gabriel, en mastiquant mécaniquement, contemplait toujours le décor extérieur. Lavoie déposa son verre vide, posa les mains sur ses cuisses et avança le torse.

— Si vous parlez de ce que vous allez apprendre à qui que ce soit, Frédéric, vous pouvez être certain que je le saurai. Et même du fond de ma prison, je trouverai le moyen de vous faire disparaître.

Dès leur première rencontre, le psychologue avait compris que Maxime Lavoie était puissant et que son pouvoir dépassait les normes de la légalité. Mais c'était la première fois que l'animateur y faisait référence de façon si directe. *Il n'y a que dans les films que les gens dangereux se parlent en paraboles,* se dit le psychologue. *Dans la vraie vie, ils disent les choses carrément, pour être sûrs d'être compris.* Et Lavoie n'aurait pu être plus clair. Frédéric sentit un frisson lui parcourir l'échine. Bien que provoqué par la peur, l'effet n'en était pas désagréable, loin de là. Le psychologue avait tout à coup l'impression d'être le protagoniste de l'un de ces romans policiers dont il était si friand.

— Il n'est pas trop tard, ajouta Lavoie. Drummondville est à dix minutes d'ici. Je peux vous y laisser pour que vous preniez le prochain bus. Et j'oublierai que nous nous sommes déjà rencontrés.

— Continuez, souffla Frédéric sans aucune hésitation.

Le milliardaire eut une discrète mimique d'approbation, puis recula tout au fond de sa banquette.

— Les candidats de ce dossier ont reçu une invitation pour la séance de Victoriaville.

— Tous ?

— Les cinquante-deux premiers. Les vingt et un derniers sont ceux de l'année dernière.

— Que voulez-vous dire, l'année dernière ? Vous faites ce genre de séance depuis longtemps ?

— Une chose à la fois, Frédéric. Pour la séance de ce soir, donc, j'ai sélectionné cinquante-deux personnes du Centre-du-Québec et je leur ai envoyé cette invitation.

Il tira de sa mallette une lettre qu'il tendit à Ferland. Ce dernier la lut avec attention.

Nous savons que vous n'êtes pas heureux.

Nous savons qu'en ce moment, la vie est un enfer pour vous. Nous savons que votre existence n'est plus qu'une caverne sombre dans laquelle ne brille plus aucune lumière. Nous savons que tous les moyens que vous avez envisagés pour vous en sortir n'ont rien donné.

Nous savons que vous songez souvent à la mort.

Nous pouvons vous aider et nous savons comment. Si vous voulez vraiment cesser de souffrir, si vous voulez enfin connaître le soulagement dans votre vie décevante, si vous voulez revoir la lumière, venez nous rencontrer. Le 7 février, à vingt heures, au 3447, Newton, à Victoria-ville. Même si cela est quelque peu compliqué pour vous y rendre, l'effort n'est rien comparé à ce qui vous y attend. Vous ne serez pas seul : d'autres gens comme vous seront aussi sur place.

Venez. Apportez avec vous cette lettre : elle vous servira de laissez-passer. Nous sommes la solution que vous cherchez.

Frédéric regarda longuement la lettre, comme si elle était écrite en hébreu, puis il leva la tête vers l'animateur.

— Vous retrouvez, parmi vos milliers de rapports d'auditions, les candidats dépressifs pour faire de la prévention du suicide ?

En posant la question, Frédéric sut qu'elle était absurde : ça ne pouvait être le but de Lavoie, cet homme qui, consciemment, produisait une émission pour avilir la population, ce désillusionné qui mésestimait son prochain.

— Vous verrez vous-même ce soir, répondit tout simplement l'animateur, le visage dur.

Frédéric revint à la lettre, dubitatif.

— Vous croyez vraiment que ceux qui reçoivent cette lettre la prennent au sérieux ?

— Pas tous, bien sûr. Mais une bonne partie. Je vous ai dit que les vingt et un derniers rapports du dossier étaient des postulants de l'année passée. En fait, j'en avais convoqué cinquante-quatre, avec le même genre d'invitation à une réunion, qui à ce moment avait lieu à Bécancour, une autre ville de la région Centre-du-Québec. Sur les cinquante-quatre, trente-deux sont venus. Pas si mal, non ?

— Trente-deux ? Pourtant, dans ce rapport, il y en a vingt et un.

— Certains lâchent en cours de route. À la fin des trois séances, il en restait vingt et un. Ce soir est la première des trois séances de 2006 pour cette région.

Frédéric prit la chemise et consulta les vingt et un derniers rapports. Il remarqua que sur la plupart d'entre eux, on avait tracé un grand « X » sur la première page.

— Pourquoi ces rapports sont-ils marqués d'un X ?

Gabriel, la bouche pleine, tourna la tête vers le psychologue, inexpressif, puis vers son tuteur. Lavoie, l'air soudain lointain, ne répondit pas.

◆

C'était une salle communautaire comme tant d'autres. Peut-être plus retirée, éloignée de toute habitation, mais l'intérieur consistait en une grande salle éclairée aux néons, avec une centaine de chaises rangées sur les côtés et une scène à l'avant. Une heure plus tôt, Lavoie et Gabriel s'étaient occupés des chaises : ils en avaient installé une quarantaine pour former un petit groupe, toutes tournées vers l'avant. Devant ce regroupement, on avait placé une table avec feuilles de papier et ordinateur portable relié à un projecteur tourné vers un écran blanc sur pied. Le tout se trouvait sur le plancher même : Lavoie ne voulait pas être sur la scène, il désirait être au même niveau que ses auditeurs.

En arrivant à Victoriaville, ils étaient allés chercher la clé de la salle au centre-ville. Seul Luis, le chauffeur, était sorti de la voiture pour signer les papiers et payer la location. Ensuite, ils avaient préparé la salle. Vers dix-sept heures trente, Luis était allé acheter de la nourriture qu'ils avaient mangée dans la roulotte.

Maintenant seul depuis près d'une heure, Frédéric était assis sur l'une des chaises, dans la dernière rangée. Il jeta un coup d'œil à sa montre : dix-neuf heures vingt-cinq. Les invités arriveraient bientôt. Enfin, s'ils daignaient venir... mais, selon Lavoie, une bonne partie répondrait à l'appel. Que faisait Lavoie, au juste ? Il lui avait dit de l'attendre ici, mais Ferland commençait à trouver le temps long.

Une petite porte au fond s'ouvrit et un homme entra dans la salle. L'entrée principale se situait pourtant à l'autre extrémité, derrière le psychologue. Le nouveau venu, dans la quarantaine, grand et svelte, avait des cheveux bruns épais, courts et légèrement grisonnants, portait des petites lunettes et une barbichette bien taillée. Il était tout habillé de noir : pantalon, chemise et veston, mais sans cravate. Il s'arrêta près des premières chaises et sourit à Frédéric. Ce dernier se demanda comment il devait réagir.

— Vous êtes ici aussi pour la rencontre ? demanda enfin l'inconnu.

— Heu... oui, c'est ça.

— Ça tombe bien, moi, je suis ici pour l'animer, reprit l'inconnu d'une voix cette fois différente.

Et aussitôt, Frédéric la reconnut.

— Maxime ! s'écria-t-il en se levant.

Le milliardaire eut une réaction extrêmement rare chez lui : il éclata de rire. Évidemment, il s'esclaffait souvent dans son émission, mais d'un rire convenu, faux. En fait, Frédéric se dit qu'il voyait Lavoie s'esclaffer pour la première fois.

— Vous auriez dû vous voir l'air, Frédéric ! Avouez que je suis méconnaissable ! Vous venez de passer plusieurs heures avec moi, et vous ne m'avez pas reconnu ! Si je n'avais pas repris ma vraie voix, vous seriez encore en train de me prendre pour un autre !

Il expliqua que le maquillage prenait environ une heure à appliquer et qu'il s'était pratiqué chez lui durant plusieurs semaines avant de parvenir à un tel résultat.

— Mais pourquoi ? demanda Ferland.

— L'anonymat, toujours, répondit Lavoie, qui avait repris son sérieux. Vous allez tout comprendre bientôt.

Il consulta sa montre.

— Les premiers arrivants ne devraient pas tarder. Gabriel demeure dans la voiture et c'est Luis qui est à la porte pour l'accueil. Il laisse entrer seulement les gens qui ont leur lettre d'invitation avec eux. Puis, à vingt heures, Luis va dans la voiture pour toute la durée de la séance : je veux être sûr qu'il ne voit rien de ce qui se passe pendant la réunion. Il est fiable, mais moins il en sait, mieux c'est. Gabriel prendra donc sa place près de l'entrée de la salle et s'assurera que ni Luis ni aucun autre curieux ne s'approchent du bâtiment. S'il y a un retardataire, il pourra le laisser entrer, mais pas au-delà de dix minutes de retard. Si Luis ou un autre indésirable s'approchait, Gabriel me préviendrait.

Il désigna un walkie-talkie qui se trouvait sur la table, près de l'ordinateur portable.

— Je croyais Gabriel muet, fit remarquer Ferland.

— Il ne parle pas, mais il peut crier, je vous assure.

— Luis n'a jamais été tenté de savoir ce qui se passait durant vos réunions ? Il n'a jamais raconté à personne que le célèbre animateur préparait de mystérieuses séances ?

— Luis est un homme de Salvador. Je paie Salvador pour qu'il me fournisse du personnel compétent, fiable et obéissant.

— Qui est Salvador ?

— Pour le moment, ce n'est pas important que vous le sachiez, fit Lavoie en ajustant un tantinet sa perruque. Votre rôle pour ce soir est simple : vous devez passer pour un auditeur comme les autres, quelqu'un de la région qui a aussi reçu l'invitation que je vous ai montrée tout à l'heure. Ne parlez à personne sauf si on vous adresse la parole. Vous verrez, ils parlent très peu entre eux au début. Il est arrivé à de très rares occasions que certains se connaissaient et la gêne n'en était que plus grande.

Lavoie marcha vers le panneau mural du contrôle des lumières. Il ferma tous les néons sauf un, celui qui se trouvait au-dessus de l'espace entre la table et les rangées de chaises. La salle se retrouva dans une pénombre apaisante.

— À partir de cet instant, vous ne me connaissez plus, fit Lavoie.

Là-dessus, il se dirigea vers la petite table à l'avant, s'assit derrière elle et, à moitié camouflé par la noirceur, ne bougea plus.

Pendant près de quinze minutes, les deux hommes attendirent en silence, sans bouger. Puis, des pas retentirent derrière Frédéric, qui se retourna : quelqu'un venait d'entrer. Dans la pénombre, ce n'était qu'une silhouette, mais peu à peu, un homme dans la trentaine se précisa, l'air quelconque. Le nouveau venu salua brièvement de la tête. Frédéric répondit de la même manière. L'homme s'immobilisa presque totalement près des chaises, indécis.

— Assoyez-vous, monsieur, fit Lavoie d'une voix un brin modifiée, mais forte, chaleureuse.

Le visage camouflé par la pénombre, il désigna d'une main les chaises. L'homme balbutia un remerciement, enleva son manteau et alla s'asseoir de manière à être le plus éloigné possible de Frédéric. À ce moment, Lavoie s'affairait sur son ordinateur, mais le psychologue aurait parié qu'il faisait semblant.

Cinq longues minutes s'étirèrent, durant lesquelles Lavoie ne leva pas la tête de son portable et l'homme ne cessa de gigoter, de toussoter, de se gratter la tête. Enfin, quelqu'un d'autre arriva, une femme dans la cinquantaine, mince mais trop maquillée, même dans cette noirceur. Elle dévisagea Frédéric et l'autre homme, ne salua pas du tout, puis Lavoie répéta sa petite phrase de bienvenue. Elle s'assit dans la rangée du milieu, sans enlever son manteau de fourrure. Elle et l'homme se lançaient des regards à la dérobée. Une ou deux fois, ils se tournèrent discrètement vers le psychologue, mais en voyant que ce dernier affrontait leur regard, ils se détournèrent brusquement. Impassible, Lavoie continuait de s'affairer sur son clavier.

Puis, les gens apparurent de plus en plus fréquemment, souvent en groupe de deux ou trois, même si, manifestement, ils ne se connaissaient pas, étant tout simplement arrivés en même temps. Chaque fois, Lavoie répétait son petit mot. À vingt heures moins cinq, au moins une quinzaine de personnes se trouvaient assises sur les chaises. Si la plupart étaient silencieuses et manifestement tourmentées, certaines échangeaient quelques mots, souvent à voix basse. Une femme tentait même de faire connaissance avec ses voisins, qui ne répondaient que par monosyllabes. L'un d'eux finit même par lui répondre dans un chuchotement agressif : « Crissez-moi donc la paix, vous ! » puis croisa les bras d'un air buté. L'un des hommes lisait un livre de poche, mais Frédéric remarqua qu'il ne changea pas une seule fois de page. Deux ou trois autres personnes se tenaient parfaitement immobiles, fixant le néant devant eux. Frédéric, intéressé, étudiait cette petite foule saugrenue, rassemblée dans cette salle obscure comme si on veillait un mort. Même s'il n'avait encore parlé avec aucune de ces personnes, il sentait bien qu'il y avait ici un terrain d'exploration formidable pour tout psychologue à la recherche de cas graves.

— Vous êtes à bout, vous aussi, hein ? marmonna une voix.

Frédéric se tourna vers sa droite. Son voisin, un homme dans la quarantaine au visage rouge et qui, depuis son arrivée, combattait une irrésistible envie de pleurer, le dévisageait avec un espoir si exacerbé que cela en devenait presque comique.

— Pardon ? demanda le psychologue.

— Si vous êtes venu vous aussi, c'est parce que vous n'en pouvez plus… hein ? Hein ?…

Le gars était si contracté que Frédéric sentit qu'il lui aurait sauté au visage s'il avait répondu « non ».

— Oui. C'est pour ça, oui.

L'homme hocha la tête avec violence, au point que le psychologue craignit qu'elle ne se détache du tronc.

Quelques personnes arrivèrent encore. À vingt heures, un homme chauve quitta sa chaise et marcha vers la sortie.

— Où allez-vous, mon ami ? lui lança sans agressivité Lavoie, qui leva la tête de son ordinateur.

L'homme s'arrêta, piétina sur place comme un mauvais élève pris en flagrant délit de plagiat.

— Je… je pense que je ferais mieux de… J'aurais pas dû venir, je suis désolé…

— Allons, nous allons commencer dans trois minutes. Vous êtes ici, aussi bien rester, n'est-ce pas ?

Jamais Frédéric ne l'avait entendu parler avec autant d'affabilité. Plusieurs personnes toisaient le chauve avec curiosité. Ce dernier vacilla encore un moment, eut une sorte de ricanement nerveux et retourna s'asseoir.

Une dernière personne entra, puis Maxime se leva en souriant.

— Je crois que nous pouvons commencer, annonça-t-il.

Frédéric examina l'assistance : un peu plus d'hommes que de femmes. Tous des adultes entre vingt et soixante ans, mais surtout entre trente-cinq et cinquante-cinq. Si l'on se fiait à l'habillement, ils provenaient de tous les milieux. Deux hommes étaient même en complet-cravate. Le psychologue compta rapidement : trente-trois. Trente-trois des cinquante-deux personnes convoquées étaient venues en espérant trouver une solution à leur détresse. Maxime contourna la table, fit quelques pas et s'arrêta. L'éclairage du néon tombait maintenant sur lui et, ainsi illuminé dans la noirceur ambiante, il ressemblait à une apparition réconfortante mais mystérieuse. Tous le regardaient. Tous se taisaient. Il y avait de l'électricité dans l'air. Lavoie, sous son déguisement, paraissait contrôler parfaitement la situation. Il n'avait ni son air taciturne naturel, ni l'attitude enthousiaste qu'il affichait durant son émission, mais plutôt une sorte de sérénité tranquille et mélancolique. Le silence vibrait d'attente.

— Je m'appelle Charles. Je vous félicite d'avoir répondu à l'invitation. Certains d'entre vous ont dû faire une bonne heure de route pour venir ici. Bravo. Vous avez pris la bonne décision. Il y aura trois réunions. La seconde dans deux semaines, et la dernière dans un mois. Elles seront toutes ici. Toutes gratuites. Vous pouvez cesser de venir à n'importe quel moment.

Courte pause. Quelques toussotements, quelques déplacements sur les chaises. Puis Lavoie poursuivit :

— Vous êtes ici parce que vous cherchez une solution à votre mal de vivre. Une vraie solution. Pas une illusion. Car des illusions, il y en a beaucoup. Combien d'entre vous ont déjà consulté un psychologue ?

Aucune réaction, malaise diffus.

— Allons, pas de gêne ici. Regardez-vous : vous êtes tous dans la même galère, vous êtes tous frères et sœurs dans la souffrance.

Un brave osa lever la main, puis, peu à peu, on l'imita. Au bout du compte, vingt-cinq personnes levèrent la main. Elles se regardèrent entre elles, rassurées.

— Cette thérapie vous a-t-elle aidés ? Je veux dire *vraiment* aidés ? Laissez-moi deviner : vous vous êtes senti mieux pendant un certain temps, quelques mois peut-être, mais après… le marasme est revenu. N'est-ce pas ? Peut-être que certains d'entre vous ont tenté une seconde thérapie, peut-être même une troisième… et finalement, vous avez abandonné parce que vous avez compris qu'à long terme, ça ne donnait rien.

La plupart hochaient silencieusement la tête, comme si cela les réconfortait d'entendre quelqu'un qui comprenait leur long chemin de croix.

— Il y en a même sûrement un certain nombre parmi vous qui sont sous médication.

Frédéric, à voir l'expression de plusieurs visages, comprit que c'était effectivement le cas. Lavoie leva les bras, toujours la voix coulante :

— Des médicaments pourquoi ? Parce que vous êtes dépressifs ? Est-ce une solution, prendre des pilules toute sa vie, puis en prendre des plus fortes quand les anciennes ne font plus effet ? Ou alors, vous êtes sous médication parce que vous vous êtes claqué une dépression ? Et alors ? Dans quelque temps, lorsque vous serez supposément guéri et que vous cesserez de prendre vos pilules, il faudra combien de mois avant de vous en taper une autre ? Combien, même, en sont à leur deuxième, troisième dépression ?

Hochements de tête, visages approbateurs… mais aussi quelques airs indéterminés, Frédéric le remarqua. Certains se demandaient où voulait en venir Lavoie.

— Les thérapies et les médicaments ne sont pas la solution. Pas plus que ces optimistes naïfs qui vous disent que le bonheur est à la portée de tous, ces vendeurs de rêves qui sont tellement entourés de ouate qu'ils ont décroché du réel. Rien de tout cela n'est une solution pour vous, rien de tout cela ne viendra à bout de votre détresse, de votre souffrance, de votre lassitude de la vie.

— Excusez-moi, mais…

Toutes les têtes se tournèrent vers la voix. C'était une femme d'environ trente-cinq ans. Pusillanime, elle poursuivit tout de même :

— … mais comment en savez-vous autant sur nous ? Comment savez-vous que… (hésitation) que je suis dépressive et même… heu… (hésitation) eh bien, oui, j'ai des idées suicidaires, c'est vrai, mais… mais comment savez-vous que nous nous sentons comme ça ? Et comment avez-vous eu nos adresses ?

Quelques marmonnements d'approbation se firent entendre. Frédéric, curieux de voir comment le milliardaire allait s'en tirer, tourna son attention vers Lavoie. Ce dernier continuait d'afficher son air détendu.

— Vous croyez vraiment que la vie privée existe encore en 2006 ? Les renseignements que vous donnez à vos psychologues, à vos patrons, à vos médecins, aux sondeurs, à votre banquier, au gouvernement… Tout cela est informatisé. Et qui dit informatique dit accessibilité. Il y a peut-être des Américains en ce moment même qui étudient votre dossier en se demandant si vous êtes un terroriste potentiel.

Frédéric haussa un sourcil. Lavoie y allait un peu fort, mais il est vrai que les gens avaient tendance à croire à ce genre de scénario paranoïaque. Surtout les gens dépressifs.

— Depuis deux ans, je fouille dans toutes les banques de données possibles, je fais le tri et je choisis les cas qui ont le plus besoin de mon aide.

L'assistance parut éblouie, il y eut encore des marmonnements, mais sans plus. Lavoie donna des statistiques sur la consommation des médicaments, sur les résultats plus ou moins positifs de bon nombre de thérapies. À l'aide de son ordinateur, il projetait des chiffres sur l'écran et les commentait. Il se tourna ensuite vers la petite foule :

— J'aimerais maintenant que vous témoigniez. Certains d'entre vous désirent-ils raconter la thérapie qu'ils ont suivie dans le passé ? Ou tout autre moyen pour essayer de vous en sortir ?

Au départ, il n'y eut pas de volontaires, mais Lavoie les incita tellement qu'une femme finit par parler, puis un homme… et finalement, près du tiers des personnes présentes livra un résumé de sa triste histoire. Tous s'entendaient pour dire que leur vie s'enlisait de plus en plus et même s'ils affichaient un visage triste, Frédéric voyait très bien la consolation qu'ils ressentaient à témoigner ainsi devant des gens qui vivaient les mêmes souffrances qu'eux. Thérapie de groupe, songea le psychologue. Excellent moyen pour créer des liens et établir la confiance. Mais où Lavoie voulait-il en venir ?

Les gens témoignèrent pendant plus d'une heure et quart puis Lavoie s'adressa à tous :

— Pour ce soir, ce sera suffisant : il s'agit de la réunion la plus courte. Vous avez constaté que vous n'êtes pas seuls et qu'au bout du compte, toutes vos histoires se ressemblent un peu. Je veux qu'au cours des deux prochaines semaines, vous songiez à ce que nous venons d'entendre. Demandez-vous aussi ce qui a du sens, en ce moment, dans votre vie. Y a-t-il quelqu'un ou quelque chose qui signifie quelque chose pour vous et qui peut vous donner envie de continuer ? Revenez dans seize jours, le 23 février, ici même, à la même heure. À nouveau ce sera gratuit et je ne vous demanderai rien en échange. Et nous irons plus loin dans notre réflexion. J'espère tous vous revoir le 23.

Peu à peu, les gens remettaient leur manteau et partaient, la plupart intrigués. Frédéric vit même sur le visage de plusieurs un certain contentement. En mettant son bonnet, l'homme à ses côtés lui demanda :

— Allez-vous revenir ?

— Je crois bien, oui.

— Moi aussi ! fit l'homme avec un enthousiasme presque enfantin. Je sens que ce Charles comprend beaucoup de choses. On est sur le bon chemin, je pense !

Quand il ne resta que Ferland dans la salle, Lavoie reprit sa voix normale et déclara :

— Parfait. Ça s'est bien passé.

Il alla allumer tous les néons et commença à démonter l'écran, à fermer son ordinateur, à ranger les dossiers. Le psychologue se leva et fit quelques pas en se grattant la joue.

— Jusqu'à maintenant, tout ça ressemble à de la thérapie de groupe.

— Je sais, fit Lavoie sans cesser de ranger les choses. Je veux installer un lien de confiance.

Frédéric l'observa s'affairer quelques instants et demanda :

— La police n'est jamais venue ?

— Pourquoi viendrait-elle ? Ces gens reçoivent une invitation pour être aidés. Rien d'illégal là-dedans. Ceux que ça n'intéresse pas ne viennent pas, c'est tout. D'ailleurs, une vingtaine ne se sont pas présentés ce soir.

Il prit son walkie-talkie et appela Gabriel :

— Fais signe à Luis qu'il peut venir.

Puis, en se tournant vers le psychologue :

— Il est vrai que l'année dernière, des policiers sont venus deux fois à la première des trois séances : une fois dans les Cantons-de-l'Est et une fois en Mauricie. Les flics sont arrivés une demi-heure avant le début de la séance et m'ont dit (j'étais heureusement déjà déguisé !) qu'un individu était allé les voir avec la lettre d'invitation. L'individu en question trouvait louche qu'un organisme mystérieux en sache tant sur lui.

— Qu'avez-vous répondu ?

— Je leur ai dit que j'étais psychiatre. Je leur ai montré mes papiers… faux, bien sûr. Je leur ai dit que je louais des salles un peu partout dans le Québec pour des rencontres de groupes. Évidemment, je loue les salles sous de faux noms de compagnies, mais ça, les flics ne le savent pas. Je leur ai dit que des collègues psychologues me refilaient des noms de gens en détresse pour que je leur envoie ce genre de message. Je prétends, naturellement, que ce type d'échange de services est fréquent dans le milieu psychiatrique.

— Ce qui est faux.

— Bien sûr, mais les flics l'ignorent. De toute façon, les deux fois où ils sont venus me voir, ils l'ont fait par obligation, juste pour s'assurer que tout était réglo. Je les ai embobinés bien rapidement. Je les ai même invités à assister à la réunion, pour démontrer ma bonne foi. Ils ont refusé et sont partis sans plus d'explications.

Luis arriva et, tout en chantonnant une chanson espagnole, commença à sortir le matériel. Lavoie lui donna un coup de main. Puis, après que tout fut chargé dans la jeep, ils retournèrent dans la roulotte bien chauffée. Gabriel était déjà assis à la table et finissait de préparer un arsenal typiquement féminin : petit miroir, démaquillant, crèmes diverses, serviette… Lavoie enleva son manteau et alla s'installer à ses côtés.

— Vous devriez vous asseoir, conseilla-t-il à Frédéric en retirant ses lunettes. Nous allons démarrer d'une seconde à l'autre.

Comme pour confirmer ses dires, la roulotte bondit et Frédéric, déséquilibré, se cogna le front contre une armoire. Il s'installa face à l'animateur, qui retirait maintenant avec délicatesse sa fausse barbichette, puis admit :

— Je ne vois pas où vous voulez en venir.

Tout en répondant, Lavoie entreprit d'enlever ses verres de contact, qui modifiaient la couleur de ses yeux verts.

— Il faut assister aux trois réunions pour comprendre.

— Et ces trois réunions, vous les donnez à travers tout le Québec ?

— Dans seize régions, pour être précis. J'ai commencé il y a huit jours. J'ai déjà fait l'Abitibi, l'Outaouais, les Laurentides, Lanaudière, Montréal, la Montérégie, les Cantons-de-l'Est… et, ce soir, le Centre-du-Québec. Demain, ce sera Chaudière-Appalaches, puis le Bas-Saint-Laurent, et ainsi de suite. Quatre fois le même circuit pendant neuf semaines *non-stop,* soixante-douze réunions en tout, une par soir. D'ailleurs, durant ces neuf semaines, je prétends que je suis en vacances et personne ne sait où je suis. Je dors et mange dans cette roulotte pendant tout ce temps pour m'assurer de n'être reconnu par personne. C'est intensif, je vous jure.

— Pourquoi vous faites le circuit quatre fois ? Vous avez dit ne tenir que trois réunions dans chaque région ?

Lavoie étendit une crème sur son visage, frotta sa peau et, graduellement, décolla le latex qui recouvrait ses joues, son front et sa mâchoire... enfin, Frédéric se dit qu'il devait s'agir de latex mais, au fond, il n'en avait aucune idée.

— Il y a une tournée pour une quatrième réunion, mais celle-ci ne concerne que quelques personnes seulement.

— Que voulez-vous dire ?

— Vous êtes trop pressé, Frédéric...

Face au petit miroir, il détacha lentement une fine pellicule de sa joue. Au bout de quelques minutes, la roulotte ralentit, puis s'arrêta. Par la fenêtre, Frédéric reconnut l'entrée d'un motel.

— Il y a une chambre réservée à votre nom et déjà payée, expliqua l'animateur. Demain, vous prendrez l'autobus pour retourner chez vous. Nous, nous continuons notre tournée et, dans seize jours, nous serons de retour ici, dans la même salle, pour la seconde réunion de la région. Libre à vous de revenir. Vous connaissez maintenant l'endroit, vous pourrez venir en voiture.

Il alla ouvrir la porte de la roulotte. Frédéric, toujours assis, continuait à réfléchir à toute vitesse :

— Mais si je...

— Plus de questions, maintenant.

Le psychologue se leva enfin et sortit. Il s'immobilisa dans le stationnement désert du motel, puis se tourna vers la roulotte. Lavoie inclina la tête.

— Bonsoir, Frédéric.

Et il referma la porte. La jeep démarra aussitôt et la roulotte disparut rapidement dans la nuit.

Frédéric savait qu'il reviendrait dans seize jours, aucun doute là-dessus. Pour la première fois depuis fort longtemps, il se sentait rongé par une curiosité d'une redoutable intensité.

Icare retrouverait-il le plaisir de voler?

Il entra dans le motel.

◆

— Alors, avez-vous trouvé quelque chose qui, dans votre vie, a du sens pour vous?

Assis à peu près à la même place que deux semaines plus tôt, Frédéric regarda autour de lui. Il avait compté vingt-neuf personnes ce soir, donc quatre n'étaient pas revenues. D'ailleurs, Lavoie le lui avait dit avant la réunion: «Vous allez voir, il va y en avoir moins ce soir. C'est parfait. Le fait de prolonger les rencontres sur trois réunions permet une sorte d'écrémage.» Le psychologue n'avait à peu près rien fait durant les deux dernières semaines, rencontrant ses quelques clients avec distraction: il ne songeait qu'à la prochaine réunion, curieux de voir où voulait en venir Lavoie.

Ce soir-là, le décor était identique à celui de la première séance: même néon unique allumé au-dessus de Lavoie (toujours travesti, bien sûr), même écran blanc monté à l'avant, mêmes haut-parleurs de chaque côté de l'écran. Cette fois cependant, quelques personnes s'étaient saluées. On était évidemment loin de la grande fraternité, mais il y avait nettement moins de malaise que la première fois. Le quadragénaire assis à côté de Ferland lors de la première séance revint s'installer aux côtés du psychologue et le salua d'un air complice.

— J'avais hâte de revenir… et vous ?

— Absolument.

L'homme avait hoché la tête, avait tenté de sourire, mais le résultat s'était avéré pathétique : il voulait se convaincre que désormais, grâce à « monsieur Charles », tout irait mieux alors que, manifestement, il avait atteint le fond du baril. Un peu comme tout le monde ici, d'ailleurs…

Devant l'absence de réaction, Lavoie répéta sa question :

— Alors, personne d'entre vous n'a trouvé quelque chose qui donne un sens à sa vie ?

Visages penauds. Finalement, une femme leva la main et dit sans trop de conviction :

— J'ai deux enfants…

— Ils ont quel âge ?

— Vingt-trois et vingt-six ans.

— Vous les voyez souvent ?

La femme baissa la tête. Son silence était des plus éloquents. Trois autres personnes tentèrent une réponse : l'un parla de sa conjointe, l'autre de son hobby, un autre de son fils de huit ans. Mais Lavoie, rapidement et avec habileté, leur démontra que tout cela n'était que des leurres. En fait, Frédéric réalisa que c'était beaucoup plus subtil : en leur posant des questions précises, le milliardaire amenait les gens à se rendre compte par eux-mêmes de la futilité de leur réponse. Enfin, plus personne n'intervint. Lavoie demanda :

— Dois-je comprendre que plus rien n'a de sens dans votre vie ? que plus rien ne vous motive à continuer ? Dois-je comprendre que c'est ce qui vous rend si malheureux ?

Plusieurs hochèrent la tête en silence. Encore quelques phrases comme celles-ci, se dit Ferland, et certains allaient se mettre à pleurer littéralement. Surtout que, désormais, une sorte de climat de confiance semblait bel et bien installé.

— En fait, fit Lavoie, vous êtes malheureux parce que votre vie est vide.

L'animateur se croisa les mains dans le dos et commença à marcher de long en large, la voix soudain pleine d'assurance et d'autorité.

— Que ce soit par égoïsme, ignorance, naïveté, désillusion, paresse ou négligence, vous avez priorisé le vide durant toute votre existence. Peu importe votre âge, que vous ayez vingt ou cinquante ans, vous réalisez tout à coup l'insignifiance de votre vie en vous disant qu'il est trop tard.

Frédéric remarqua que le ton était plus provocateur que celui de la première séance. D'ailleurs, tous les auditeurs s'en rendaient compte, car un certain étonnement apparaissait sur la plupart des visages.

— Vous aimeriez reprendre goût à la vie, continua Lavoie en marchant vers son ordinateur. Mais savez-vous ce qu'est cette « vie » à laquelle vous souhaitez tant vous adapter ?

Il appuya sur une touche et sur l'écran portatif apparut une photo en noir et blanc : deux soldats, dans une rue, assis sur une grosse pierre, en train de fumer une cigarette, tandis que devant eux s'alignaient des dizaines de cadavres ensanglantés, formant une colonne si longue qu'elle disparaissait à l'horizon, comme si la route en était bordée sur des kilomètres.

— Le XXᵉ siècle, siècle du progrès et des droits humains ? Vraiment ? C'est sans doute pour cette raison que les génocides se sont suivis avec une régularité presque cynique. Génocide arménien en 1915, puis juif pendant la Seconde Guerre mondiale, puis cambodgien à la fin des années soixante-dix…

Sur l'écran, les photos se succédaient. Si les soldats changeaient d'allégeance, passant de nazis à Khmers rouges, les cadavres, eux, demeuraient identiques dans l'abandon, dans l'injustice, dans l'horreur.

— Il y a peu de temps, nous avons eu droit au génocide rwandais, devant lequel les grands gouvernements démocratiques de ce monde sont demeurés indifférents. En ce moment même, au Darfour, l'Histoire est sur le point de se répéter.

Les regards de l'assistance rivés à l'écran reflétaient un mélange de misère, de révolte et d'indécision. Certains se demandaient manifestement ce qui se passait. Frédéric se sentait sur le qui-vive : n'allaient-ils pas tous se lever d'une seconde à l'autre pour demander le but de cette séance de photos ? Il est vrai qu'ils avaient été convoqués à cause de leur profil psychologique : instables, dépressifs… et extrêmement manipulables. Lavoie parla encore du nombre révoltant des innocents morts durant les guerres, photos-chocs à l'appui, puis un enfant de six ans habillé en guenilles, pioche à la main, apparut sur l'écran, lançant un regard vide vers l'objectif.

— Deux cent quarante-six millions d'enfants travaillent dans le monde, expliquait Lavoie, soit 18,5 pour cent de la population mineure mondiale. Presque un enfant sur cinq, vous réalisez ? De ce nombre, de huit à vingt millions s'adonnent à la prostitution et au trafic de drogue. Dix-huit mille enfants meurent de faim chaque jour. Sans compter que, sur notre belle planète où tout se consomme, on vend encore des femmes et des enfants : cinquante mille par année

en Afrique, soixante-quinze mille en Europe de l'Est,
trois cent soixante-quinze mille en Asie…

Pendant dix minutes, il aligna les chiffres et les
statistiques, tous plus démoralisants les uns que les
autres, dressant un portrait apocalyptique de la situation mondiale. Si la plupart écoutaient attentivement,
quelques-uns gigotaient sur leur chaise, comme s'ils
commençaient à suffoquer. Frédéric lui-même se
sentait tendu : jusqu'où irait Lavoie dans ce pamphlet
anti-humaniste ?

L'animateur, à un moment, leva les bras :

— Évidemment, vous pourriez toujours rétorquer
que tout cela se passe loin de nous et que nous n'y
pouvons rien. Réponse extrêmement égoïste mais
couramment utilisée. Très bien. Revenons donc ici,
chez nous, dans notre beau pays…

Il alla appuyer sur une autre touche de son ordinateur et, sur l'écran de toile, une photo d'une grande
ville en plan éloigné apparut, recouverte de fumée
sur un ciel gris.

— Chez nous, donc, 75 pour cent de la pollution
vient du transport. Et pourtant, la vente de voitures
augmente d'année en année. Comme si ce n'était
pas assez, notre gouvernement rejette Kyoto en ex-
pliquant que les objectifs fixés par ce dernier sont
trop difficiles à atteindre, alors que ce protocole représente une solution minimum et insuffisante.

Il aligna de nouveaux chiffres accablants sur la
pollution et donna plusieurs exemples de l'absence
d'agissements concrets des gouvernements dans ce
domaine. Puis, la photo d'une femme en pleurs apparut.

— Chaque année, cent mille Québécoises sont victimes de violence physique de la part de leur conjoint.
Dans 75 pour cent de ces cas, les enfants en sont

témoins et même 20 pour cent d'entre eux participent. Et il ne s'agit pas de la seule forme de violence qui sévit chez nous : au cours des trois dernières années, les délinquants associés aux gangs de rue ont triplé.

Il parla aussi du décrochage scolaire, de la drogue, du fossé de plus en plus grand entre les pauvres et les riches, chiffres et statistiques toujours à l'appui. Au bout d'une quinzaine de minutes, un homme se leva, l'un des rares habillés en complet-cravate, et s'exclama :

— Pourquoi vous nous dites tout ça ? Vous voulez qu'on se sente coupable ? J'ai rien à voir là-dedans ! Ça ne me concerne pas personnellement !

— Ah non ? fit Lavoie avec un aplomb impressionnant, avançant même de quelques pas vers l'assistance. L'Amérique du Nord représente seulement 6 pour cent de la population mondiale et pourtant, nous utilisons de 40 à 50 pour cent des ressources naturelles de la planète ! Ça concerne qui, à votre avis ? Ces vêtements que vous portez, qui ont tous été fabriqués dans des pays pauvres, ça ne vous concerne pas ? Les grandes chaînes de magasins que vous fréquentez parce que ça coûte moins cher mais qui exploitent leurs employés et qui écrasent les petits commerces, ça ne vous concerne pas non plus ?

L'homme cligna des yeux, pris de court. Lavoie regarda tout le monde avec la même hargne :

— La pollution que nous produisons avec notre voiture pour aller au dépanneur au coin de chez nous, les mendiants que nous croisons, les enfants de nos voisins que l'on sait battus, la pute que l'on paie, la drogue qu'on achète, notre total manque d'implication sociale sous prétexte qu'on n'a pas le temps, rien de tout ça ne nous concerne, c'est ça ?

Tandis qu'il parlait, les photos continuaient de défiler derrière lui, chacune d'elles scandant ses accusations comme une chorégraphie bien huilée : des enfants recouverts d'ecchymoses, un itinérant dormant dans la rue, un Wal-Mart, une manifestation anti-homosexuelle… Une femme, cette fois, se leva, rouge de colère :

— Alors, si tout va mal, c'est de notre faute ?

— C'est la faute à qui, sinon ? rétorqua Lavoie en levant à nouveau les bras. Aux autres ? Mais quels autres ? *Nous sommes les autres !*

— Pourquoi on ne se rend compte de rien, alors ? Parce qu'on est cons ?

— Non, on n'est pas cons, répondit Lavoie. Mais on ne veut pas réfléchir ! On n'en a pas envie ! Déjà qu'on travaille sept à dix heures par jour, on ne se fera pas chier à réfléchir en plus ! Faisons comme tout le monde, à la place ! Écoutons les mêmes conneries que tout le monde, mangeons la même merde, achetons les mêmes cochonneries et pensons tous la même chose ! C'est plus simple ! C'est rassurant ! Et pendant un certain temps, ça marche ! On se croit heureux parce qu'on est ce qu'on nous dit d'être ! Et on y croit, n'est-ce pas ? *N'est-ce pas ?*

Il cria presque ces derniers mots, les poings serrés. Et à le voir si passionné, Frédéric comprit que le milliardaire ne jouait pas un rôle, contrairement au personnage de son émission débile. Non, en ce moment même, éclairé par ce néon froid, Maxime Lavoie se révélait entièrement, se montrait, malgré son déguisement, sous son vrai jour, sans détours et, surtout, sans nuances.

Un silence total tomba sur la salle. Malgré la pénombre, le psychologue devina l'extrême tristesse sur les visages, non pas comme si, tout à coup, tout ce qu'ils entendaient ce soir leur était révélé pour la première fois, mais comme s'ils ne pouvaient plus *prétendre* ne pas le savoir, et dans l'esprit de Frédéric s'imposa l'image d'un maître qui met le nez de son chien dans ses excréments. L'homme et la femme debout résistèrent, puis finirent par se rasseoir, presque à contrecœur.

— Ça marche, mais pour un temps seulement, reprit Lavoie. On finit par se rendre compte d'une chose abominable : même si on remplit notre vie de futilités, de mouvements vains et d'activités insipides, elle devient de plus en plus vide.

De nouveau le silence. Lavoie se remit à marcher de long en large et demanda, la voix dynamique :

— Allez-y, réfléchissez ! Comment votre vie est-elle devenue vide peu à peu ? Par quelles actions ? Pensez-y vraiment ! Et dites-le-nous ! Dites-le fort !

Après quelques secondes de silence seulement, une femme osa dire d'une voix honteuse :

— J'ai marié un homme riche juste pour pouvoir m'acheter plein de choses... mais je l'aime pas...

Elle en parla durant quelques minutes avec dépit. Tous l'écoutaient, impressionnés. Après le témoignage de la femme, un jeune homme affirma d'une voix brisée :

— J'ai pas d'instruction... J'aimais pas l'école... Je me suis ramassé avec une job plate...

À son tour, il se livra, la voix tremblante. Il avait à peine terminé son témoignage qu'un homme d'âge mûr lui lança, hargneux :

— Tu penses que l'éducation et un bon travail changent tout ? Moi, je suis médecin, et jamais j'ai aimé mon travail ! Je suis devenu docteur juste pour le standing ! Et pour faire plaisir à mes parents !

Il se confia aussi... ainsi que plusieurs autres : vies de couple mornes, amitiés hypocrites, frustrations diverses, recherche de plaisirs insignifiants, penchant pour le moindre effort, incapacité à relever des défis, complaisance dans la superficialité, conformisme à outrance par peur de la différence... Ils parlaient avec animation, mais aussi avec ressentiment, vis-à-vis des autres et aussi vis-à-vis d'eux-mêmes. Et tous écoutaient avec intérêt. Même le voisin de Ferland y alla de son petit témoignage, lui qui, en tant que publicitaire, avait passé sa vie à pousser les gens à consommer en les prenant pour des imbéciles. Lavoie n'intervint pas une seule fois, écouta d'un air neutre, les mains dans le dos. Enfin, après une heure de frénésie et une douzaine de témoignages, ce fut le silence. Certaines personnes paraissaient carrément exténuées. Lavoie hocha la tête, comme s'il comprenait tout cela, et commenta :

— Vous voyez ? Vous avez écouté le système toute votre vie et maintenant vous réalisez qu'il est faux, qu'il vous a trompés. Et ce système, c'est nous-mêmes, c'est vous, c'est tout le monde. Même si on veut le combattre, ça ne changera pas parce que les gens ne veulent pas que ça change.

Rumeurs dans la salle. Quelques questions se firent entendre clairement :

— On fait quoi, alors ?

— Si rien va changer, on est foutus !

— C'est quoi la solution ?

Lavoie leva à nouveau les bras, pose si théâtrale que Frédéric esquissa un sourire. Mais l'effet fut presque instantané : tous se turent, attendant avec impatience les paroles de l'animateur. Car, manifestement, *lui* avait une solution. Sinon, pourquoi leur aurait-il dit tout cela ? Pourquoi les aurait-il convoqués ?

— Vous avez un pas d'avance sur tous les autres, fit Lavoie d'une voix dramatique. Ce soir, vous avez

compris. Vous avez regardé la réalité en face. Vous
avez constaté le vide. Cela vous donne un avantage.

Les visages étaient maintenant presque extatiques.
Il y en avait bien quelques-uns qui démontraient
des signes de défiance, mais la très grande majorité
trépignait d'impatience, attendait la révélation, enfin !
Enfin ! Lavoie se remit les mains dans le dos, souriant.

— Oui, il y a une solution. Une solution qui vous
fera vivre les moments les plus puissants, les plus
formidables, les plus euphorisants de votre vie. Une
solution qui vous illuminera de l'intérieur. Et cette
solution, je vous la soumettrai dans seize jours,
samedi le 11 mars.

Il y eut quelques exclamations de dépit. Lavoie
poursuivit en levant un doigt :

— Je comprends votre impatience, mais ce que
j'ai à vous dire prendra un certain temps. Nous avons
abondamment parlé ce soir, il se fait tard, je sens
beaucoup de fatigue. Réfléchissez à tout ça pendant
les deux prochaines semaines. Le 11 mars, ce sera
la dernière réunion. À la fin, je ne vous demanderai
pas d'argent, je ne vous ferai rien signer, je ne vous
vendrai rien. Mais vous sortirez de cette réunion
transformés, croyez-moi. Et encore une fois, je vous
suggère fortement de ne parler de tout ça à personne :
vous êtes des privilégiés. On ne vous comprendrait
pas.

Il salua et les gens commencèrent à se lever. Cette
fois, beaucoup parlaient entre eux, visiblement
secoués. Frédéric, en se levant à son tour, les observa
marcher vers la sortie : combien reviendraient deux
semaines plus tard ? Il fit quelques pas vers Lavoie,
mais celui-ci secoua la tête et brandit discrètement
deux doigts de sa main droite. Le psychologue com-

prit : le milliardaire lui disait qu'il allait lui reparler dans deux semaines, pas avant.

Ferland, malgré sa déception, marcha vers la sortie avec les autres.

◆

Évidemment, le psychologue passa une bonne partie des deux semaines suivantes à repenser à la réunion. Le vide... Bien sûr. Le psychologue lui-même ne faisait-il pas tout, depuis plusieurs années, pour le combler ? Il avait tout fait, oui... sauf s'intéresser aux autres. Sauf s'intéresser à tout ce qui n'était pas son petit lui-même. N'est-ce pas ce qu'avait dénoncé Lavoie au cours de la dernière séance ? Cet égocentrisme, cette superficialité généralisée qui faisait que les gens créaient leur propre abîme ? Frédéric, qui songeait à cela tandis qu'un client lui racontait ses problèmes, eut un discret sourire. Était-il en train de devenir un disciple du gourou Lavoie ? Bien sûr que non. Au fond, au cours de ces deux séances, le psychologue n'avait rien appris de nouveau ni sur l'être humain ni sur lui. Le discours de Lavoie était loin d'être nouveau. En fait, tout cela le laissait parfaitement indifférent. Ce qui l'intriguait, c'était le but poursuivi par le milliardaire. Il avait bien une ou deux hypothèses, mais, tout aussi floues fussent-elles, elles laissaient entrevoir un dessein si tordu que le psychologue en venait à croire qu'il se trompait sûrement.

Trois jours avant le 11 mars, il trouva un message sur son répondeur. C'était Lavoie qui lui demandait d'arriver quarante minutes avant le début de la réunion : il avait des choses à lui dire avant l'arrivée des autres.

Lorsque le psychologue entra dans la salle désormais familière (Luis le laissa passer en le saluant amicalement, comme s'il s'agissait d'une vieille connaissance), il trouva Lavoie en train de monter l'écran et le projecteur, déjà affublé de son déguisement, tandis que Gabriel plaçait les chaises.

— Alors ? demanda le milliardaire avec gravité, en s'approchant de Frédéric. Qu'en pensez-vous jusqu'à maintenant ?

— J'avoue que les deux premières séances étaient habiles. Vous les avez mis dans un climat de confiance, ils sont maintenant convaincus qu'ils forment un petit groupe de privilégiés. Ils vous prennent pour un grand sage. Bravo.

— Il est vrai que les deux premières réunions ont essentiellement cette utilité. Mais elles servent aussi, comme je vous l'ai déjà dit, de «filtreur». Ceux qui seront encore présents ce soir seront les plus fragiles, les plus misérables. Ceux qui iront jusqu'au bout.

Frédéric voulut demander au bout de quoi, mais il savait qu'il n'aurait pas de réponse. En tout cas, pas tout de suite.

— Et le reste de votre... heu... tournée, ça se déroule tout aussi bien ?

— Comme sur des roulettes.

Il dit cela sans sourire, sans véritable trace de fierté, comme si le fait que ses *affaires* allaient bien n'avait rien de réjouissant. Frédéric imagina le milliardaire répéter ces réunions dans seize régions, encore et encore, devant des assistances différentes et pourtant parfaitement identiques...

— Vous devez être fatigué, dit le psychologue.

— Ça commence, oui.

Il s'étira, fouilla dans ses poches et en sortit une petite pastille en plastique.

— Voilà pourquoi je vous ai fait arriver plus tôt ce soir. Vers la fin de la séance, je vais rencontrer les participants un par un, en leur accordant quelques minutes chacun. Ces rencontres se feront à l'écart pour que personne ne nous entende. Mais vous, vous le pourrez grâce à ceci.

Il tendit la pastille à Frédéric.

— Quand les rencontres individuelles commenceront, mettez cet écouteur dans votre oreille. Moi, j'actionnerai un petit émetteur caché dans mon veston. Vous pourrez tout entendre.

Frédéric hocha la tête et rangea la pastille dans sa poche, ravi. Il avait l'impression d'être un agent *undercover,* comme dans les histoires policières qu'il lisait. Gabriel finissait de placer les dernières chaises. Lavoie s'approcha encore plus de son invité.

— Je ne veux aucune réaction de votre part durant toute la soirée, vous m'entendez? Aucune. Si vous faites le moindre geste qui risque de bousiller la séance, vous ne sortirez pas de cette salle vivant.

Il proféra cet avertissement sans l'ombre d'une émotion. C'était la seconde fois que Frédéric recevait une menace du milliardaire. À nouveau, il ne ressentit aucune frayeur. Juste la confirmation qu'il était sur le point de vivre quelque chose d'unique. Sans attendre de réponse, Lavoie marcha vers la petite table sur laquelle se trouvait son ordinateur tout en lançant d'une voix débonnaire:

— Vous pouvez vous asseoir et attendre, maintenant.

◆

— C'est notre dernière réunion. Qu'êtes-vous venus chercher, ce soir?

Ils étaient vingt-cinq. Quatre de moins qu'à la rencontre précédente. Les prévisions de Lavoie s'avéraient justes. L'ambiance en ce début de réunion était un mélange de fébrilité, d'optimisme et de nervosité. Tous espéraient enfin avoir une réponse, mais demeuraient tout de même sur leurs gardes : combien de fois avaient-ils cru avoir trouvé la solution, pour se rendre compte plus tard que tout était à recommencer ? Le voisin habituel de Frédéric, assis à sa gauche, se frottait les mains depuis son arrivée dans la salle. Lavoie, placé sous le seul néon allumé, les mains croisées devant lui, répéta :

— Qu'êtes-vous venus chercher, ce soir ?

— Un sens à notre vie ! répondit un homme, tout fier.

Lavoie eut une moue équivoque :

— Je n'ai jamais dit que c'est ce que j'allais vous proposer.

Un silence confondu suivit cette phrase, puis une femme fit un second essai, les yeux brillants d'espoir :

— Vous allez nous montrer comment être heureux !

— Je n'ai jamais dit cela non plus.

— Mais oui, vous nous l'avez dit !

— Je vous ai dit que vous verriez la lumière, oui. Que vous connaîtriez des moments de bonheur, oui... Mais ces moments ne dureront pas longtemps.

Vingt-cinq visages s'allongèrent, éberlués. Frédéric plissa les yeux. Ça y était, le moment de vérité approchait. Lavoie, l'air triste, secoua la tête :

— Au cours des deux dernières réunions, nous avons vu que l'être humain est vil et égoïste, qu'il se complaît dans l'insignifiance et le conformisme ; bref, nous avons vu à quel point la Vie est vide. Et vous croyez pouvoir être heureux dans un tel contexte ? Cela démontre encore plus à quel point vous êtes axés sur vous, sur vos petites personnes. À quel point il est trop tard. Vous ne pouvez pas être heureux, oubliez ça. Personne ne peut l'être vraiment.

Frédéric sentit l'ambiance de la salle se métamorphoser en un clin d'œil : le désordre éclata dans l'assistance, les rumeurs augmentèrent.

— Mais il y a des gens qui sont heureux, marmonna une pauvre petite voix, quelque part.

— Ce sont ceux qui contrôlent, ceux qui propagent le vide, parce que cela fait leur affaire, répondit Lavoie.

— Mon voisin est agent d'immeubles, il contrôle rien du tout ! lança un Noir grassouillet. Pourtant, il a l'air heureux !

— Parce qu'il n'a pas encore réalisé le vide de sa vie, de *la* vie ! Vous-même, vous avez quel âge ? Trente-cinq ? Quarante ? Vous vous êtes cru heureux pendant longtemps, j'en suis sûr, et puis, tout à coup, que s'est-il passé ? À un moment, vous avez *vu* l'abîme à vos pieds et cela vous a tellement terrifié que vous êtes tombé dedans !

Frédéric ressentit un bref éblouissement. N'était-ce pas le constat que lui-même faisait depuis tant d'années ? Lavoie désigna tout le monde devant lui d'un large mouvement de la main.

— C'est ce que vous avez tous réalisé, peu importe votre âge. Et c'est ce que les quelque mille deux cents personnes qui se suicident annuellement au Québec réalisent aussi ! Sans compter les milliers d'autres qui ne sont pas heureux, mais qu'on gave de médicaments, pour qu'ils *croient* l'être ! Sans compter non plus les milliers et les milliers d'autres qui ne se tueront pas, qui ne prennent pas de médicaments, mais qui vivent leur vie sur le pilote automatique !

Le regard tout à coup lointain, comme s'il se parlait à lui-même, il ajouta d'une voix tremblante :

— Quant à ceux qui veulent se battre contre ça, qui veulent changer les choses, ils réalisent rapidement que c'est perdu d'avance, et leur dégoût pour l'humanité n'en est que plus grand...

Cette fois, un vent de peur souffla sur l'assistance, une terreur brute qui se peignait sur chaque visage.

— Mais vous... vous nous avez dit que vous aviez une solution ! récrimina quelqu'un.

— Oui, il y en a une ! fit Lavoie. Une solution qui vous illuminera, qui confirmera votre décision, qui vous donnera un ultime moment de bonheur avant l'acte final !

— Quelle décision ? Quel acte final ? demandèrent deux ou trois personnes en même temps.

— Notre suicide.

Frédéric sursauta : c'était la femme assise à sa droite qui avait dit ça. Toutes les têtes se tournèrent vers elle. Cheveux bruns mi-longs, dans la trentaine, elle avait un visage anxieux, dur mais aussi résigné. D'une voix neutre, elle précisa :

— Vous êtes en train de nous dire que nous avons raison de vouloir nous suicider... c'est ça ?

Lavoie redevint aussitôt le centre d'attention. Frédéric se demanda si le milliardaire oserait aller jusqu'au bout de son raisonnement. L'animateur croisa à nouveau les mains devant lui et répondit dans un souffle :

— C'est ça.

Un brouhaha assourdissant éclata dans l'assistance tandis que Frédéric se raidissait, sidéré par l'audace du milliardaire. Pourtant, il le voyait venir depuis la dernière séance, sans réellement croire que Lavoie irait jusque-là. Dans la salle, certains se levaient, d'autres s'indignaient; plusieurs lançaient des questions tandis que quelques-uns pleuraient silencieusement, sonnés. Le voisin de gauche de Frédéric ne cessait de répéter d'une voix tremblante : « Oh, mon Dieu… Oh, mon Dieu… », mais le psychologue en remarqua aussi quelques-uns qui ne réagissaient pas du tout, attendant la suite avec une sinistre passivité. Au milieu de ce chaos, une femme se leva, la même qui avait protesté fermement lors de la dernière réunion (Frédéric aurait d'ailleurs parié qu'elle ne reviendrait pas ce soir) et, le visage tordu par la colère et la détresse, elle attrapa son manteau d'une main et marcha vers le fond de la salle.

— C'est scandaleux ! cria-t-elle pour se faire entendre, sans ralentir le pas. Vous êtes fou raide ! Je vais vous dénoncer !

Lavoie ne tenta même pas de la retenir. On entendit la porte se refermer violemment. Frédéric ressentit une certaine appréhension : n'irait-elle pas directement chez les flics ? Si c'était le cas, la police allait débarquer dans moins d'un quart d'heure… Le brouhaha continuait, trois ou quatre personnes semblaient se demander si elles devaient partir aussi, mais Lavoie, la voix énergique, clama :

— D'autres veulent la suivre ? Allez-y ! Retournez chez vous, dans votre vie intolérable ! Que ferez-vous ? Vous irez consulter à nouveau un psy qui va devenir une béquille ? prendre d'autres médicaments ? jouer encore le jeu du bon citoyen ? Durant combien de temps allez-vous pouvoir endurer cela avant de passer à l'acte, avant de poser le geste que vous redoutez mais auquel vous n'échapperez pas de toute façon ?

— C'est pas possible, vous êtes… C'est affreux, je suis sûr qu'il y a une autre solution ! s'écria un homme qui pleurait sans s'en rendre compte.

— Non, y en a pas, il a raison ! répliqua une femme dans la vingtaine. La vie est poche, on est poches, tout est poche, ça donne rien !

Et la débandade reprit de plus belle. Lavoie les considéra un instant, stoïque, puis décocha un rapide coup d'œil vers Frédéric. Ce dernier soutint son regard.

— Et vous, vous êtes meilleur que les autres ? cria alors un jeune homme en pointant le doigt vers Lavoie. Vous nous avez trompés ! Vous dites aux gens de se tuer, mais vous, vous continuez à vivre !

— Plus pour longtemps, rétorqua Lavoie.

Les clameurs cessèrent presque complètement et tous, y compris ceux se trouvant debout, dévisagèrent l'orateur avec incrédulité.

— Qu'est-ce que vous croyez, que ma philosophie ne s'applique qu'à vous ? Je suis cohérent. J'ai commencé à organiser ces réunions l'année dernière, à la suite de plusieurs années de désillusions. Encore quelques rencontres de ce genre dans d'autres régions du Québec, et je me retirerai à mon tour.

Le psychologue s'étonna du choix de ce mot, « se retirer ».

— Oui, se retirer ! poursuivait Lavoie. Suicider est un terme trop technique. Que fait-on quand, durant une partie, on se rend compte qu'on ne peut plus gagner ? On se *retire*, tout simplement ! Mais avant de se retirer, on tente un dernier coup d'éclat !

— Vous n'avez pas l'intention de vous tuer, espèce de menteur ! lui cria un homme d'origine arabe.

— Quel avantage aurais-je à vous mentir ? Qu'est-ce que j'ai à gagner à tout cela ? Je ne vous demande pas d'argent ni d'adhérer à une secte ! Je ne vous ai pas trompés : depuis la première réunion, je vous ouvre les yeux ! En fait, ils étaient déjà ouverts, mais je vous ai aidés à comprendre ce que vous voyiez ! Je vous ai rendus lucides ! Et vous n'êtes pas les seuls ! Ce ne sont pas que les fous ou les lâches qui s'enlèvent la vie…

Il appuya sur une touche de son ordinateur et une liste de noms apparut sur l'écran, certains accompagnés d'une photo.

— Voici des gens célèbres et intelligents qui se sont retirés, annonça Lavoie.

Comme tout le monde, Frédéric plissa les yeux pour mieux lire. Il reconnut plusieurs noms : Dalida, Dédé Fortin, Patrick Dewaere, Romy Schneider, Ernest Hemingway…

— Virginia Woolf, grande écrivaine ! clamait Lavoie. Kurt Cobain, méga-vedette rock ! Romain Gary, écrivain majeur du XXe siècle ! Des gens célèbres, qui avaient le succès et la gloire, qui avaient du talent ! Et, pourtant, ils ont choisi la mort ! Même Sénèque, philosophe sous l'empire romain, avait déjà compris l'absurdité de la vie ! Et Bettelheim, grand psychanalyste qui étudiait l'humain ! Et Deleuze, un philosophe qui aurait dû saisir le sens de la vie ! Tous ont choisi la mort ! Car ils ont compris que tout était vain !

La plupart des spectateurs s'étaient rassis en lisant d'un air découragé la liste de noms. Quelques-uns restaient debout, irrésolus. Lavoie, après une courte pause, annonça plus posément :

— Il y a deux étapes dans la vie : la première est celle où l'on vit dans le vide…

Il appuya sur une autre touche de son ordinateur et, sur l'écran, en un montage éclaté accompagné d'une musique pop abrutissante, défila une série de scènes brèves, sans suite logique : un clip rap, un gars de l'émission *Jackass* en train de vomir devant ses amis hilares, une chroniqueuse qui montre comment bien se maquiller, un animateur télé qui crie que les assistés sociaux sont tous des paresseux, des fans qui pleurent devant Boom Desjardins, une vedette qui fait la promotion d'un bar branché du Plateau-Mont-Royal, une femme qui explique que la liposuccion a changé sa vie, un chroniqueur culturel qui affirme que le film *Décadence* est au sommet du box office, un chanteur rock qui raconte ses frasques sexuelles… et même des extraits de *Vivre au Max!* Le milliardaire fit quelques pas et son visage éclairé par le néon surgit des ténèbres tel un masque funéraire.

— … et la deuxième est celle où l'on s'en rend compte. Quand on arrive au bout de la seconde étape, on comprend que la mort est la seule issue.

Tous regardaient l'écran, happés par les images. Tout à coup, un moustachu se leva.

— Non! Non, je suis pas comme ça, moi!

— Moi, oui! cria une femme. On est tous comme ça! Toi-même, la semaine passée, tu te plaignais de ta vie plate, comme tout le monde ici!

— Je suis pas comme ça! s'obstinait le moustachu.

— T'es comme tout le monde, alors ferme ta gueule, marmonna un homme dans la cinquantaine qui n'avait pas dit un mot au cours des trois réunions.

Le moustachu bondit sur l'insolent, mais le quinquagénaire, sans effort apparent, le fit basculer sur le dos et se mit à califourchon sur lui. Presque tout le monde se leva pour mieux voir la bataille. Le quinquagénaire entourait le cou du moustachu suffoquant et serrait de plus en plus. Le visage de l'agresseur était figé en un masque de haine froide, dépersonnalisée, comme si elle n'était pas vraiment dirigée vers l'homme qu'il étranglait, et sa tête, dressée bien droite, se découpait sur l'écran qui continuait à montrer des images tonitruantes. Personne ne disait rien. Tous observaient, les yeux écarquillés, en attente... et Frédéric, lui-même pétrifié, sentit une excitation encore floue naître en lui. À sa droite, la femme aux cheveux bruns observait la scène avec curiosité. Tout à coup, la musique cessa, les images disparurent de l'écran. Le quinquagénaire, surpris par le changement d'ambiance, cligna des yeux puis lâcha le cou du moustachu, qui se mit à respirer bruyamment. Lavoie venait d'appuyer sur une touche de son ordinateur. Calme, il attendait la suite.

Le quinquagénaire, l'air vaguement déçu, retourna s'asseoir sans un mot. Sur le sol, le moustachu, après avoir toussé plusieurs fois, se mit à pleurer, pitoyable. Plusieurs autres sanglotaient aussi. La débâcle était totale. Et pourtant, Frédéric remarqua que cet abattement semblait les soulager. Car ce soir, pour la première fois, ces hommes et ces femmes avaient entendu ce qu'eux-mêmes ne pouvaient s'empêcher de se répéter depuis des mois, voire des années. Une révélation aussi réconfortante que terrifiante.

— Je veux mourir, se mit à psalmodier un homme en sanglots. Je veux mourir...

— Je suis tellement fatiguée, se lamentait la femme de tout à l'heure en se frottant mollement le front.

— Oh, mon Dieu, répétait toujours l'homme à côté de Ferland, le visage maintenant recouvert de larmes silencieuses. Oh, *mon Dieu*...

— Oubliez Dieu, rétorqua Lavoie, qui avait entendu le leitmotiv. Ou bien il n'existe pas, ou bien il nous a tous abandonnés depuis bien longtemps.

Frédéric jeta un coup d'œil à la femme aux cheveux bruns à sa droite : elle demeurait impassible, comme perdue dans de sombres pensées. Le moustachu commença enfin à se relever, puis recula vers la sortie, lançant un regard accusateur vers Lavoie :

— Vous nous aviez promis des moments de bonheur ! pleurnicha-t-il. Vous nous aviez promis que notre vie serait illuminée !

— Et je vais tenir ma promesse, rétorqua fermement l'animateur.

L'homme s'arrêta net et tous se tournèrent vers l'animateur. Frédéric voyait clairement l'espoir démesuré dans leur expression, qu'il ne put s'empêcher de trouver pathétique.

— Quel est votre nom ? demanda Lavoie au moustachu.

— Stéphane Gagnon, bredouilla l'interpellé.

— Venez vous asseoir, Stéphane.

Ce dernier, après une hésitation, s'exécuta. *Ils sont influençables et n'ont aucune estime d'eux-mêmes*, songea Frédéric. *C'est pour cela qu'ils ont été choisis. Même si certains tentent de résister, ils sont convaincus qu'ils sont faibles et que Lavoie est plus fort qu'eux.* Le psychologue avait l'impression de voir une secte se former sous ses yeux.

Quand tout le monde fut assis, Lavoie reprit la parole d'une voix posée :

— Je suis convaincu que vous avez tous une solution, dans votre esprit. Je suis sûr que chacun d'entre vous nourrit une sorte de rêve utopique, que vous savez impossible à réaliser, soit parce qu'il est trop difficile, soit parce qu'il est criminel, soit parce qu'il est dangereux. Mais vous vous dites que si vous pouviez réaliser ce rêve, cela réglerait vos problèmes, donnerait un nouveau sens à votre vie et vous rendrait heureux.

Une stupéfaction indicible apparut dans tous les regards et Frédéric pouvait lire la question dans leurs yeux : « Comment sait-il ça ? » *Parce qu'il a lu vos auditions,* songea le psychologue, ébloui, qui peu à peu décortiquait tous les rouages de cette opération démente. *Parce que son émission n'est qu'un pré-texte pour ce qui se passe ce soir…* Comme pour répondre à la question muette de son assistance, Lavoie expliqua :

— Je le sais parce que lorsqu'on constate le vide de sa vie, on se crée un but, un objectif que l'on sait impossible à atteindre. Ainsi, cet objectif devient le bouc émissaire de notre malheur : c'est plus con-solant de croire qu'on est misérables parce que notre rêve est hors de portée, que d'assumer le fait qu'on a tout simplement gâché notre vie depuis le début.

Le silence était total. L'animateur avait visé juste. Pour tous ces gens, Lavoie devenait le grand sage qui comprenait, qui savait… et qu'il fallait donc écouter. Même le moustachu, subjugué, buvait ses paroles sans plus aucune trace de résistance dans le visage. Frédéric eut une expression admirative.

— Avouez-le, fit l'animateur en pointant un doigt. Vous nourrissez tous un rêve insensé, que vous voyez comme *la* solution à tous vos problèmes.

Aucun mot ne fut dit, mais leurs attitudes étaient éloquentes. Lavoie approuva en silence.

— Ce rêve est votre flambeau.

Plusieurs froncements de sourcils, y compris de la part du psychologue. L'animateur redressa la tête et, le regard lointain, d'une voix qui ressemblait tout à coup à la vraie voix de Lavoie, il récita :

— *L'éphémère ébloui vole vers toi, chandelle,*
  Crépite, flambe et dit : Bénissons ce flambeau !

Il ferma les yeux un instant.

— C'est du Baudelaire, précisa-t-il.

Son air grave réapparut :

— Même si vous réussissiez à réaliser ce rêve, cela ne réglerait rien. Car ce rêve est également un leurre, une duperie. Une insignifiance. Attirant, oui. Efficace aussi. Mais artificiel et éphémère.

Les visages étaient à nouveau atterrés. Lavoie poursuivit :

— Ce rêve est un flambeau qui vous attire, que vous souhaitez allumer de toutes vos forces. Alors vous vous y réchaufferiez avec volupté, il vous illuminerait de toutes ses flammes, vous brûlerait même avec passion. Mais il s'éteindrait rapidement... et après que la lumière aurait traversé un bref moment votre misérable vie, les ténèbres vous sembleraient plus insupportables que jamais.

Quelques complaintes consternées, quelques soupirs dans la pénombre. Puis, une voix s'éleva, non pas accusatrice, seulement désespérée :

— Comment peut-on en être sûrs ?

— Il n'y a qu'un moyen de le savoir.

Ferland devinait ce qu'allait dire Lavoie et il sentit ses membres s'engourdir.

C'est dingue... c'est complètement dingue...

Et pourtant, il demeurait assis, attendant la suite. Lavoie, les mains dans le dos, articula posément :

— Allumez votre flambeau.

Le silence était absolu, comme si l'animateur parlait dans le vide du cosmos. Il se mit à marcher de long en large devant les auditeurs qui n'osaient même plus respirer :

— Ce rêve inaccessible, réalisez-le. Peu importent les conséquences, peu importe le risque, peu importe ce que cela implique. Ou, du moins, réalisez-le en partie, approchez-vous de ce rêve le plus près possible. Et lorsque votre flambeau s'éteindra, lorsque l'euphorie sera terminée, vous verrez ce qui arrivera. Il se peut que le bonheur persiste, que votre vie ait enfin un sens. Alors, tant mieux.

Il s'arrêta de marcher.

— Mais j'en doute fort. Ce qui va sûrement arriver, c'est ceci : lorsque votre flambeau sera éteint, le vide réapparaîtra, plus immense que jamais. Mais, au moins, vous aurez goûté un réel moment d'extase dans votre vie, un moment si puissant qu'il ne pourra plus jamais se répéter.

Un sourire triste étira ses lèvres.

— Alors, vous pourrez vous retirer, la tête haute.

Il y eut un long silence, durant lequel on n'entendit que le doux ronronnement du projecteur. Dans les visages autour de lui, qu'ils fussent figés, larmoyants, illuminés ou graves, Frédéric devinait une sorte de résignation qui, paradoxalement, se teintait d'espoir. L'espoir de connaître enfin un moment de bonheur avant de sombrer dans le néant.

— Je sais pas comment...

C'était le voisin de gauche de Frédéric qui venait de prononcer ces mots. Les lèvres tremblantes, il précisa :

— Je sais pas comment allumer mon flambeau...

Lavoie hocha la tête.

— Je sais que cela peut paraître difficile. Je vous propose de vous rencontrer tous un par un. Une brève rencontre individuelle de trois ou quatre minutes seulement. Je vais diffuser sur l'écran un montage qui dure environ une heure quarante-cinq. Pendant la projection, je vais m'asseoir à cette petite table là-bas et vous appeler un à la fois. Après, ce sera à vous de décider.

Personne ne protesta, plusieurs hochèrent même la tête, y compris l'homme aux côtés du psychologue, aussi apaisé qu'un enfant qui retrouve ses parents au milieu d'une grande foule, souriant au milieu de ses larmes. Même la morne femme assise à droite du psychologue approuva d'un imperceptible mouvement de tête. Frédéric remarqua à nouveau dans l'assistance ce mélange de résignation et d'exaltation. Le moustachu était maintenant paisible. Plus personne ne s'en irait. Même si certains devraient attendre une heure et demie, ils voulaient tous rencontrer ce grand lucide, celui qui savait, celui qui comprenait leur désir de quitter cette vie… et qui leur proposait de le faire dignement, en dépassant les limites qu'on leur avait toujours imposées.

Pas un instant Frédéric ne songea à sortir pour aller alerter la police. Il ne ressentait ni répulsion, ni joie ; ni indignation, ni amusement. Il se sentait juste dans un état second. Icare retrouvait une énergie inattendue. Parce que tout à coup, il avait cessé de voler vers le haut : il avait décidé de bifurquer, de prendre un autre couloir de vol, qui ne menait pas aux confins du firmament, mais ailleurs. Juste ailleurs. L'erreur, quand on vole, c'est de vouloir aller le plus haut possible, alors que juste au-dessus de l'horizon, on peut planer partout et voir les choses d'un point de vue unique.

Lavoie se dirigea vers son ordinateur.

— Lorsque vous m'aurez vu et parlé, revenez vous asseoir et attendez la fin, en silence. Ne parlez pas entre vous pendant les rencontres individuelles. Concentrez-vous sur votre flambeau.

Il appuya sur une touche de son ordinateur. Un film débuta sur l'écran, un collage de longues scènes dramatiques, violentes, tragiques : scènes de guerre, d'émeutes, d'enfants malades, d'accidents de voiture, de scandales politiques. Certaines étaient célèbres (camps nazis, mort de Kennedy, 11 septembre 2001), mais la plupart provenaient de longues recherches qu'avait dû effectuer Lavoie au cours des deux dernières années. Le tout était accompagné d'une musique classique lente et triste, que le psychologue reconnut: le *Requiem* de Mozart. Lavoie alla s'asseoir à une autre petite table du côté gauche de la salle, perdue dans l'ombre. Il consulta ses dossiers et appela un premier nom:

— Stéphane Gagnon.

L'interpellé eut un petit sursaut, puis se leva lentement: il s'agissait du moustachu contestataire, celui qui avait failli se faire étrangler quelques minutes plus tôt. Était-ce un hasard qu'il soit le premier? Sûrement pas, songea Ferland. S'occuper des éléments négatifs d'abord relevait de la plus élémentaire des prudences. Tandis que Gagnon marchait timidement vers la petite table, Frédéric se rappela l'écouteur miniature dans sa poche et le fixa dans son oreille. Alors qu'il distinguait à peine les deux hommes dans le coin sombre de la salle, il les entendit dans son oreille droite avec une netteté remarquable.

LAVOIE — Si je consulte votre profil, monsieur Gagnon, vous êtes sans emploi depuis un an et votre femme vous a quitté il y a un an et demi.

GAGNON — Oui...

Frédéric imaginait Lavoie en train de consulter ses papiers, tout en faisant bien attention pour ne pas les mettre à la vue de Gagnon afin que celui-ci ne reconnaisse pas son rapport d'audition pour l'émission *Vivre au Max*.

LAVOIE — Vous voyez souvent votre fille?

GAGNON — Non... À cause de mon... (hésitation) passé psychiatrique, je peux juste la voir deux heures par mois, toujours en présence de mon ex...

Frédéric se rappelait avoir lu ce rapport dans la roulotte. Le rêve de ce gars était de passer un bon moment seul avec sa fille. Lavoie manipulait Gagnon, afin de l'amener lui-même à se révéler.

LAVOIE — Vous avez donc tout perdu : emploi, femme, fille… J'imagine que votre flambeau serait de retrouver tout ça ?

GAGNON — Pas tout, non. Juste… juste le plus important.

LAVOIE — Le plus important…

GAGNON — Annabelle, ma fille… (sanglot abattu) Mais je peux pas… J'ai pas… (sanglots plus forts) J'ai pas le droit !

LAVOIE — Vous allez faire quoi, alors ? Quitter cette vie sans avoir eu la joie de passer un vrai moment de qualité avec votre fille ? Comme tout père en a le droit ?

Cette fois, Gagnon pleurait vraiment, sans retenue. Au loin, dans l'ombre, on voyait son corps incliné qui tressautait. Les autres regardaient le montage sur l'écran, happés par toute cette détresse qui devenait leur complice et leur alibi.

LAVOIE — Allumez votre flambeau et brûlez-le jusqu'au bout, Stéphane… Ensuite, vous pourrez vous retirer la tête haute.

Entre deux sanglots, l'homme bredouilla un « oui » pathétique. Puis, il se leva et retourna s'asseoir. Plusieurs l'observèrent avec curiosité, mais Gagnon ne s'occupa pas d'eux et fixa le montage sur l'écran tout en essuyant ses yeux. La rencontre avait duré à peine quatre minutes.

— Justine Saucier, appela Lavoie.

Une autre rencontre de trois ou quatre minutes. Lavoie mena la discussion de manière à ce que la quadragénaire en vienne à dire ce qui lui donnerait le plus de bonheur : coucher avec son beau-fils de vingt ans. Lavoie lui expliqua qu'elle devait brûler son flambeau, peu importe ce que cela lui coûterait, peu importent les conséquences qui s'ensuivraient, puisque de toute façon elle se *retirerait* par la suite. En larmes, Saucier retourna s'asseoir. Tandis que le pessimiste montage continuait d'hypnotiser l'auditoire, Lavoie rencontra les suicidaires un par un, et Frédéric écouta toutes les discussions, admiratif devant l'habileté de l'animateur : Yvonne Peters, qui voulait vivre comme une reine ; Guy Giguère (le voisin de gauche de Ferland) qui aspirait au titre de meilleur publicitaire de la compagnie ; Marie-Claude Marleau, qui voulait avoir ne serait-ce qu'un seul orgasme dans sa vie ; Joël Boileau, qui souhaitait être une vedette de la radio ; Alexandre Harvey, qui rêvait d'effectuer des cambriolages dans de grosses maisons de riches... Tous devaient trouver un flambeau qui les rapprocherait de ce rêve. Plusieurs pleuraient, d'autres remerciaient carrément Lavoie. Frédéric jetait des regards ardents autour de lui. Seigneur Dieu ! était-il donc le seul à comprendre ce qui se passait *vraiment* ici ? Non... Non, ils comprenaient tous... et ils acceptaient. Avec reconnaissance, ils acceptaient.

Et moi ? Je fais quoi, moi ?

Deux rencontres se distinguèrent des autres : celle avec une certaine Diane Nadeau, la femme taciturne aux cheveux bruns assise à la droite de Frédéric, et celle avec un certain Léo Jutras, le quinquagénaire qui avait failli étrangler Gagnon. Ce qui se dit durant ces deux mini-entrevues fut quelque peu différent... et infiniment plus troublant. *Pourquoi je reste ?* songea le psychologue en écoutant les paroles de Diane Nadeau, dérouté par sa propre impassibilité. *Pourquoi je ne m'en vais pas tout de suite ?* Parce qu'Icare planait toujours. Il n'avait toujours pas décidé s'il se remettrait à battre des ailes dans cette nouvelle direction ou s'il allait se laisser tomber. À la fin de sa discussion avec Diane Nadeau, Lavoie lui parla avec gravité :

LAVOIE — Écoutez-moi : vous êtes différente. Je vous suggère une quatrième réunion. Ici même. Dans seize jours. Le 27 mars, à vingt et une heures.

NADEAU — Mais… mais pourquoi ? Je…

LAVOIE — Il y aura d'autres gens mais beaucoup, beaucoup moins que ce soir. Seulement quelques personnes. Qui sont comme vous, Diane. Qui sont les privilégiées parmi les privilégiées. (Pause) Ne faites rien de grave d'ici là. Attendez. Et venez le 27 mars prochain. Vous ne le regretterez pas. Promettez-moi que vous allez venir.

NADEAU — Je le promets.

LAVOIE — Comme c'est une réunion spéciale, vous devrez utiliser un mot de passe : déluge. Répétez-le.

NADEAU — Déluge.

LAVOIE — Bien.

Silence, puis :

LAVOIE — Votre flambeau sera magnifique, Diane.

Quand ce fut au tour de Léo Jutras, Lavoie lui fit la même invitation. Le quinquagénaire promit aussi. Frédéric observa la vaste silhouette de Jutras retourner s'asseoir, estomaqué par ce qu'il venait d'entendre. Pourquoi, parmi les vingt-cinq personnes présentes ce soir, deux d'entre elles avaient-elles été invitées par Lavoie à revenir le 27 mars prochain ? Était-ce lié aux terribles choses que toutes deux venaient d'évoquer avec le milliardaire ? Sûrement, oui…

Les rencontres individuelles durèrent une centaine de minutes. Après quoi, Lavoie retourna à son ordinateur et appuya sur une touche. Le film s'interrompit et l'*Adagio pour cordes* d'Albinoni, qui avait pris le relais de Mozart, se tut. On n'entendait plus que quelques reniflements. Personne ne semblait avoir remarqué que Frédéric n'avait pas rencontré « monsieur Charles » et tous fixaient ce dernier, hagards, flottant dans leur petite bulle.

— Ne parlez de tout cela à personne, expliqua l'animateur sur un ton solennel. Surtout pas de votre flambeau. N'en faites même pas mention dans votre journal personnel, ou sur votre site Internet, ou sur votre blogue. Personne ne vous croirait et le souvenir que vous laisseriez, une fois retiré, serait celui d'un taré ou d'une tarée. Retirez-vous la tête haute, avec votre secret. *Notre* secret.

Il croisa les mains devant lui et conclut par ces simples mots, sans emphase, sans gravité :

— Bonne chance.

Les gens commencèrent à se lever, à enfiler leur manteau et, dans un silence total, en se regardant à peine entre eux, ils se dirigèrent vers la sortie. Malgré le calme sur chacun des visages, Frédéric sentait une grande fébrilité dans l'air, comme un ciel couvert qui menaçait d'éclater d'un moment à l'autre afin de se libérer de sa charge électrique. Lorsqu'il ne resta que le psychologue dans la salle, Lavoie s'étira longuement en poussant une profonde expiration. Il se leva, arqua le dos vers l'arrière et lâcha :

— Dieu que ces soirées sont tuantes...

Toujours assis, Frédéric se demanda si le douteux jeu de mots était volontaire ou non. Lavoie, tout en enlevant sa perruque, alla au mur et alluma les lumières. La salle, maintenant parfaitement éclairée, perdit toute son ambiance intime et redevint parfaitement banale.

— Qu'en pensez-vous ? demanda le milliardaire en s'approchant du psychologue.

Frédéric se leva. Il se sentait confus. Mais pas effrayé. Ni scandalisé. Encore moins horrifié.

— C'est comme ça que vous vous vengez de la race humaine que vous détestez tant ? dit-il enfin. En la poussant au suicide ?

— Je ne les pousse à rien du tout, rétorqua l'animateur en enlevant sa fausse barbichette. Ils étaient déjà dépressifs avant d'arriver ici. Je les ai justement choisis pour cette raison.

— Oui. Et aussi parce qu'ils sont influençables. En tout cas, j'ai enfin compris à quoi vous sert votre émission : à dénicher vos suicidaires.

— Entre autres. Mais pas uniquement. Si je n'avais voulu que dépister des suicidaires, j'aurais pu engager une centaine de psychologues pour qu'ils se livrent à une vaste étude auprès de la population du Québec. Cela m'aurait coûté cher, mais moins que mon émission.

Un éclair passa dans son regard.

— *Vivre au Max* est une confirmation.

Il marcha vers la table et, tout en rangeant son ordinateur, expliqua :

— L'an passé, quand j'ai créé l'émission, je me suis dit qu'en plus de m'aider à trouver mes dépressifs, elle servirait aussi de test pour la population.

Il roula l'écran sur son support, le déposa sur le sol.

— En fait, je donnais aux gens une dernière chance de me démontrer qu'ils n'étaient pas aussi vains que je le croyais.

Il regarda enfin Ferland. Outre le mépris, Frédéric lut sur le visage du milliardaire une immense déception.

— Ils ont lamentablement échoué le test.

Il serra les dents un moment, comme perdu dans ses pensées, puis commença à démonter le projecteur sans cesser de parler, la voix de plus en plus colérique.

— Je donnais aux gens la chance de réaliser leurs rêves ! Vous entendez ? Leurs *rêves !* Ils pouvaient demander des choses humanitaires, altruistes, géné-reuses ! S'ouvrir l'esprit ! Appliquer une certaine forme de justice là où il en manquait ! Et même s'ils voulaient réaliser des souhaits individuels, ils pou-vaient demander un meilleur travail, la chance de retourner aux études, un cadeau pour leurs enfants, l'occasion de faire de grands voyages...

Il laissa tomber lourdement le projecteur dans sa boîte.

— De telles demandes, sur soixante-quatre mille, j'en ai eu une sur cinquante. Maximum. Presque tout le reste, c'était... Eh bien, c'était tout ce que vous voyez dans mon émission.

Il prit la boîte de carton, la déposa sur la table. Frédéric l'écoutait sans bouger.

— Si au moins le public n'avait pas suivi, pour-suivit Lavoie d'un ton acerbe. Si la très grande majorité des gens avaient dénoncé *Vivre au Max*, cela aurait été encourageant... mais non. C'est en voie de devenir le plus grand succès de la télévision au Québec, rien de moins !

Il se tourna vers son invité.

— Les trois dernières émissions de l'été passé ont été écoutées par deux millions sept cent mille spectateurs, vous vous rendez compte ? C'était pire que ce que j'avais pu imaginer !

Interdit, Frédéric assistait à une transformation subtile mais redoutable : l'amertume de Lavoie qui glissait graduellement vers la haine.

— Alors, je me suis dit : tant pis ! Ils veulent se baigner dans l'insignifiance, dans la connerie, dans l'égocentrisme stupide ? Alors qu'ils y pataugent, jusqu'à la noyade !

— Qu'est-ce qui vous est arrivé pour que vous détestiez tant les gens ?

Lavoie devint mélancolique.

— Beaucoup de choses… Je vous raconterai tout cela plus tard… Enfin, selon la décision que vous prendrez…

Il observa le psychologue d'un air entendu :

— Mais sans doute que mon attitude ne vous surprend pas. Lors de notre première rencontre, avec tout ce que vous m'avez raconté sur vous, j'ai bien compris que vous n'aimez pas les gens non plus.

Pourquoi croit-il ça ? se demanda Frédéric… et, tout à coup, il saisit. Lavoie croyait que la désillusion du psychologue était motivée par les mêmes raisons que la sienne, qu'elles se nourrissaient toutes deux à la même racine, le dédain de l'humain. Sauf que Lavoie se trompait : Frédéric ne ressentait ni mésestime ni haine pour son prochain, juste une tranquille indifférence. Comme celle, au fond, qu'il avait toujours ressentie vis-à-vis de tout ce qui ne participait pas directement à son exploration du plaisir et de l'excitation ultime. Devait-il expliquer cette nuance au milliardaire ? Frédéric était loin d'en être sûr. Lavoie cherchait manifestement quelqu'un qui nourrissait la même haine que lui pour le genre humain et il avait cru reconnaître celle-ci dans le désabusement de Frédéric. Si Lavoie apprenait que le psychologue n'était pas tout à fait au même diapason que lui, peut-être qu'il l'écarterait de ses projets. Et ça, Frédéric ne le souhaitait pas. Inutile de le nier : il voulait savoir jusqu'où irait le misanthrope avec son projet démentiel. Il voulait le savoir parce que c'était…

... c'était diablement intéressant... envoûtant... divertissant...

Il décida donc, sans mentir directement à Lavoie, de ne pas réajuster le portrait que l'animateur se faisait de lui.

— Tout de même, vous les poussez à se tuer, répliqua prudemment Ferland.

— Je vous l'ai dit, je ne les pousse à rien du tout ! Ils savent déjà que leur vie est vaine, que les gens sont vains, que tout est vain ! Plusieurs d'entre eux se seraient tués sans moi ! Quant aux autres, ils auraient continué à vivre inutilement et péniblement ! Je précipite l'inéluctable ! Et je leur donne une motivation pour le faire : le flambeau, ce plaisir ultime qu'ils s'offrent ! Pour qu'ils réalisent qu'une action isolée est par définition éphémère et donc insignifiante, et qu'elle ne peut pas, tout à coup, donner un sens à leur misérable vie !

Il prit le walkie-talkie et l'approcha de sa bouche :

— Gabriel, fais signe à Luis de venir.

Frédéric osa enfin poser la question qui lui brûlait les lèvres depuis la fin de la séance :

— Est-ce que ça... fonctionne ?

Lavoie mit les mains dans ses poches.

— Vous vous rappelez, il y a cinq semaines, lorsque vous avez jeté un coup d'œil dans les rapports du Centre-du-Québec... Parmi les vingt et un rapports de l'année dernière, il y avait un grand « X » sur dix-neuf d'entre eux.

Le psychologue se rappelait. Tout à coup, il comprit la signification de ce X.

— Et c'est comme ça dans toutes les régions, ajouta le milliardaire avec fatalisme.

Luis entra en chantonnant. Si les longues journées de travail des dernières semaines commençaient à le fatiguer, il n'en montrait aucun signe. Il se dirigea vers la table, prit la grosse boîte d'une main et l'écran portatif de l'autre puis, tout en marchant vers la sortie, lança à son patron déguisé :

— Je vous préviens, *boss,* Gabriel a foutu des Froot Loops partout dans la roulotte.

Lavoie n'eut aucune réaction. Frédéric demanda :

— Ces rapports marqués d'un X... Comment pouvez-vous être au courant ?

— Je paie quelques personnes haut placées dans différents centres de santé qui me font parvenir les noms de chaque suicidé du Québec. Bien sûr, j'utilise une fausse identité.

Le psychologue se livra à un rapide calcul mental. Si Lavoie avait organisé ces réunions dans seize régions différentes et qu'en moyenne une vingtaine de « participants » par région étaient allés jusqu'au bout, cela donnait... Dieu du ciel, trois cent vingt ! Et peut-être atteindrait-il le même nombre cette année ! Comme s'il lisait dans ses pensées, Lavoie demanda avec suspicion :

— Ça vous choque ?

— Je suis juste... abasourdi.

Lavoie approuva de la tête, puis alla chercher son manteau, bien plié sur une chaise, ainsi que son portable.

— Nous ferions mieux de partir. Il n'est pas impossible que l'une des personnes de ce soir, dans un sursaut de révolte, décide d'aller prévenir la police pour lui expliquer ce qui s'est passé.

Tandis qu'ils marchaient vers la porte, Frédéric demanda :

— Justement, il y a une femme au tout début de la séance qui est partie en colère. Vous n'avez pas songé qu'elle... heu... qu'elle pourrait foncer directement à la police, justement ?

— Elle a été interceptée par Luis à la sortie.

— Interceptée ?

— Interceptée.

Le psychologue s'arrêta juste avant d'avoir atteint la porte.

— Et qu'est-ce que… que Luis en a fait, exactement ?

— Je ne le sais pas *exactement*. En fait, en ce moment même, elle doit se trouver dans la jeep, recouverte d'une grande bâche noire. Cette nuit, lorsque Gabriel et moi dormirons dans la roulotte dans un coin désert de la ville, Luis ira disposer du corps. De quelle manière, je m'en moque. Je veux seulement qu'on le retrouve le plus tard possible.

Frédéric revoyait l'Espagnol entrer en chantonnant dans la salle.

Dehors, la température nocturne était tout à fait agréable. Dans les alentours, personne en vue. Luis finissait de déposer le matériel sur la banquette arrière du 4X4. Tout en marchant dans la neige sale vers la roulotte, Frédéric ne put s'empêcher de regarder vers la jeep, imaginant ce qui se trouvait à l'intérieur. Cela ne lui procura aucun haut-le-cœur, aucune peur. Il ne ressentit rien du tout. Il se tourna vers la salle communautaire, quelconque et banale. Trente minutes plus tôt s'était pourtant déroulée entre ces murs une réunion parfaitement démentielle. En ce moment même, vingt-cinq personnes retournaient chez elles, transformées, encore plus fragiles et plus instables qu'elles ne l'étaient à leur arrivée, nourrissant des projets qui les conduiraient presque toutes au gouffre. Et cela s'était déjà produit l'année dernière, dans seize régions du Québec, et se répéterait dans les semaines à venir.

— Vous dites que, l'année dernière, pour chaque séance, deux ou trois individus ne se… ne se rendaient pas jusqu'au bout… Ils font quoi ?

Lavoie, qui marchait vers la roulotte, se retourna.

— Comment voulez-vous que je le sache ? J'imagine qu'ils continuent leur vie futile, tout simplement, n'ayant pas le courage ou les moyens de brûler leur flambeau. Certains d'entre eux en parlent peut-être à des amis, mais j'en doute : ces gens sont si isolés, si seuls. Et même si certains en parlaient... Les croirait-on ? Je suis même persuadé que quelques-uns ont dû prévenir la police. Encore là, ont-ils été crus ? Ces gens sont instables, ont des antécédents psychiatriques souvent lourds. Si la police vérifie auprès de la ville pour savoir ce qui s'est produit dans la salle, elle se fera répondre qu'il s'agissait d'une réunion d'employés de telle compagnie. Compagnie fausse, évidemment, mais qui demeure « active » durant quelques semaines, juste au cas où la police ferait des vérifications. Ce qui n'est jamais arrivé.

— Il y a peut-être déjà eu des vérifications après que vous avez « effacé » ces fausses compagnies.

— Possible. Dans ce cas, c'est sûrement un immense mystère pour les flics, mais l'important est qu'ils ne remontent pas jusqu'à moi. C'est pour cela que cette année, je fais les réunions dans des endroits différents : par précaution.

Luis, qui avait fini de ranger les accessoires, alla s'asseoir sagement derrière le volant de la jeep.

— Alors, voilà pourquoi vous faites tout cela, résuma Frédéric. C'est donc là la mission de... de cette immense machine, de cette complexe conspiration qui vous demande tant d'efforts, d'argent et d'énergie ?

Il demandait cela sur un ton douteur, comme s'il disait : « Tout ça pour ça ? » Mais il devait bien admettre que trois cent vingt personnes par année, ce n'était pas rien. Et pourtant, le psychologue ne

pouvait s'empêcher de trouver une certaine dispro-
portion entre les moyens et le but.

— Vous ne savez pas encore tout, précisa Lavoie.
Il y a une quatrième réunion dans deux semaines
avec Diane Nadeau et Léo Jutras.

Frédéric se rappela ce qu'avaient raconté Nadeau
et Jutras, tout à l'heure, lors de leur rencontre personnelle avec Lavoie.

— Ces deux-là ne seront pas dans la chemise
Centre-du-Québec, poursuivit Lavoie. Ils seront dans
un dossier à part, le dossier Déluge. Le petit mot de
passe que je leur ai fourni, ça leur donne encore
plus l'impression qu'ils ont été *choisis*. Ce qui est
le cas, d'ailleurs.

— Pourquoi les avez-vous convoqués pour une
quatrième rencontre?

Des bouffées de condensation voltigeaient autour
de la bouche entrouverte du milliardaire.

— Je ne peux pas tout vous dire, Frédéric. Pas
avant de savoir si vous voulez continuer avec moi
ou pas.

— Continuer? Qu'est-ce que vous voulez dire?
Vous voulez poursuivre votre… votre action durant
encore plusieurs années?

— Certainement pas. J'ai commencé l'année dernière, et tout s'arrêtera à la fin de l'été prochain.

Frédéric se souvint de ce qu'il avait dit tout à
l'heure à l'assistance. La porte de la roulotte s'ouvrit
et Gabriel apparut.

— C'est donc vrai? Vous allez vraiment, vous
aussi, vous… vous retirer, comme vous dites?

— Vous croyez que je mens à ces gens? Tout ce
que j'ai raconté durant cette séance, je le crois sincèrement. Si je veux être conséquent, je dois allumer
mon propre flambeau.

— Et votre flambeau, c'est de pousser les gens au suicide ?

Lavoie releva le menton et, en jetant un rapide coup d'œil vers Gabriel qui tenait la porte ouverte, il marmonna :

— En partie…

— Comment, en partie ? insista le psychologue. Que voulez-vous dire ?

— Pas si vite, Frédéric, pas si vite…

Le psychologue, désorienté, se passa une main dans les cheveux et demanda :

— Si je continuais avec vous, vous… vous attendriez quoi de moi ?

— Presque rien, mon cher. De la compréhension, des discussions, une oreille attentive et interactive… Et que vous trouviez votre propre flambeau.

— *Mon* flambeau ?

— Bien sûr. Lorsque je vous ai contacté la première fois, vous étiez sur le point de vous *retirer*, il me semble. Aussi bien le faire en allant jusqu'au bout de vous-même.

Lavoie monta enfin les quelques marches de la roulotte et passa devant Gabriel. Une fois à l'intérieur, il se tourna vers le psychologue :

— Si cela vous intéresse toujours, rendez-vous ici dans seize jours, le 27 mars, à vingt et une heures, pour une dernière réunion. Une réunion, disons… plus « sélecte ». Arrivez un bon deux heures plus tôt. Si vous n'êtes pas là, je comprendrai que l'aventure ne vous intéresse plus… et nous ne nous reverrons jamais. Je sais que vous ne me dénoncerez pas.

Frédéric ne put rien ajouter : en lançant un dernier regard vide d'expression vers le psychologue, Gabriel referma la porte. La jeep, qui attendait ce signal, démarra aussitôt. Seul dans le stationnement désert, le psychologue regarda vers les lumières du centre-ville de Victoriaville, à quelques kilomètres. Il s'alluma une cigarette, aussi étourdi que s'il venait de recevoir un coup sur la tête.

Mon flambeau…

Mais ne le cherchait-il pas depuis des années, son flambeau ? Icare ne volait-il pas depuis si longtemps justement dans l'espoir de l'atteindre ? Pas tout à fait. Frédéric espérait un flambeau éternel, qui ne s'éteindrait jamais. Et cela n'existait pas. Mais voilà que Lavoie venait de lui proposer une tout autre manière de poursuivre sa quête. Était-ce possible ? Frédéric contemplait toujours la nuit. Seize jours encore de vol plané. Et après…

Le psychologue, en marchant vers sa voiture, songea à la haine, l'incroyable haine que vouait Lavoie au genre humain. Sa vie avait sûrement été une suite de désillusions, particulièrement ses années comme PDG de Lavoie inc., mais ça ne pouvait pas tout expliquer. Quelque chose s'était détraqué. Comme si tout ce qu'avait vécu Lavoie dans le passé était une accumulation de bombes et qu'ensuite un événement inconnu de tous avait servi de détonateur. Le psychologue jeta son mégot et s'installa derrière le volant, perdu dans ses pensées.

Il aurait donné cher pour découvrir la nature de ce détonateur…

CHAPITRE 7

Maxime avait quitté Montréal très tôt le matin, aux alentours de cinq heures. Il voulait être à Gaspé pour le souper, où les dignitaires de la ville l'attendaient pour célébrer le second anniversaire de l'usine Lavoie de la région qu'on avait ouverte en 2002 et qui employait quatre cents Gaspésiens.

— Je me demande pourquoi tu tiens tant à y aller, lui avait dit Masina la veille. Au moins, vas-y en jet ! Onze heures de voiture, c'est absurde !

Au contraire, c'était tout l'attrait du voyage : Maxime aspirait à ce long trajet en solitaire, durant lequel il pourrait se déconnecter complètement de ce monde. Au moment où il sortait du bureau, Masina l'avait retenu par le bras et lui avait dit gravement :

— Je ne suis pas dupe de ta docilité des derniers mois, Max. Je sais que tu es malheureux. Tu ne devrais pas. Ton père serait fier de toi.

Puis, après une courte pause :

— Sois donc heureux : tu as tout pour l'être.

Maxime était sorti sans un mot.

Durant le trajet, il avait pu broyer du noir à sa guise. Depuis neuf mois, il jouait, comme tout le monde, mais maintenant il n'en pouvait plus. À tel point que l'idée du suicide, qui avait fait son apparition depuis quelques semaines, gagnait dangereusement du terrain dans son esprit. Si Francis avait été encore là, il l'aurait secoué, lui aurait ordonné de ne pas abandonner… mais il était mort, justement. Maxime rêvait encore souvent à sa chute dans la fosse du métro, mais dans son rêve, il n'y avait plus d'ambiguïté dans le geste du suicidaire : il entraînait carrément Francis avec lui, le désespoir emportait l'idéal dans la mort avec un ricanement cynique. Elle était peut-être là, l'unique solution : la fosse pour tous. Quelle purge bienfaitrice pour cette Terre corrompue et décadente ! Repartir sur de nouvelles bases en essayant de ne pas répéter les erreurs de la sale race précédente…

Il se trouvait en Gaspésie depuis un petit moment et, tout en roulant à bonne vitesse, contemplait ces formidables paysages dont il ne se lassait jamais ; la route sinuait devant lui, flanquée des falaises vertigineuses d'un côté et du fleuve scintillant sous le soleil de mai de l'autre. Alors qu'il avait dépassé Sainte-Anne-des-Monts, il réalisa qu'il n'était que quinze heures. À ce rythme, il serait en avance, ce qui ne l'enchantait pas. En traversant une bourgade, il croisa une pancarte qui annonçait un point d'observation panoramique tout près. Pourquoi ne pas y aller et lire pendant une petite heure ? Il croyait avoir une édition de poche du *Spleen de Paris* dans le coffre… Et il pourrait contempler le fleuve.

Et peut-être même t'y jeter, pour en finir une bonne fois pour toutes ?

Il suivit donc l'indication et s'engagea sur une route qui sortait de la ville. Rapidement, l'asphalte fit place à de la terre battue, et les habitations se raréfièrent. Après deux kilomètres, il arriva à un embranchement, mais aucun panneau n'indiquait quel côté menait au point d'observation. Maxime se souvenait très bien d'avoir vu un panneau cinq cents mètres plus tôt, mais il n'avait pas fait attention à ce qui y était écrit, perdu dans ses pensées. À tout hasard, il prit à droite. Il roula au milieu de terrains déserts et semi-boisés, parsemés de quelques plaques neigeuses qui résistaient toujours, sans rencontrer aucune habitation. Puis, il croisa un chemin encore plus étroit qui montait vers une maison sortie de nulle part, deux cents mètres plus haut. Il dépassa le chemin tout en observant la demeure, qui semblait vraiment dans un sale état : véritable vestige du passé, elle était toute en bois, mais on ne l'entretenait manifestement plus depuis des lustres. Un vieux pick-up rouillé était stationné tout près, preuve que des gens vivaient dans ce taudis. La route sur laquelle roulait Maxime faisait un grand demi-cercle et disparaissait dans un sous-bois. Pendant vingt secondes, le PDG eut l'impression de rouler en pleine forêt, puis les vastes vallons, de même que la maison délabrée, réapparurent. La masure se trouvait toujours sur sa droite mais plus près, à une centaine de mètres, et vue d'un autre angle. Son état de décrépitude n'en était que plus frappant. Et tout à coup, la route s'arrêtait, coupée par une petite rivière.

Maxime stoppa sa voiture et sortit. Des yeux, il suivit le cours d'eau et, au loin sur sa gauche, distingua le fleuve. Et voilà, il aurait fallu qu'il prenne l'autre embranchement tout à l'heure…

Au moment de remonter dans sa voiture, il vit dans les champs une silhouette qui descendait vers lui, en provenance de la maison. L'homme, maintenant à soixante mètres de Maxime, était habillé d'un jeans troué et d'un t-shirt qui avait déjà été blanc, affichant le logo Molson Dry. Il marchait rapidement et Maxime, malgré la barbe de plusieurs jours de l'inconnu et ses cheveux mi-longs qui fouettaient son visage, devinait très bien la défiance sur ses traits. Quand on vit dans un coin aussi retiré, sans voisin et dans un cul-de-sac, on considère le premier visiteur comme une menace plutôt qu'un compagnon… *Surtout dans un monde où l'homme est un loup pour l'homme*, songea le milliardaire. Quand l'inconnu fut à une dizaine de mètres, Maxime, pour le mettre en confiance, lui lança un « bonjour » apaisant, allant même jusqu'à exhiber l'ébauche d'un sourire, alors qu'il n'en éprouvait aucune envie. D'ailleurs, à quand remontait la dernière fois où il avait fait subir à ses lèvres cette singerie à laquelle il ne croyait plus ? L'homme effectua encore quelques pas, s'arrêta et lança une phrase incompréhensible. Maxime s'approcha en indiquant de la main qu'il n'avait pas compris. Une puissante odeur de sueur et de crasse le cingla avec force. Il comprit qu'elle provenait de l'homme devant lui.

— K'ssé t'viens fair' 'citte ?

Maxime décoda mentalement. Sa difficulté à saisir les mots n'était pas due à l'accent gaspésien de l'inconnu, mais plutôt à une élocution tout simplement épouvantable.

— Je cherchais le plateau d'observation et… heu… je me suis trompé de chemin.

Tout à coup, un cri lointain retentit dans cette ambiance pastorale, comme un hurlement de colère poussé par une femme. Le regard du PDG se dirigea aussitôt vers la maison, un peu plus haut. Tout y était quiet. L'homme, lui, ne tourna pas la tête, mais son air agacé démontrait qu'il avait entendu. Il passa une main dans ses cheveux crasseux et baragouina :

— Cé l'aut' ch'min, c'ui d'gauche... R'tourne là-bas, en arriére... Y n'a deux... C'ui d'gauche...

L'homme avait peut-être trente-cinq ans. Au milieu de sa barbe qui ne poussait que par plaques, une bouche aux lèvres gercées laissait voir des dents tordues et jaunes. La petite vérole rongeait son nez et les yeux, totalement vides d'intelligence, clignotaient sans cesse. Maxime se souvint alors de ce vieux film, *Deliverance,* dans lequel quatre citadins en pleine forêt se faisaient attaquer par des *hillbillies* tellement dégénérés qu'ils en étaient difformes. Ces derniers, d'ailleurs, avaient semblé exagérément caricaturés à Maxime. Pourtant, en ce moment même, il avait l'impression de se trouver face à l'un d'eux.

— Bon. Parfait, merci de la précision.

L'homme renâcla bruyamment, toisa le pantalon propre et la chemise chic de Maxime et, la bouche pleine d'une substance immonde, ajouta :

— C'é privé, 'citte.

Il cracha enfin. Maxime, au-delà de la puanteur, sentait très bien la nervosité émaner de l'homme... et la menace, aussi. Il retourna à sa voiture, se disant que cette brève rencontre n'allait que confirmer son aversion pour son prochain, et, en ouvrant la portière, lança un dernier regard vers la misérable maison. Il vit alors une silhouette en sortir, manifestement un petit garçon. Il était trop éloigné pour qu'on distingue ses traits, mais Maxime lui donnait entre dix et douze ans. Le gamin courut sur quelques mètres puis glissa sur une plaque de neige. Au même moment, une autre personne jaillit de la demeure, une femme qui, d'une main ferme, agrippa le bras de l'enfant qu'elle redressa brusquement. Maxime entendit des paroles rageuses proférées par la femme sans saisir les mots. L'homme tourna à son tour la tête vers la scène. Tout à coup, la mégère se mit à frapper le gamin plusieurs fois et, même de loin, cela semblait être des coups sérieux. Et ce qui parut le plus affreux au milliardaire, c'est que l'enfant ne criait pas, ne tentait même pas de se protéger. Spontanément, par pur réflexe, Maxime fit quelques pas vers la maison. Qu'avait-il l'intention de faire, au juste ? De crier à cette femme d'arrêter ? D'aller carrément lui faire la morale ? En fait, il n'en savait rien, ses pieds s'étaient mis en marche tout seuls, et il n'avait aucune idée de la distance qu'ils auraient parcourue si l'homme ne s'était interposé, déclenchant ainsi un véritable raz-de-marée olfactif.

— Où c'tu vas ?

— C'est votre conjointe, là-bas ?

La femme traînait maintenant l'enfant qui se laissait faire, tout en lui assénant une claque ou deux, puis ils disparurent dans la cambuse. Le silence bucolique s'installa à nouveau. L'homme répliqua avec des petits mouvements secs du menton :

— 'pas d'tes z'affaires, ça, là ! C'é che' nous, ça !

— On ne traite pas son enfant comme ça, voyons !

L'homme fit des gestes désordonnés avec sa main, de plus en plus agité.

— C'é correk, là…

— Écoutez, j'ai vu votre femme en…

— Criss ton camp, là ! Envoueye !

Maxime était grand mais doté d'une musculature plus que modeste. Il ne s'était jamais battu de sa vie et avait failli se claquer un tendon lorsqu'il avait déplacé son frigo le mois d'avant. L'homme devant lui avait beau être le brouillon d'un être civilisé, il aurait sans l'ombre d'un doute l'avantage si un affrontement physique devait s'engager. Ravalant sa révolte, le milliardaire hocha la tête, retourna à sa voiture et, juste avant de monter, osa tout de même :

— Vous devriez avoir honte !

L'homme eut à nouveau un petit geste sec du menton, parfaitement enfantin, mais ne dit mot. Maxime fit faire demi-tour à sa voiture et, tandis qu'il repartait lentement, il sentit un choc brusque : l'autre venait de donner un coup de pied sur le pare-chocs arrière.

— Envoueye, va-t'en ! Pis r'viens pas, sinon tiens !

Et avec son doigt qu'il leva devant ses yeux, il fit mine de tirer un coup de revolver tout en émettant un « pfiouuu ! » puéril avec sa bouche. Après quoi, il donna un coup de karaté dans le vide, puis un autre, et enfin émit un rire saccadé, fier de sa démonstration. Il retourna vers sa maison, tandis que Maxime le suivait dans son rétroviseur, subjugué. Mon Dieu, ce dingue élevait un enfant ! Avec une femme qui ne semblait guère mieux que lui !

La voiture traversa le sous-bois, puis repassa devant le petit chemin cahoteux qui menait au bouge. Maxime vit l'homme qui y entrait rapidement. Cette courte scène l'avait écœuré au point qu'il n'avait plus du tout envie d'aller contempler le fleuve, mais souhaitait au contraire s'éloigner de ce patelin le plus rapidement possible.

Moins de dix minutes plus tard, il était de retour dans la petite ville et s'arrêtait à une station-service pour prendre de l'essence. Une fois son réservoir plein, il entra dans le commerce qui servait autant de station-service que de dépanneur et de petit café. À l'une des trois tables, un jeune dans la vingtaine au look rocker et un homme dans la quarantaine bien habillé regardaient la télévision accrochée dans un coin. On y diffusait une émission de tribune libre.

— Si le gouvernement était plus sévère avec les criminels, y aurait pas mal moins de capotés qui traîneraient dans les rues ! affirmait un auditeur.

— Vous avez raison ! renchérit l'animateur, qui fixait la caméra d'un œil redoutable. Quand notre gouvernement laisse sortir un assassin trop vite, il devient lui-même un assassin, mon cher monsieur ! Par leur négligence, nos dirigeants tuent des innocents !

À la table, les deux hommes approuvèrent énergiquement.

— Enfin, un gars qui se tient debout ! lança le quadragénaire. En tout cas, s'il se lance en politique, moi, je vote pour lui !

Maxime alla au comptoir et paya. Il jeta un regard indifférent vers une immense publicité qui prétendait que boire de la *slush* était l'activité la plus cool à laquelle on puisse s'adonner, puis, tandis qu'il recevait sa monnaie, il demanda :

— Vous pourriez me dire où se trouve le poste de police ?

Maxime avait beau mépriser les gens, la simple idée de cet enfant vivant avec ce père déshumanisé et se faisant sans doute battre tous les jours le révoltait au point qu'il en tremblait de rage. Au fond, sa réaction le rassurait : s'il pouvait encore s'indigner, c'est que tout n'était pas mort en lui.

La caissière, une adolescente de dix-sept ou dix-huit ans qui tentait pathétiquement de ressembler à une *pornstar*, répondit qu'il n'y avait pas de poste de police ici, que le plus près était à une heure de route. Les deux hommes à la table s'intéressaient à la conversation, intrigués par cet étranger.

— Alors, qu'est-ce que je fais si je veux dénoncer quelque chose ?

— Vous voulez dénoncer quoi ?

C'était le quadragénaire qui avait posé la question d'un air soupçonneux. Maxime se tourna vers lui, irrité par l'attitude du gars, attitude partagée par le rocker, sans doute par la caissière aussi. Sans trop réfléchir, il rétorqua froidement :

— Un couple qui bat son enfant.

Haussement de sourcils des deux hommes.

— Où ça ? Ici ? demanda l'homme à nouveau.

— Absolument. Sur la route qui mène au point d'observation. Dans un cul-de-sac. Ils vivent dans une maison pourrie, complètement isolée.

Maxime ressentait un malin plaisir à identifier avec autant de précision les coupables. Que tout le monde du coin le sache, tant mieux ! Assez de silence et d'hypocrisie !

— Les Rousseau ? fit le rocker.

Il paraissait à l'affût.

— Les Rousseau ont pas d'enfant, précisa la caissière. À part de ça, c'est pas un couple, ils sont frère et sœur.

Ses airs de *sex symbol* de bas étage étaient tout à coup atténués par un certain malaise. Maxime insista : il avait bel et bien vu un jeune enfant se faire battre dans cette maison.

— Vous avez mal vu, rétorqua sèchement l'homme bien habillé. Y a pas d'enfant chez les Rousseau.

— Qu'est-ce qu'on en sait ? fit alors le rocker, pusillanime mais comme poussé malgré lui. Ils sont tellement bizarres, personne leur parle jamais ! Pis c'est pas la première fois qu'il y a des drôles de rumeurs sur eux autres !

— Justement, c'est juste des rumeurs ! De toute façon, c'est pas de nos affaires !

Le silence suivit cette sentence, entrecoupé par la télévision en sourdine. Tous trois évitaient maintenant le regard de Maxime, mais le rocker se mordillait les lèvres de rancœur. Le milliardaire marcha donc vers lui et, d'un ton entendu, lui demanda :

— Alors ? Qu'est-ce que je fais si je veux dénoncer quelque chose ?

— Vous devriez oublier ça, marmonna le quadragénaire, les yeux rivés à la télé.

— C'est une petite ville tranquille, ici, monsieur, susurra la caissière. Il se passe rien de mal dans le boutte, vous pouvez être sûr.

Mais Maxime ne quittait pas le jeune homme des yeux. Ce dernier osa enfin répondre :

— Il y a un gars de la Sûreté qui patrouille tout le temps dans le coin, Simon Plourde. Quand il est pas sur la route, il est au Café de Solange, à deux coins de rue d'ici.

Son compagnon eut un haussement d'épaules farouche :

— Déranger Simon pour des niaiseries de même !

Révulsé, Maxime sortit rapidement de la place. Ils savent qu'il se passe des choses chez ces Rousseau, ça saute aux yeux. Mais comment peuvent-ils ignorer qu'ils ont un enfant ? Peut-être ne savent-ils pas qu'ils le battent, mais c'est clair qu'ils ne *veulent pas* le savoir ! Bande de lâches !

Maxime trouva le Café de Solange et se stationna juste devant. À l'intérieur, la serveuse, une rousse dans la trentaine, lui dit que le sergent Simon Plourde venait effectivement souvent ici. D'ailleurs, ce ne serait pas surprenant de le voir apparaître d'ici une heure. Maxime se dit qu'il pouvait bien attendre. Il se sentait si révolté qu'il devait dénoncer ce qu'il avait vu. Ne serait-ce que pour lui, pour se donner l'impression d'être encore un peu utile. Au bar, il but un gin tonic. L'endroit était décoré de manière convenue mais chaleureuse, avec beaucoup de boiseries. Il n'y avait qu'un autre client dans le café, une femme de cinquante ans, assise à une table, qui faisait des patiences. Au bout de quinze minutes, excédé par la musique ambiante, Maxime demanda à la serveuse si c'était possible de changer le disque.

— C'est le disque de Star Académie ! dit-elle, comme si cet argument massue devait confondre Maxime.

Une autre demi-heure passa et un agent de la Sûreté du Québec entra. Dans la quarantaine, grand, costaud, les cheveux en brosse et plutôt bel homme, Simon Plourde salua la caissière sur le ton de l'habitué de la place et s'assit au bar. D'ailleurs, il se fit servir aussitôt une limonade, sans qu'il n'ait à dire quoi que ce soit. Maxime s'approcha de lui et se présenta. En fait, il déclina seulement son prénom, indiqua qu'il était de Montréal mais ne précisa pas son travail : il détestait tellement son statut de PDG qu'il ne s'en vantait pas inutilement. Intrigué, le policier lui donna la main et Maxime, en trois minutes, lui narra la scène vécue une heure plus tôt. Plourde ne l'interrompit pas, mais son expression devenait de plus en plus grave. Deux ou trois fois, il jeta un œil vers la serveuse, pour voir si elle écoutait, mais elle lavait des verres plus loin, chantonnant d'un air rêveur la chanson qui sortait des haut-parleurs. À la fin, il hocha la tête pendant de longues secondes, comme s'il réfléchissait, puis affirma :

— Les Rousseau sont frère et sœur. Ils n'ont pas d'enfants.

Maxime encaissa le coup. Les autres, au dépanneur, lui avaient donc dit la vérité…

— J'ai quand même vu un enfant se faire battre, sergent, qu'il soit aux Rousseau ou non. Assez préoccupant, vous ne trouvez pas ?

— Assez, oui, marmonna Plourde en se frottant le menton.

Quelque chose clochait dans l'attitude du policier, mais Maxime n'aurait su dire quoi au juste. Deux clients entrèrent, saluèrent Plourde et ce dernier leur rendit leur salut. Enfin, il dit au milliardaire :

— Vous avez bien fait de venir m'en parler, monsieur... heu...

— Maxime, c'est parfait.

— Vous restez en ville cette nuit, Maxime ?

— Non, non, il faut que je sois à Gaspé ce soir.

— Tout à l'heure, en sortant, je vais aller rendre visite aux Rousseau, voir ce qui se passe. S'il y a un enfant là-bas, je vais le savoir.

— Il y en a un.

— Alors, je vais le sortir de là, vous pouvez en être sûr.

Il sourit, réconfortant. Maxime trouvait le policier bien décontracté. N'aurait-il pas dû tout de suite se précipiter chez ces Rousseau ? Deux autres clients entrèrent, saluèrent Plourde à leur tour : l'après-midi avançait et le bar s'emplissait peu à peu. Maxime devait maintenant partir s'il ne voulait pas être en retard. Il remercia donc l'agent de la Sûreté en lui donnant la main.

— Mais non, fit le policier, affable. C'est à moi de vous remercier. Si tous les citoyens étaient comme vous, ça irait bien mieux dans notre monde de fous !

Tranquillisé par ce commentaire, Maxime sortit du café.

◆

La soirée anniversaire de l'usine de Gaspé fut aussi assommante que l'avait prévu Maxime. Le maire Bordeleau était un petit arriviste insupportable, les patrons de l'usine ridiculisaient leurs employés et ces derniers étaient parfaitement insignifiants. Plusieurs femmes déployèrent de grands efforts pour charmer le jeune milliardaire, et bien sûr échouèrent toutes. Maxime se consola en se disant qu'il n'était pas vraiment venu pour cette réunion, mais pour la longue route à laquelle il aspirait déjà. Et puis il pourrait toujours rester un jour ou deux pour visiter le coin. Vers vingt-deux heures, il écouta poliment deux notables de la ville qui parlaient de rumeurs selon lesquelles des touristes pédophiles circulaient dans la région, attirés par un mini-réseau secret, puis réussit enfin à s'éclipser.

Une fois dans sa chambre d'hôtel, il se coucha aussitôt. Il tenta de se masturber en songeant à Nadine, son grand amour du cégep. Mais pas la fille vaine et superficielle que Maxime avait pris plusieurs mois à démasquer. Non, dans ses fantasmes, Nadine était l'Idéale, la Pure, l'Être Parfait qu'elle aurait dû être, qu'il avait *cru* qu'elle était. Normalement, ce genre d'imageries oniriques fonctionnait et Maxime pouvait ensuite être des semaines sans ressentir aucune libido. Mais depuis quelques mois, il n'y arrivait plus, et ce soir-là ne fit pas exception. En fait, le souvenir magnifié de Nadine finissait toujours par être remplacé par celui de la jeune fille avec son nouvel amoureux insignifiant, tous deux éclaboussés par les phares d'une voiture qui fonçait sur eux. Le sexe ramolli entre ses doigts, Maxime abandonna. Son dégoût pour l'humanité atteignait de tels sommets depuis quelque temps qu'il n'était même plus dupe de ses fantasmes.

Le lendemain, il fit quelques visites dans les environs mais ne réussit à éprouver aucun réel moment de quiétude. C'est pendant qu'il était appuyé sur une balustrade, à contempler la majesté du fleuve, que l'idée du suicide cessa enfin de lui tourner autour comme une mouche entêtée pour foncer droit sur lui, brutale et sans compromis.

Il devait mourir. Il n'y avait pas d'autre solution.

Que ferait-il de sa fortune ? de ses actions ? Il songerait à tout cela de retour à Montréal. Pour le moment, qu'il profite un peu, pour la dernière fois, des beautés de la nature, qui peut être si belle quand l'Homme ne l'éclabousse pas de sa présence. Cette idée lui donna un semblant de sérénité qui, hélas, fut de courte durée. Le soir, dans sa chambre d'hôtel, il voulut écouter la télé pour passer le temps ; il dégota une ou deux bonnes émissions, mais l'imbécillité de la plupart d'entre elles l'exaspéra tellement qu'il propulsa littéralement l'appareil par la fenêtre, comme s'il était une rock star en état d'ébriété. Il promit au gérant de tout payer et, dans son lit, fixa le plafond durant de longues heures. C'était tout de même incroyable : la télévision pourrait être un outil tellement influent, tellement efficace. Et l'on préférait abrutir les gens… Non, en fait c'était le contraire : la télévision était insignifiante pour répondre aux désirs de ses auditeurs. Elle confirmait le néant. Elle était un miroir qui reflétait le vide, et ce, à la grande joie de tous. Couché sur le dos, il imagina une émission où l'animateur hurlait à pleins poumons à la caméra : « Vous êtes tous des morts-vivants, des zombies, tous ! » tandis que les spectateurs, chez eux, riaient à pleins poumons, espérant que les éclats de leur rire couvrent le silence abyssal de leur vie.

Il s'endormit sur cette idée, qui le poursuivit dans l'inconscient du sommeil.

◆

Le lendemain, il fit encore quelques visites, mais le cœur n'y était pas, l'idée de la mort ne quittait plus son esprit. À la toute fin de l'après-midi, il prit la route en direction de Montréal. Il arriverait aux environs de quatre heures du matin, mais il s'en moquait. L'ambiance nocturne serait parfaitement agencée à ses états d'âme. En route, il ouvrit la radio. Il tomba sur une émission où l'un des animateurs appelait un club échangiste pour demander au proprio si, durant ces soirées, on pouvait aussi échanger ses vieux outils ou ses vieilles cartes de hockey. Le proprio ne savait trop que répondre, tandis que les collègues de l'animateur retenaient tant bien que mal des rires étouffés. Maxime, trop las pour chercher une autre fréquence, enfonça le disque de *Gotan Project* dans le lecteur et aussitôt, les insipidités de la radio furent remplacées par une ambiance néo-tango relaxante.

Aux environs de dix-neuf heures, il arriva dans la petite ville où vivaient les immondes Rousseau. Tandis qu'il traversait le patelin, il se demanda si le sergent Plourde avait découvert ce qui se tramait dans cette sinistre maison. Il songea alors à cette discussion à Gaspé, sur le supposé réseau secret de pédophilie dans la région.

Les Rousseau, isolés, qui étaient censés vivre sans enfant...

Il passa devant le Café de Solange et remarqua que la voiture de la Sûreté y était stationnée. Pourquoi ne pas en profiter pour aller s'informer directement au flic ?

Tu veux te suicider dès ton retour et tu te soucies d'un gamin que tu ne connais pas ?

Justement ! Si l'ultime acte humanitaire qu'il accomplissait en ce monde avait des répercussions positives, il pourrait au moins partir la tête haute. De plus, il n'avait pas encore soupé, aussi bien en profiter pour manger un morceau.

Dans le café, la musique était plus forte que la fois d'avant et il y avait bien une quinzaine de clients. Rapidement, Maxime trouva le sergent Plourde, assis à une table en retrait, en compagnie d'un autre homme d'une cinquantaine d'années. La vue de ce dernier fit hésiter Maxime une courte seconde, mais il finit par s'approcher. Les deux hommes parlaient à voix basse et le quinquagénaire paraissait troublé. Lorsqu'il entendit des pas approcher, Plourde tourna vivement la tête et toisa avec suspicion le milliardaire, maintenant près d'eux. En reconnaissant Maxime, le visage du flic s'allongea d'ahurissement.

— Je pensais que… Vous m'aviez dit que vous ne restiez pas dans le coin !

— Je ne suis pas resté, non plus. J'ai passé deux jours à Gaspé et maintenant, je retourne à Montréal. Je me suis arrêté juste pour… heu…

Il jeta un coup d'œil vers l'autre homme puis revint au policier :

— … pour savoir si vous vous étiez occupé de ce dont on avait parlé.

Plourde fut complètement pris au dépourvu pendant trois secondes puis, tout en se levant, lança à son compagnon :

— Ce sera pas long.

L'autre acquiesça en silence, méfiant. Plourde se dirigea vers un coin de la salle en faisant signe à Maxime de le suivre. Une fois à l'écart, le policier prit une expression désolée.

— Je suis allé rendre visite aux Rousseau. Comme je m'en doutais, il n'y avait aucun enfant chez eux.

— Mais j'en ai vu un ! Se faire battre !

— Rénald Rousseau m'a assuré qu'aucun enfant n'est allé chez lui depuis un bon bout de temps. Mais ils ont une étable et quelques animaux, vous avez peut-être vu Isabelle, sa sœur, battre un cochon qui se sauvait... ou leur chien.

— Vous pensez que j'ai confondu un enfant avec un cochon?

— Ou un chien.

Maxime le regarda de travers. Sans se démonter, Plourde ajouta:

— Vous avez vous-même dit que vous étiez trop loin pour distinguer clairement.

Maxime fit un pas en avant et, même si le flic était un peu plus grand que lui, il planta son regard dans le sien.

— Écoutez, sergent. J'ai *vu* un enfant se faire battre par une femme chez ces Rousseau. J'étais là et...

— Ça suffit, maintenant, monsieur, coupa le policier qui, tout à coup, laissa tomber toute politesse. Il n'y a pas d'enfant chez les Rousseau, un point c'est tout. Si vous insistez, je vais devoir vous embarquer. Alors retournez à Montréal. Et si vous dérangez d'autres policiers avec vos hallucinations, vous allez être dans le trouble pour de vrai, c'est moi qui vous le dis. Compris?

Soufflé, Maxime se tut. Le policier continuait de le dévisager durement, comme pour le défier de répliquer quelque chose. Enfin, le milliardaire tourna les talons et quitta l'établissement sans un regard en arrière.

Tandis qu'il roulait dans la rue principale de la petite ville, il frappa de rage sur son volant. Ce crétin de flic s'était borné à aller faire un petit tour chez les Rousseau, à poser une ou deux questions, puis était reparti, satisfait de ne pas avoir de problème à régler! Il s'en foutait, oui! Complètement!

Et si tu avais vraiment mal vu, Max? Si tu t'étais trompé? Tu es dans un tel état, depuis quelque temps…

Il grimaça. Sa voiture passa alors devant le chemin qui menait vers le taudis des Rousseau. D'un geste brusque, il tourna le volant et s'engagea sur la petite route. Il allait vérifier lui-même. C'était le seul moyen de savoir. Et il n'avait pas peur. De toute façon, il ne voulait pas se battre : juste s'assurer qu'il n'y avait aucun gamin dans cette maison.

La voiture arriva à l'embranchement et s'engagea à droite. À nouveau, il se questionna sur son comportement. Pourquoi se tourmenter avec cette histoire d'enfant battu alors qu'il avait pris la décision de mourir ? Peut-être voyait-il cet enfant comme une dernière chance de se prouver que, finalement, ses actions avaient un impact. S'il y avait vraiment un enfant en danger dans cette maison et qu'il le sauvait ? Ne serait-ce pas la preuve qu'il *pouvait* agir ? Francis ne disait-il pas que même minuscule, chaque effet comptait ? Tandis que la masure apparaissait à contre-jour, Maxime comprit qu'il voulait sauver cet enfant pour se sauver lui-même. Du moins, c'était l'effet qu'il escomptait. Mais est-ce que cela serait suffisant ?

Tu perds ton temps. Plus rien ne te redonnera goût à la vie…

Il fit taire cette voix immédiatement, la trouvant beaucoup trop convaincante.

Sur le point de s'engager sur le chemin cahoteux qui montait jusqu'à la maison, il changea d'idée et continua tout droit, comme la fois précédente : le mieux était que les Rousseau ne le voient pas venir. Peut-être était-ce ce qui était arrivé avec Plourde : le frère et la sœur, voyant le policier s'approcher, avaient eu le temps de cacher l'enfant. Il stoppa sa voiture aussitôt qu'elle pénétra dans le sous-bois et coupa le moteur. Voilà. De cet endroit, impossible de distinguer son Audi de la maison. Il sortit du véhicule, puis du sous-bois, et la maison apparut, à cent mètres. Personne n'était dehors. Mais le pick-up stationné attestait d'une présence. Maxime se mit en marche. De ce point de vue, la demeure baignait dans l'aura écarlate du soleil couchant et son état de délabrement n'en était que plus souligné. Non seulement la peinture ocre s'écaillait partout, mais certains morceaux de bois étaient carrément arrachés, surtout à l'étage, et les fenêtres, la plupart lézardées de fissures, étaient rendues presque opaques par la saleté. Les pieds de Maxime, outre les quelques monticules de neige récalcitrante, devaient éviter moult détritus : pièces de métal indéfinies, vieux outils, bouteilles de bière… À une dizaine de mètres, il s'arrêta. Et maintenant ? Devait-il frapper à la porte et demander carrément à Rousseau s'il y avait un enfant dans cette maison ? Il risquait de se faire dévisser la tête, non ? Pour la première fois, il réalisa que la situation comportait un réel potentiel de danger. Pourtant, il ne ressentait toujours aucune frayeur.

Il s'approcha d'une des fenêtres.

Ce que tu fais est absurde. Va-t'en, retourne à Montréal, et libère-toi une fois pour toutes… Retire-toi !

Il fut étonné par le choix de cette métaphore : se retirer…

D'accord. Mais pas avant une dernière tentative…

La crasse de la fenêtre rendait la vision difficile, mais il devina une salle de séjour, déserte. Enfin, ce qui en tenait lieu. C'était sale et décrépit, mais aussi parfaitement désert. Toujours aux aguets, il longea la façade, contourna un vieux bain rouillé qui traînait et tourna le coin. Une porte apparut, craquelée, l'une des pentures à moitié arrachée, mais bel et bien fermée. Maxime hésitait à frapper. Il tourna la tête vers l'horizon. Le soleil couchant rendait le vallon spectaculaire. À moins de cent mètres se trouvait une vieille grange, encore plus pourrie que la maison, devant laquelle un chien à la race indéfinie fouinait de son museau un tas de neige sale. L'un des deux battants de la grande porte était ouvert et Maxime pouvait entendre des grognements de cochon. Puis, un ricanement d'homme, saccadé, suivi d'un autre rire qui, malgré sa tonalité presque bestiale, s'apparentait vaguement à celui d'une femme. Les Rousseau étaient donc dans la grange, tous les deux. Sûrement en train de nourrir leurs bêtes.

Maxime prit rapidement sa décision : il s'approcha de la porte d'entrée de la maison et l'ouvrit. La poignée était si grasse qu'elle glissa deux fois entre ses doigts avant qu'il parvienne à la tourner.

Tu es fou !

Justement, quand on est sur le point de se suicider, on n'a plus rien à perdre.

Il se retrouva dans la salle de séjour qu'il avait entrevue par la fenêtre tout à l'heure, plongée dans une pénombre qui la rendait encore plus sordide : un divan bancal, deux fauteuils tachés et percés, une petite table jonchée de bouteilles vides et de cendriers pleins, une télévision qui devait avoir trente ans. Dans un coin, on devinait un foyer qui n'avait sûrement pas servi depuis un siècle ainsi que de vieux tisonniers rouillés et poussiéreux. Sur le plancher gisait un grand matelas très propre en comparaison du reste de la pièce. Une odeur de moisi et de renfermé parvint aux narines de Maxime. Il examina cette déchéance et espéra tout à coup s'être trompé. De tout son cœur, il souhaita qu'effectivement il n'y ait aucun enfant là.

Un son provenant de la pièce adjacente attira son attention. Un cliquetis de chaînes. Il se dirigea vers une porte coulissante aux trois quarts fermée et l'ouvrit toute grande. Trois pieds plus loin, une autre porte coulissante était grande ouverte et Maxime la franchit. Il se retrouva dans une cuisine dont l'état était pire que celui du salon. Le linoléum du plancher était arraché à plusieurs endroits, les armoires de bois écaillées et fendues. La crasse recouvrait tout : le comptoir, l'évier, le frigo, les ronds du poêle, les murs. Des restes de nourriture traînaient un peu partout et avaient attiré les mouches. De la vaisselle sale s'empilait à plusieurs endroits. À l'odeur de moisi s'en ajoutait maintenant une autre beaucoup plus forte, insoutenable et pourtant familière. Révulsé, Maxime finit par comprendre, tout en camouflant son nez sous sa main, qu'il s'agissait d'une puanteur d'excréments.

Dans la pénombre, il perçut une forme bougeant près du frigo. Une petite silhouette agenouillée au sol, qui jouait avec quelque chose qui ressemblait à une minuscule auto. Un enfant. Un garçon. Il jouait avec la voiture sans émettre aucun son. Maxime, paralysé, n'arrivait pas à distinguer le visage penché vers le sol, mais les cheveux sombres étaient bien coupés et propres, les vêtements en très bon état et bien lavés, de même que les souliers de course. Une oasis de pureté au milieu de ce dépotoir immonde. De nouveau, le cliquetis se fit entendre et Maxime réalisa que la cheville droite du gamin était attachée à une chaîne, elle-même reliée à un anneau vissé dans le mur.

Le milliardaire demeura silencieux de longues secondes, la bouche et les yeux aussi ronds que des soucoupes. Enfin, il se ressaisit, fit un pas en avant en bredouillant:

— Hé... Hé, garçon...

L'enfant releva la tête brusquement. Il devait avoir dix ans, onze tout au plus. Maxime distingua des traits doux et délicats, mais la bouche était dure. Ce qui le frappa le plus était ses yeux. Très grands, très noirs, ils ne dénotaient aucune émotion. Ni surprise ni peur. Rien du tout.

— Ne crie pas! Ne crie surtout pas!

Le garçon se leva, impassible. Maxime, qui avait laissé son cellulaire dans la voiture, chercha un téléphone des yeux. Bon Dieu, il avait donc eu raison! Ces deux salauds retenaient vraiment un enfant prisonnier! Cet incompétent de Plourde avait bâclé son travail! Mais où était ce foutu téléphone? En avaient-ils seulement un? S'il pouvait au moins trouver quelque chose pour briser cette chaîne... Il remarqua sur le sol, près de l'enfant, un autre matelas, celui-là vieux, taché et percé à plusieurs endroits. Dieu du ciel! Il couchait là? Et ce petit seau de métal, c'était quoi? Ce n'était tout de même pas pour...

Il s'approcha du garçon et, tout à coup, ce dernier émit un cri aigu et ondulant, ressemblant au feulement d'un chat en colère. Maxime l'implora de se taire et le prit par les épaules. L'enfant se raidit sous les mains de l'adulte mais ne bougea pas. Maxime remarqua quelques bleus sur son visage.

— Ne t'en fais pas, je ne te ferai pas de mal...

Curieusement, une muette résignation assombrit le regard du garçon. Sans un mot, lentement, il commença à détacher son short. Maxime l'arrêta aussitôt.

— Qu'est-ce que tu fais?

Voulait-il uriner dans son seau de métal? Tout allait trop vite dans la tête du milliardaire. Le gamin, tout en rattachant son short, examinait l'inconnu avec une certaine perplexité.

— Écoute, où est le téléphone ? Tu dois le savoir, toi ! Où est-ce que…

En provenance du salon, le bruit d'une porte qu'on ouvre retentit avec autant de force que si une bombe avait explosé juste à côté de la maison. Pendant un tiers de seconde, Maxime songea à affronter le couple… mais s'ils étaient capables de faire cela à un enfant, Dieu seul sait ce qu'ils pourraient lui faire à *lui*. Non pas qu'il redoutât la mort (au point où il en était !), mais s'il voulait sauver cet enfant, il devait rester vivant.

Je le sauverai ! Ce sera la dernière chose que je ferai avant de mourir, mais je le sauverai !

Il vit un placard dans le mur qui séparait les deux pièces. Il s'y précipita, l'ouvrit et, juste avant d'y entrer, souffla à l'intention de l'enfant un « chuttt » insistant. Le placard était minuscule mais ne contenait heureusement qu'un balai (Seigneur ! avait-il déjà servi ?) et deux pots de peinture sur le plancher. Il remarqua la présence d'une autre porte au fond et comprit que le placard communiquait aussi avec le salon. Voilà qui pourrait s'avérer utile. Au moment où il refermait la porte, les Rousseau entraient dans la cuisine.

— Bon ! ânonnait la voix à peine humaine de Rénald Rousseau. Y vont 'rriver, là… Le 'tit y'é prête ?

— Ben sûr qu'y'é prêt, y'é tout lavé, tout ben habillé, j'l'ai assez frotté, câlisse ! répondit une voix plus articulée que celle de l'homme, mais si rauque et si vulgaire que Maxime n'osa imaginer la femme qui en était dotée.

Sans faire de bruit, il se tourna vers l'autre porte, dans l'intention de sortir par le salon et de filer sans bruit jusqu'en ville pour prévenir Plourde. Mais la porte résista et Maxime, dépité, comprit qu'elle était retenue par un solide crochet de l'autre côté. S'il défonçait, cela risquait d'être trop bruyant.

— Parlant d'ça, poursuivit celle qui devait être Isabelle Rousseau, y m'en a-tu fait un beau, lui là ?

Maxime dénicha une petite fente dans la vieille porte qui communiquait avec la cuisine. Prudemment, il y appliqua son œil gauche.

Rénald Rousseau, portant les mêmes vêtements que deux jours plus tôt, s'approcha d'une lampe accrochée au-dessus du four et l'alluma. Un éclairage pâlot permit à Maxime de découvrir sa sœur, Isabelle, maigre à hurler, flottant dans une salopette malpropre. Elle avait la peau plissée et jaune, des cheveux courts et grisonnant prématurément, et sa bouche semblait déformée. Elle se pencha vers le seau de métal près du gamin, le prit et s'exclama avec béatitude :

— Ouiiiii ! Y m'en a fait un beau gros ! T'es fin, Gaby, t'es fin-fin-fin !

Le garçon silencieux se remit à genoux et lança un regard intrigué vers le placard. Maxime serra les mâchoires : allait-il le dénoncer ? Mais l'enfant reprenait déjà sa petite voiture et, amorphe, poursuivait son jeu.

S'ils viennent vers le placard, je défonce la porte qui donne dans le salon…

La femme apporta le seau près de l'évier, ouvrit une armoire sous le comptoir et en sortit un seau encore plus grand. Elle en ouvrit le couvercle et l'odeur de la pièce, déjà forte, empira aussitôt. Elle y transvida ce qu'il y avait dans le petit seau et Maxime crut voir une masse brunâtre se transvider d'un récipient à l'autre. Il imagina alors le grand seau rempli d'excréments et cette idée lui parut si dingue qu'il se dit qu'il faisait sans doute erreur. Isabelle Rousseau referma le second récipient, le remit sous le comptoir et retourna porter le petit seau près de l'enfant qui jouait toujours.

— 'ai faim, faut man'er, fit l'homme, et chaque mot sortant de sa bouche semblait lui demander un effort extrême.

Ils préparèrent un repas à base de pâtes. Ils en donnèrent un plat à leur prisonnier et tous trois mangèrent en silence, les deux adultes assis à table, l'enfant à même le sol, mangeant avec ses mains.

— Va falloir le r'laver ! finit par dire Isabelle Rousseau.

Son frère approuva en rotant. Il utilisait des ustensiles, mais de manière si rudimentaire qu'il se retrouva rapidement plus barbouillé que le gamin. Le repas se poursuivit pendant une dizaine de minutes. Maxime remarqua que dehors, la nuit était maintenant tombée. Comment allait-il se sortir de cette situation ? S'il avait un peu de chance, les deux dégénérés iraient se coucher sans venir fouiller dans le placard. Alors, Maxime filerait et irait avertir la police. Oui, tout cela était très plausible.

Isabelle se leva, alla ouvrir une armoire et en sortit une boîte de céréales. Même de loin et malgré l'éclairage tamisé, Maxime remarqua qu'il s'agissait de Froot Loops.

— T'ens ! fit la femme en s'approchant de l'enfant. Tu vas travailler dur à soir, tu les mérites !

Elle eut un sourire hideux et Maxime comprit qu'elle n'avait pas de dents supérieures. Manifestement ravi, mais d'un ravissement sobre qui ne se traduisait que par une respiration plus rapide et des yeux plus écarquillés, l'enfant tendit les bras, se saisit de la boîte et fourra sa main dedans. Au même moment, le pied de la femme se détendit et atteignit le petit en plein visage. Sa tête bondit vers l'arrière, il poussa un faible gémissement, mais ne lâcha pas la boîte de céréales. Maxime, dans son placard, se mordit les lèvres d'indignation.

— Hey! Quessé qu'on dit? cria la caricature femelle d'une voix encore plus rocailleuse.

— Merci, balbutia l'enfant, la tête basse, tandis qu'un mince filet de sang coulait de son nez.

— 'stie, magane-lé pas à soir! lança Rousseau, la bouche pleine.

Le garçon mangea ses Froot Loops tandis que l'homme buvait une bière et que la femme desservait la table (en fait, elle empila assiettes et ustensiles sur la vaisselle déjà sale). Au bout de cinq minutes, des coups secs se firent entendre derrière Maxime. Ce dernier se retourna avec épouvante, convaincu qu'on frappait à l'autre porte du placard. Mais il comprit que les coups provenaient de la porte d'entrée en entendant Isabelle s'exclamer:

— Les v'là!

Des pas, qui sortaient de la cuisine et changeaient de pièce. Maxime chercha une fente sur la porte qui communiquait avec le salon mais n'en trouva aucune. Il entendit seulement les pas de nouveaux arrivants, suivis d'une voix gaillarde:

— Salut, Isabelle… Pas trop en avance?

— Pantoute, entrez!

Cette voix d'homme, Maxime avait l'impression de la connaître…

— Je te présente Laurent.

— 'lut, fit la femme.

— Bonsoir, répondit une voix timide.

Maxime, sans bruit, se retourna vers la porte de la cuisine et colla son œil à la fente. Rousseau s'empressait de laver maladroitement le visage et les mains de l'enfant avec une guenille qui, pourtant, ne semblait pas en état de nettoyer quoi que ce soit. Il se releva au moment où le trio entrait dans la cuisine. En reconnaissant les deux nouveaux venus, Maxime cessa de respirer et crut que plus aucune particule d'air n'entrerait jamais dans ses poumons. Simon Plourde, en tenue de flic, tout à fait à l'aise, présentait à Rénald le dénommé Laurent, qui était le quinquagénaire avec qui le policier s'entretenait une heure plus tôt au café. Maxime comprit alors que ce qui se passait ici était pire qu'il ne l'avait imaginé.

Un flash le traversa : Plourde n'avait-il donc pas vu sa voiture en arrivant ? Mais son cœur reprit son rythme normal quand il se rappela qu'il l'avait camouflée dans le sous-bois. Le policier, s'il s'était stationné près du premier chemin de terre qui montait vers la maison, n'avait pas pu voir l'Audi.

Laurent semblait pris de court par l'allure du frère et de la sœur et, surtout, par l'insalubrité des lieux. Mais lorsque Isabelle lui indiqua l'enfant en disant : « T'ens, c'est lui… », le malaise sur son visage fut éclipsé par une admiration totale. Il s'approcha du garçon, s'accroupit et lui prit le menton en souriant gentiment.

— Salut, mon grand. C'est quoi, ton nom ?

L'enfant ne répondit pas, regardant l'homme avec indifférence.

— Y parle pas ben-ben, expliqua la femme, les mains dans les poches. Y s'appelle Gabriel. Y a onze ans.

— Gabriel, marmonna Laurent. Comme l'Ange… C'est un signe que ce que je fais n'est pas mal aux yeux de Dieu, n'est-ce pas ?

Troublé, il chercha l'approbation des autres, qui affichaient une totale indifférence. Mais cela sembla tout de même le mettre en confiance, car il revint au gamin avec un air plus serein.

— Tu es très beau, Gabriel. On te l'a dit souvent, j'imagine, hein ?

Il attendait une réponse. Gabriel jeta un regard incertain vers la femme, qui fit un petit signe d'assentiment.

— Oui, répondit-il d'une voix sans aucune intonation.

Laurent lui passa une main sur la joue. Plourde, à l'écart, piétinait sur place, impatient. Le quinquagénaire se releva et dit que c'était d'accord. Il sortit une liasse de billets de banque de sa poche :

— Deux mille, c'est ça ?

— Ouain, approuva Rousseau.

Les billets se retrouvèrent dans les mains du propriétaire des lieux, sous l'œil plein de convoitise de sa sœur. Maxime respirait plus fort malgré lui et son front, malgré la température tout à fait normale de la maison, dégoulinait de sueur. Laurent se frotta les mains, les traits tirés en un mélange de malaise et de hâte.

— Heu… Et ça se passe… heu… où ?

— Dans l'salon, à côté, répondit la femme.

Laurent parut peu enchanté par l'idée et bredouilla :

— Il n'y aurait pas un endroit, plus… heu… moins désordonné ? En haut, par exemple…

— C'é not' chamb', parsonne va là, 'ké ? intervint Rousseau avec agressivité.

— Inquiète-toi pas, on ira pas t'déranger, ajouta sa sœur.

Ils rirent tous les deux, elle en se grattant un sein inexistant, lui en prenant une gorgée de bière. Le quinquagénaire lança un regard interrogateur vers Plourde, qui haussa les épaules :

— Si ça ne fait pas votre affaire, Laurent, vous pouvez partir, on ne sera pas pires amis.

Laurent abdiqua et demanda où était la salle de bain. On lui indiqua une porte près du poêle et il alla s'y enfermer. Rousseau se mit à la recherche de quelque chose parmi le fouillis du comptoir tandis que sa sœur demandait au policier :

— Le gars de Montréal qu'y'est venu icitte y a deux jours… T'as dit qu'y a parlé de nous autres au village ?

— À une couple de personnes, oui. Mais tu n'as pas à t'en faire, tu le sais bien.

De la salle de bain fermée, on percevait une litanie et Maxime comprit que Laurent priait. Rousseau, qui avait trouvé une clé, se pencha vers la chaîne de l'enfant et détacha l'extrémité reliée au mur. Le gamin n'en bougea pas davantage. Rousseau sortit la liasse de billets qu'il venait de recevoir, tenta de les compter mais s'embrouilla. Isabelle lui arracha la liasse des mains, compta près de la moitié des billets et les tendit à Plourde, qui les empocha en annonçant :

— OK, je vais aller fumer dehors en attendant. À tantôt.

Il marcha vers le salon et Maxime l'entendit sortir. Rousseau se racla la gorge et cracha par terre, au moment où Laurent sortait de la salle de bain.

— Va avec le monsieur, Gaby, fit Isabelle.

L'enfant, docile, rejoignit Laurent qui lui prit la main, souriant.

— Vous allez voir, fit Isabelle avec un sourire entendu. C't'un p'tit gars qui aime jouer !

Gabriel suivit l'homme vers le salon et Maxime crut discerner sous le masque impassible de l'enfant une indicible détresse. Puis, la femme alla fermer la double porte coulissante, isolant ainsi la cuisine, et tourna vers son frère un visage particulièrement pervers. Le PDG se tourna vers la porte donnant sur le salon et plaqua son oreille contre le bois. Il entendait le pédophile marmonner, il crut même percevoir les mots « pas de mal », « miséricorde divine » et « notre Seigneur à tous »… puis des sons qui ressemblaient à des vêtements qui tombent sur le sol. Et Plourde, pendant ce temps, qui devait fumer une cigarette dehors en observant le ciel étoilé !

Maxime se passa une main dans les cheveux, ses vêtements collés de sueur. Qu'est-ce qu'il allait faire, qu'est-ce qu'il *pouvait* faire ? Seul contre quatre, il n'aurait même pas le temps d'atteindre le pauvre petit ! Il entendit les premiers soupirs, puis les premiers gémissements produits par Laurent, qui traversaient la porte de bois comme des lames de rasoir bien tranchantes.

Seigneur, ils avaient commencé !

Pantelant, il retourna coller son œil à la fente de la porte et tomba sur un spectacle parfaitement inattendu. Le frère et la sœur s'embrassaient, fusionnant leur crasse en une étreinte torride tout en se déshabillant rapidement. Sous l'œil sidéré de Maxime, ils se retrouvèrent rapidement nus et la femme, d'une maigreur digne d'Auschwitz, la peau recouverte d'eczéma, alla au comptoir d'où elle sortit l'immonde seau de tout à l'heure. Elle le déposa sur le sol et s'allongea à son tour sur le plancher, sur le dos. Son frère, déjà en forte érection, s'agenouilla et enfouit sa figure entre les cuisses d'Isabelle.

— Ahhhhh, ouay… Envoye, mon cochon sale, mange-moé… *Come on,* mange-moé !

Mais à l'indécence d'un tel spectacle s'ajouta l'abjection et Maxime crut défaillir de répulsion lorsqu'il vit la femme enfouir sa main dans le seau et en sortir une pleine poignée de matière molle et brunâtre pour s'en couvrir le ventre et les seins, ce qui eut pour effet de redoubler ses grognements de plaisir ainsi que l'odeur déjà infecte dans la maison. Maxime se détourna pour combattre un violent haut-le-cœur et se couvrit les yeux des deux mains en poussant un lamento lancinant, lui-même recouvert par les râles sordides qui envahissaient le placard de tous les côtés.

Comment avait-il abouti là? Pourquoi était-il venu? Il ne pouvait pas demeurer ainsi une minute de plus sans réagir, pendant qu'on était en train d'abuser d'un enfant de onze ans, et qu'il entendait les gémissements grandissants...

— *Hoooo, Gabriel, c'est bon!*

... du pédophile, là, tout près, en ce moment...

— *Hooo, mon Dieu, je Te rends grâce!*

... à cette seconde même...

— *Je Te rends grâce pour ces...hoooo! ces plaisirs!*

... non, il ne *pouvait pas!*

Rassemblant toute la force de sa révolte, il se propulsa contre la porte qui menait au salon, épaule première. Passablement pourrie, la porte céda sans problème et sans trop de bruit; Maxime, déséquilibré, s'affala de tout son long sur le plancher et sentit une bourrasque de poussière lui entrer par la bouche et le nez. Il ouvrit les yeux, les cligna plusieurs fois tant ils piquaient et vit enfin la scène qu'il s'était efforcé de ne pas imaginer.

Agenouillé sur le matelas, complètement nu, Laurent, qui s'affairait sur le gamin à quatre pattes devant lui, interrompit son odieuse besogne en apercevant le nouveau venu. Il s'écarta de l'enfant, l'organe déjà ramolli par l'épouvante, et commença à bredouiller:

— Mais... vous... vous êtes qui, vous? Qu'est-c...

Mais Maxime, tel un tigre en furie, bondit vers le pédophile et le propulsa au sol. À califourchon sur le quinquagénaire, il lui percuta le crâne, deux, trois, quatre fois sur le plancher, mais s'arrêta en constatant que l'autre ne bougeait plus. Il ne se demanda même pas s'il l'avait tué ou non. En se relevant d'un trait, il se tourna vers Gabriel qui, nu, la chaîne pendant à sa cheville droite, dévisageait Maxime avec curiosité. Y avait-il des larmes dans ses yeux? Dans cette pénombre, le milliardaire n'aurait pu l'affirmer avec certitude.

— Viens-t'en! souffla Maxime en relevant l'enfant d'un geste brusque. Il faut partir, vite!

— Mauvaise idée...

La voix provenait de la porte d'entrée. Plourde, dans l'embrasure, pointait son pistolet vers Maxime. Le policier paraissait embêté.

— Je vous avais dit de retourner à Montréal. Vous avez la tête dure, on dirait.

Dans le soudain silence, on percevait en sourdine les halètements et grognements du couple qui continuait à copuler de l'autre côté de la double porte coulissante fermée. Gabriel ne paraissait ni terrifié ni déçu par la tournure des événements. Une sourde fatalité couvait dans son regard d'ébène.

— Comment un policier peut-il participer à ça! cracha Maxime, qui tenait toujours le bras de l'enfant.

— Ça arrondit les fins de mois.

— Si les gens de la région savaient ce qui se passe ici...

Cette fois, le policier rigola.

— Le monde se doute bien que je brasse des affaires pas catholiques avec les Rousseau. Mais ils ont pas intérêt à me mettre dans le trouble.

En voyant l'incompréhension dans le regard de Maxime, Plourde s'amusa à expliquer :

— Si ça va mieux économiquement dans le comté depuis deux ans, c'est grâce au député. Et si le député est si gentil, c'est parce qu'il vient rendre visite aux Rousseau de temps en temps. Les gens ne savent pas trop ce qui se passe, mais ils ne veulent pas vraiment le savoir non plus. Ils veulent juste que ça continue à bien aller dans la région. Alors ils se mêlent de leurs affaires…

Maxime, sur le moment, refusa de croire ce qu'il venait d'entendre… mais il repensa soudain aux trois personnes à qui il avait parlé au dépanneur, à leur attitude ambiguë, à leur hâte de changer de sujet, à leur volonté de ne pas *en entendre parler*… Et dire qu'il avait voulu venir sauver cet enfant en espérant retrouver une certaine flamme ! Quelle ironie ! En fait, ce qu'il trouvait là était la confirmation de ce qu'il avait déjà compris. Comme si un dieu cynique l'avait envoyé dans cette cambuse pour lui montrer qu'en fait, c'était encore *pire,* que même s'il sauvait cet enfant, l'horreur continuait partout, au nez de tous. Cette maison n'était pas sa dernière chance. Elle était la dernière station d'un chemin de croix, une longue et pénible crucifixion durant laquelle il ne pourrait, impuissant, qu'assister à la décomposition du genre humain.

— Allez ! fit Plourde. Tout le monde dans la cuisine !

Sonné, Maxime, qui avait lâché le bras de l'enfant, se dirigea vers l'autre pièce, suivi de Gabriel. Plourde lui ordonna d'ouvrir la double porte coulissante et le milliardaire obéit.

Dans la cuisine, le cauchemar se poursuivait, et comme si le cerveau de Maxime ne pouvait encaisser une telle décadence d'un seul coup, la scène lui apparut découpée en flashs, comme à travers un kaléidoscope apocalyptique. Rousseau debout grimaçant de plaisir... sa sœur agenouillée en train de le sucer... les mains pleines de déjections qui flattaient les fesses, le ventre et les seins... Et comme lien entre ces images insoutenables, les râles du mâle, les couinements de la femelle, et l'odeur, qui atteignait maintenant des sommets dans l'abomination. Les deux fornicateurs prirent quelques secondes à réaliser l'arrivée du trio. Les yeux de Rousseau s'emplirent de fureur et lorsqu'il parla, la rage déformait tant son élocution déjà problématique que Maxime devina plus qu'il ne comprit ses paroles :

— 'stie ! C'é lui, l'câlisse d'l'aut' jour !

Sa sœur tourna la tête vers l'intrus et, sans cesser de masturber son frère, cria à son tour :

— De quoi y s'mêle ? Gaby, c'est not' enfant, on fait c'qu'on veut avec !

Maxime avait-il bien entendu ? Gabriel n'était pas un gamin kidnappé ! C'était le fruit de l'inimaginable union de ces deux... de ces deux... La tête du milliardaire, déjà en proie à la tourmente, devint l'épicentre d'un véritable cyclone, d'une tornade qui s'anéantissait elle-même.

— Retourne dans ton coin, Gaby ! ordonna la sœur en pointant un doigt gluant vers le mur.

Gabriel, impavide devant ce spectacle, marcha vers le mur, puis Isabelle recommença à sucer son frère.

— Va falloir l'éliminer, déplora Plourde qui tenait toujours Maxime en joue.

— 'tends, grogna Rousseau en retroussant ses lèvres gercées, saisissant la tête de sa sœur à deux mains. 'tends 'minute !...

Il haleta, puis poussa un cri guttural en tendant tous les muscles de son corps. Sa sœur, en gloussant de plaisir, ralentit graduellement la rapidité de sa fellation, tandis que de longs filets blanchâtres dégoulinaient de sa bouche et éclaboussaient sa plate poitrine qu'elle frottait de ses paumes, créant ainsi un mélange de sperme et d'excréments si insoutenable que Maxime tomba à genoux et vomit violemment sur le sol. Et tandis qu'il se vidait les tripes, le cadavre de son père lui apparut, nu sur le carrelage de la piscine, tournant son regard moqueur vers lui en lançant : « Alors, mon fils ? Le jeu te plaît ? »

Plourde, dont la seule réaction fut une discrète grimace, demanda :

— Tu veux que j'aille le tuer dehors ?

— Pas tout d'suite ! répondit Isabelle en suçant ses doigts. Un gars d'la grand' ville, criss ! Faut qu'on en profite un peu !

Le crâne douloureux, la bouche pâteuse, le milliardaire tourna la tête et vit avec épouvante que Rousseau s'approchait de lui. Malgré son éjaculation, sa verge se redressait déjà. Isabelle, de nouveau allumée, s'assit sur le sol, écarta ses cuisses rachitiques et minauda vers Gabriel :

— Viens, Gaby... Viens t'occuper de maman... Envoye...

L'enfant, avec la passivité de celui qui a abdiqué depuis longtemps, avança lentement vers sa mère. Maxime se trouvait toujours à genoux, incapable de ressentir quoi que ce soit tant son âme était en lambeaux. Il voyait la scène, mais un filtre rouge recouvrait sa vision, un filtre qui vibrait, qui palpitait, donnant l'impression que quelque chose cognait et battait sous l'image, sur le point de la faire exploser d'une seconde à l'autre. Rousseau s'immobilisa tout près du PDG, les deux pieds dans les vomissures. Maxime voyait le membre en érection à quelques centimètres de son visage, tremblant et pulsant sous le filtre écarlate. Rousseau n'éructa qu'un seul mot :

— Suce !

Plourde soupira :

— Après, on en finit pour de vrai, hein ?

Il fit quelques pas de recul et, toujours l'arme pointée, prévint Maxime :

— Obéis. Et pas de conneries, sinon…

Sinon quoi ? songea Maxime, perdu dans le cyclone de sa tête. Sinon, il se ferait tuer ? Mourir, enfin… Oui… Se retirer, une fois pour toutes… Mais sous le filtre rouge, sa vision ondulait toujours, gonflait dangereusement. À l'écart, Gabriel commençait à s'agenouiller entre les jambes d'Isabelle.

— Suce ! répéta Rousseau.

Enfin, l'image explosa, laissant échapper la haine, libérée et affamée, qui sauta aux yeux de Maxime, pénétra dans ses rétines, courut jusqu'au cerveau et l'avala en hurlant. Le milliardaire se saisit des hanches de Rousseau et, rapidement, engloutit le sexe dans sa bouche, le plus profondément possible, provoquant un râle de félicité du monstre. Mais Maxime commençait à peine à goûter à l'odieux mélange de crasse, de merde et de sperme qu'il enfonçait de toutes ses forces ses dents dans le membre gonflé. Le râle se transforma en hurlement et l'homme commença à se débattre furieusement. Il frappait à deux mains sur la tête de Maxime, mais ce dernier ne sentait pas les coups, pas plus qu'il ne se préoccupait de la balle de fusil qui allait inévitablement l'atteindre d'une seconde à l'autre. Tout ce qu'il voulait avant de mourir, c'était utiliser sa haine

(tellement puissante, tellement explosive)

qu'il concentrait en ce moment dans ses mâchoires, dans ses dents qui s'enfonçaient de plus en plus. En goûtant le sang qui inondait sa bouche, il s'imagina qu'il s'agissait du sang de chaque être humain de la planète, et il en ressentit une joie malsaine, presque sexuelle, qui le fit redoubler d'efforts. Plourde, à la vue de Rousseau qui hurlait et gigotait en tous sens, demeura figé sur place quatre bonnes secondes, le visage comique tant il était incrédule. Enfin, il visa la tête de Maxime et tira. Mais son doigt appuya sur la détente au moment même où le PDG, sentant que ses dents ne pourraient s'enfoncer davantage, tirait de toutes ses forces sans desserrer les mâchoires. Dans un bruit de chairs arrachées, le pénis se détacha, emporté par Maxime qui recula sous le choc, tandis que la balle de pistolet traversait l'espace où se tenait la tête du milliardaire un millième de seconde plus tôt pour terminer sa trajectoire dans la tempe d'Isabelle, toujours étendue sur le sol, la moitié supérieure du corps redressé. La femme poussa un hoquet sec et laissa retomber sa tête sur le plancher où elle se mit à tressauter frénétiquement, sans émettre un son, les yeux roulant dans leurs orbites, comme prise d'une crise d'épilepsie. Gabriel, qui avait le visage enfoui entre les cuisses de sa mère, se redressa vivement. Rénald Rousseau, qui couinait maintenant comme un porc à l'abattoir, tituba vers l'arrière et, les reins contre le comptoir, tenta vainement d'endiguer le flot d'hémoglobine qui fusait de son entrejambe. Maxime se releva rapidement. Sa vision était tout à coup d'une clarté parfaite, comme

(deux phares d'une voiture fonçant à toute allure)

si elle était surexposée, chauffée à blanc. Grâce à cette luminosité procurée par sa haine bouillonnante, il vit parfaitement le visage du policier, terrorisé comme s'il faisait face à une apparition apocalyptique. Plourde sembla enfin se rappeler qu'il était armé et visa à nouveau Maxime, mais ses allures de flic plein d'assurance avaient complètement disparu, et c'est d'une voix tremblante qu'il ordonna :

— Stop ! Sinon je tire !

Ses paroles, recouvertes par les cris de Rousseau, étaient à peine audibles, mais Maxime les avait entendues, tout comme il voyait l'arme pointée vers lui. Mais il avançait tout de même, le visage si déformé que Masina lui-même aurait eu de la difficulté à le reconnaître. Il réalisa alors qu'il avait toujours le sexe sectionné de Rousseau dans la bouche. Il le cracha violemment vers le sol et, les dents serrées, la bouche barbouillée de sang, il croassa avec défi vers le policier :

— Tue-moi ! *Envoie, tue-moi !*

Plourde clignait des yeux, interdit devant cette réaction qui allait à l'encontre de toute logique. Et Maxime avançait toujours, souhaitant cette balle de tout son cœur alors qu'il se sentait plus vivant qu'il ne l'avait jamais été.

Tout à coup, une douleur explosa dans son épaule et il se retourna vivement : c'était Rousseau qui, muni d'une clé anglaise qu'il avait sans doute dénichée dans le foutoir du comptoir, venait de le frapper, mais comme la souffrance de sa mutilation le rendait lymphatique, le coup s'était avéré peu énergique. Grimaçant et hurlant des imprécations, il leva l'outil pour un second essai, mais Maxime se jeta sur lui et les deux hommes, soudés en un furieux corps à corps, exécutèrent quelques pas de danse avant de glisser dans le sang qui s'écoulait de la tempe d'Isabelle, toujours dans les convulsions. Ils s'écroulèrent contre le frigo dont la porte s'ouvrit sous l'impact. Rousseau tomba sur les fesses. Maxime, à califourchon sur le mutilé, lui entra la tête dans le frigo, puis en ferma la porte violemment. Sous le choc, Rousseau lâcha la clé anglaise. Maxime ferma une seconde fois la porte, cette fois sur le cou de l'homme. Rousseau cessa aussitôt de bouger, les yeux écarquillés et figés. Maxime se saisit de la clé anglaise et fixa le mort avec un rictus dément. *Un de moins !* songea-t-il. Et cette pensée augmenta sa sensation de pouvoir.

Plourde, qui s'était rapproché durant la courte bataille, tint son pistolet à dix centimètres de Maxime et commença d'une voix toujours ébranlée :

— Je t'ai dit d'ar…

Vif comme l'éclair, Maxime fit un mouvement latéral avec la clé anglaise, qui percuta le poignet du policier. Le pistolet effectua un vol plané et rebondit contre un mur. Plourde n'avait pas fini d'émettre son cri de douleur que la clé anglaise lui écrasait avec une force inouïe la pomme d'Adam. Le policier porta ses deux mains à sa gorge et, les yeux agrandis par la panique, ouvrit et ferma la bouche comme s'il cherchait son air, incapable d'émettre autre chose que de petits couinements rauques. Il ne tenta même pas d'esquiver le coup suivant, qui lui émietta la pommette de la joue gauche. Il s'écroula sur le sol, mais Maxime, à califourchon sur lui, laboura son visage de coups, aveuglé par sa propre puissance haineuse. Lorsqu'il sentit que la clé anglaise ne frappait plus que de la matière molle et informe, il s'arrêta.

La respiration sifflante, il se releva. Il entendit des claquements répétitifs et se retourna en brandissant son arme dégoulinante. Isabelle Rousseau, agonisante, tressautait toujours dans son propre sang qui formait maintenant un véritable lac sous son corps.

— Crève ! grogna le milliardaire.

Et sans se rendre compte de ce qu'il faisait, toujours ébloui par cette haine immaculée, il posa son pied sur la tempe perforée et se mit à appuyer de toutes ses forces.

— *Crève !*

Le sang gicla sous le soulier, un épouvantable craquement traversa la cuisine et, le corps traversé d'un ultime soubresaut, la femme cessa enfin de bouger.

Haletant, Maxime contempla le champ de bataille.

Simon Plourde, le visage en bouillie, mort.

Rénald Rousseau, la tête dans le frigo, mort.

Isabelle Rousseau, gisant dans son sang, morte.

Au milieu des cadavres, de l'hémoglobine et de la merde, l'enfant, nu et debout, fixait Maxime, les yeux emplis d'étonnement. La vision du milliardaire redevenait normale. Mais la haine, même apaisée, était toujours présente. Il vit le pistolet sur le sol. Il se pencha, le prit et le considéra, l'air presque hypnotisé. Il ne connaissait rien en balistique, mais comme Plourde avait déjà tiré un coup, l'arme était sûrement prête à servir.

Finis-en. Ici. Tout de suite.

Il balançait pourtant. Repensait aux dernières minutes de la folie meurtrière qu'il venait de vivre, les creusait pour y trouver un sens qu'il avait effleuré…

Une plainte se fit entendre. En provenance de la pièce d'à côté. Le pédophile.

N'ayant aucune idée de ce qu'il allait faire, la démarche maintenant solide, Maxime enjamba les corps et se retrouva dans le salon. Toujours sur le plancher mais redressé, Laurent se massait le crâne en grimaçant. Lorsqu'il vit enfin Maxime, la peur chassa la douleur de ses traits.

— Mais… qu'est-ce qui s'est passé ? Vous êtes qui ?

Malgré la noirceur qui régnait dans la pièce, tout s'éclaira soudain sous les yeux de Maxime, tout redevint saturé comme tout à l'heure. Il comprit : c'était la haine qui s'enflammait à nouveau. Et, avec elle, le sentiment de pouvoir *agir*. Il s'approcha et pointa son arme vers Laurent, le canon à quelques centimètres de son front. Le pédophile leva deux mains implorantes, pleurnichant comme s'il était retombé en enfance.

— Non, non… Faites pas ça ! Si vous me tuez, vous… vous irez en enfer !

Maxime eut un renfrognement singulier, le reflet d'une immense tristesse traversa le fiel de son regard et il marmonna :

— Nous y sommes déjà.

Il tira.

L'écho de la détonation, longtemps. Silence.

Encore un de moins.

À nouveau, il ressentit cette opaque, cette malsaine mais libératrice conviction.

Dehors, le chien aboyait. Maxime déposa l'arme sur une petite table graisseuse et alla s'asseoir dans un fauteuil percé et grinçant. Dans sa tête, le tourbillon était toujours là, mais comme au ralenti, lui permettant de bien distinguer chacune des pensées, des idées, des images qui tournoyaient en son centre. Est-ce cela qu'il était finalement venu chercher là ? La haine ? Cette haine qui, souvent, l'avait effleuré au cours de sa vie, mais que Francis avait toujours réussi à lénifier…

Francis qui n'était plus là.

Maxime s'aperçut enfin que l'enfant était entré dans la pièce, avait le pistolet entre les mains et l'examinait attentivement. Le milliardaire plissa les yeux. Ce gamin s'ajouta alors aux éléments du cyclone, tournoya à son tour au ralenti, parmi toutes les autres images. Gabriel, le visage neutre, dirigea alors le canon de l'arme vers sa poitrine.

— Non! s'écria Maxime, et il bondit vers l'enfant pour le désarmer.

Gabriel le toisa avec une certaine rancune. Le PDG enfouit l'arme sous sa ceinture et mit ses mains sur les épaules de l'enfant. Comment pouvait-il être si beau alors qu'il était le fruit de deux tumeurs humaines?

Nous sommes toujours beaux quand nous sommes petits… quand nous sommes purs…

Mais cet enfant n'était pas pur. Il avait connu en quelques années toutes les abjections que le siècle avait vécues. Cet enfant n'était plus un enfant. Peut-être ne l'avait-il jamais été.

— Je te comprends, fit doucement Maxime, sa voix en parfait contraste avec ses yeux fous, ses cheveux en désordre, son visage maculé de sang.

L'expression de Gabriel changea. Tristesse et fatalité. Maxime se demanda pourquoi il l'empêchait de se tuer. Lui-même pourrait en profiter pour en finir avec le garçon, ici et maintenant. Qu'espérait-il, au juste? Il n'en avait aucune idée. Mais il savait une chose: la haine était en lui et, pendant quelques minutes, ce sentiment était devenu un moteur beaucoup plus actif que le mépris.

— Je te comprends… mais pas comme ça, ajouta Maxime, qui aurait été incapable d'expliquer ce qu'il voulait insinuer par ces mots.

L'homme et l'enfant, immobiles, se mesurèrent du regard un long moment.

◆

Maxime caressa les cheveux de Gabriel qui dormait à poings fermés dans un vrai lit, dans une vraie chambre. L'enfant vivait chez lui depuis un mois. Peu à peu, il s'habituait au fait d'être bien traité, bien nourri, respecté. Il ne parlait jamais. Mais tous deux se comprenaient sans problème.

Le PDG expliquait à son entourage qu'il s'agissait d'un neveu qu'il avait adopté. Gabriel aurait même bientôt un certificat de naissance et d'autres papiers attestant cette histoire. Maxime avait mis le prix pour que le tout soit sûr, discret et rapide. Seul Masina trouvait cette histoire louche.

On avait parlé du « massacre de la Gaspésie » à la télévision, bien évidemment. Le mot pédophilie avait été prononcé à la suite de certaines découvertes dans la maison. Mais, bien sûr, impossible de remonter jusqu'à Maxime. À la télévision, le député de la région criait son indignation. On avait aussi interrogé quelques habitants du coin. La plupart affirmaient que les Rousseau étaient des gens à l'écart et un peu bizarres, mais jamais on ne se serait douté qu'il se passait des choses atroces chez eux.

— Nous autres, on se mêle de nos affaires…

Maxime avait fermé la télévision, mortifié.

Il sourit en remontant la couverture sur l'enfant. Avant, c'était Francis qui donnait la force à Maxime de continuer. Maintenant, Gabriel avait pris le relais. *Non, il ne remplace pas Francis,* s'opposait une voix intérieure. *Il en est le contraire. Francis aurait tout fait pour changer les sentiments qui t'habitent en*

ce moment, comme il l'avait déjà fait par le passé.
Mais aurait-il réussi, cette fois ? Quelques minutes
avant de mourir, sur le quai du métro, ne disait-il pas
à Maxime qu'il le trouvait de plus en plus agressif ?
Désormais, la haine était là, inutile de le nier. Et elle
était un moteur formidable… mais un moteur qui ne
servait encore à rien.

Maxime se leva, vit la boîte de Froot Loops près
du lit. Gabriel en traînait toujours une avec lui et le
milliardaire s'assurait qu'il n'en manquait jamais dans
le garde-manger. Quand ils avaient quitté l'ignoble
maison, le gamin n'avait voulu emporter qu'une seule
chose : ses céréales. Il n'avait pu dire à Maxime où
était la clé qui aurait détaché la chaîne pendant à sa
cheville (le milliardaire l'avait cherchée en vain et
avait scié la chaîne seulement une fois de retour
chez lui à Montréal), mais il savait où se trouvaient
les quatre boîtes de Froot Loops de la maison.

Maxime prit la boîte et sortit silencieusement de
la pièce. Il passa de longues heures assis à réfléchir,
comme il le faisait chaque soir depuis un mois,
lorsqu'il revenait de ses journées au bureau où il
traînait comme un tragique automate. La haine
bouillait, le moteur tournait à fond… Mais il tournait
à vide. Il fallait trouver une courroie, des cylindres,
une transmission…

Au bout d'une heure, il ouvrit la télévision. Il
écouta une bonne discussion entre différents inter-
venants culturels, puis zappa. Il tomba sur une émission ahurissante où les concurrents, pour demeurer
dans la compétition, devaient manger des vers de
terre et autres bestioles du même genre. Sidéré, il
regarda l'émission quelques minutes. Ce n'était pas
la première fois qu'il découvrait une télé-réalité, mais
cela le consternait tout autant chaque fois. Et ce qui

le déprimait encore plus, c'était la popularité grandissante de ces effarantes inepties. Qu'est-ce qui peut bien pousser quelqu'un à aller bouffer des vers de terre devant une caméra ?

L'argent, évidemment. Et la fierté de passer à la télé, sans doute. Mais aussi l'impression de faire quelque chose de spécial, de déjouer le quotidien morne et insatisfaisant. Il zappa et tomba sur une autre télé-réalité : six ou sept femmes *ordinaires* (mais qui ressemblaient toutes à des *playmates*) courtisaient un millionnaire qui, à la fin, ne choisirait que l'une d'elles. Humiliation, mesquinerie, magouille, exhibitionnisme émotif... tout ça pour un homme qu'elles ne connaissaient même pas. Ces femmes croyaient vraiment que l'argent et la gloire régleraient leurs problèmes ? Et ces bouffeurs d'invertébrés, à l'autre chaîne, n'avaient trouvé rien de mieux pour remplir leur vide existentiel ? Ils ne réalisaient donc pas que tout ça n'était qu'un simple pansement, qui se décollerait bien assez vite ? Depuis Moïse, les veaux d'or ont pris toutes sortes de formes pour combler leurs adorateurs...

La haine s'éveillait à nouveau en Maxime, le faisait littéralement trembler. Les images de la tuerie de la Gaspésie clignotaient devant ses yeux, les émotions qu'il avait ressenties revenaient le hanter, le séduire...

— Pourquoi n'allez-vous pas tous vous jeter devant le métro ? râla-t-il vers l'écran.

Parce qu'ils ne veulent pas voir encore. Il faudrait leur ouvrir les yeux. Et s'occuper de ceux qui persistent à les garder fermés. Une image se forma devant lui, faisant disparaître celle de l'écran : Francis était entraîné dans la fosse du métro, mais autour de lui, une multitude de gens l'observaient, puis l'imitaient. Sauf que chacune de ces personnes tenait par la main un individu qui lui-même agrippait quelqu'un d'autre qui lui-même en entraînait un autre... Des dizaines de chaînes humaines, composées d'individus qui ne voulaient pas sauter, sauf celui ou celle qui était au début de la file et qui, volontairement, entraînait tous les autres à sa suite... Maxime demeura de longues secondes sans respirer.

Il ferma la télé.

Pendant trois heures, il ne bougea pas, ne fit que composer mentalement le puzzle qui se formait dans son esprit. Puis, épuisé, il se leva, marcha jusqu'à la chambre de l'enfant et y entra. Il caressa à nouveau les cheveux de Gabriel qui, cette fois, bougea puis ouvrit un œil endormi. Maxime le contempla en silence avec, sur les lèvres, un sourire à la fois victorieux et triste.

— On va enfourcher le veau d'or, murmura-t-il.

CHAPITRE 36

Pierre a très rarement ressenti la terreur. La peur, oui, à différentes occasions. On peut avoir peur d'arriver en retard quelque part, peur de ne pas être à la hauteur d'une situation, peur du ridicule... ou peur qu'il soit arrivé un accident à notre ex-femme et à notre fille qui sont parties en bateau. Mais la terreur, la vraie, si intense qu'elle n'est supportable qu'à court terme, n'existe que dans l'incertitude, dans l'inconnu, dans l'éventualité du pire. Pierre a toujours été convaincu que le moment le plus atroce pour l'homme qui tombe en bas d'une falaise ou d'un gratte-ciel doit être ce bref instant où il vacille et tente de reprendre son équilibre. Pendant la chute, le sentiment prédominant est sans doute le fatalisme, ou l'abandon, ou les deux. Mais les quelques microsecondes durant lesquelles cet homme se demande s'il va basculer ou non doivent être saturées d'une terreur pure. Enfin, Pierre n'en sait au fond absolument rien, mais c'est toujours ce qu'il a cru. Avant cette nuit, il a connu la terreur une seule fois : lors du massacre sur le boulevard Saint-Joseph, alors qu'on braquait des armes sur lui. En ce moment, assis sur la chaise inconfortable de la chambre d'hôpital, il éprouve cette émotion pour la seconde fois de sa vie.

Dans le lit devant lui se trouve Karine. Inconsciente. Une sonde traverse son bras, une autre entre dans sa narine droite. Elle semble dormir. Les traits décontractés, belle à couper le souffle. Pourtant, quelques heures plus tôt, elle a tenté de se suicider.

Ce n'est pas Marie-Claude qui l'a appris à Pierre. En fait, le message de la colocataire de Karine était laconique, se bornant à dire sur un ton tragique que monsieur Sauvé devait rappeler rapidement à l'hôpital. La jeune femme a laissé le numéro, affirmant qu'elle-même serait là une bonne partie de la soirée. Pierre a aussitôt appelé : il était vingt-trois heures et Marie-Claude était repartie, mais Pierre a parlé à un médecin qui a commencé en disant que sa fille était dans un état jugé encore critique, qu'il devait venir immédiatement et qu'il aurait des explications sur place. Lorsque le détective, à bout de nerfs, a demandé en hurlant ce qui s'était passé exactement, le médecin a fini par cracher le morceau : Karine avait avalé des médicaments en grande quantité, à un point tel qu'il ne faisait aucun doute qu'il s'agissait d'une tentative de suicide. Durant tout le trajet jusqu'à l'hôpital Notre-Dame à Montréal, ces trois mots n'ont pas quitté l'esprit de Pierre une seule seconde : tentative de suicide.

Sur place, l'infirmière lui a expliqué que Karine était inconsciente depuis son arrivée en début de soirée et que le docteur viendrait lui donner des détails dans quelques minutes. Une fois seul, Pierre a pris la main de sa fille et l'a pressée contre son cœur douloureux, comme s'il espérait que ce contact suffise à le consoler.

— Karine, a-t-il marmonné, la voix brisée. Karine…

Il l'a embrassée sur le front. En fait, il avait une envie folle de la prendre dans ses bras, mais il s'est dit que cela risquait de déplacer les sondes. C'est du moins la raison qu'il s'est donnée. Et maintenant, assis depuis quinze minutes sur cette chaise, il combat la terreur en utilisant une arme bien dérisoire : le raisonnement. Il se dit qu'elle va s'en sortir et qu'après, tout ira beaucoup mieux. Il *faut* qu'elle s'en sorte.

Elle est venue te voir la semaine dernière…

Pour repousser cette pensée, il se lève et s'approche du lit. Tout à coup, il comprend pourquoi elle est si belle, ainsi inconsciente : l'aura de ténèbres qui l'enveloppe depuis dix ans a totalement disparu.

Un médecin entre à ce moment et explique au père ce qu'il sait. Vers dix-huit heures, la dénommée Marie-Claude a découvert, en entrant chez elle, son amie inanimée sur le divan du salon, des flacons de médicaments à ses pieds. La colocataire a confirmé qu'il s'agissait de ses propres médicaments, qu'elle prend pour traiter son diabète. Le docteur estime que Karine a dû les ingurgiter trente minutes avant qu'on ne la découvre. Ce court laps de temps l'a sans doute sauvée, mais a été suffisant pour la plonger dans le coma. Le médecin donne des explications médicales auxquelles Pierre ne comprend rien. Il ne retient qu'une chose : la vie de sa fille n'est plus, à proprement parler, en danger, mais il est impossible de savoir quand elle se réveillera. Peut-être dans dix minutes, peut-être dans un mois… peut-être jamais.

Alors Pierre comprend qu'il s'est trompé : lui qui a toujours cru que la terreur était un sentiment si insupportable qu'on ne pouvait l'éprouver qu'à court terme, il réalise maintenant qu'il va peut-être le ressentir durant très, très longtemps.

◆

Un brouillard... qui peu à peu prend forme...
Un visage... Celui du père de Pierre, agonisant dans
son lit... qui tout à coup a un soubresaut de vie,
écarquille les yeux, réussit à articuler quelques paroles...

— Oh, mon Dieu, c'est fini ! Et il ne s'est rien
passé ! Rien !

Pierre sursaute et se réveille, sur le point de tomber
en bas de sa chaise. Hébété, il voit une jeune fille
debout devant le lit et finit par reconnaître Marie-
Claude. Il est neuf heures du matin.

— Du nouveau ? demande la jeune femme avant
même de saluer.

Le détective explique qu'il n'y a aucun développement. Après un long silence empli de malaises, il
ose enfin demander :

— Est-ce que... est-ce que Karine montrait des...
des signes de détresse dernièrement ?

Marie-Claude, qui n'ose regarder le policier dans
les yeux, bredouille :

— Karine n'a jamais été une fille tellement...
heu... tellement joyeuse. Bon, quand on sortait, elle
faisait la fête mais... C'est une fille assez secrète,
assez renfermée. J'imagine que je ne vous apprends
rien...

Évidemment, qu'elle ne lui apprend rien ! Pourquoi
elle lui dit cela ? C'est une accusation ? De nouveau,
son vieux réflexe fait surface.

— Mais dernièrement, c'est vrai que c'était pire,
ajoute l'amie de sa fille. Elle ne me parlait presque
plus, filait vraiment un mauvais coton... En fait, elle
était comme ça depuis... (elle devient encore plus
embarrassée) depuis la semaine dernière.

Depuis sa visite chez moi, ajoute Pierre mentalement. Il se demande si Marie-Claude est au courant. À voir son attitude, il jurerait que oui. Puis, la coloc dit qu'elle doit partir au boulot : elle voulait juste venir voir s'il y avait eu des changements. Après hésitation, elle tend deux clés à Pierre :

— C'est pour entrer chez nous. Si vous voulez aller voir pour… Enfin, si vous ressentez le besoin d'y aller. Contactez-moi si vous avez des questions. Sur n'importe quoi.

Pierre prend les clés en bredouillant un remerciement. Dix minutes après le départ de Marie-Claude, le cellulaire du détective sonne, mais Pierre n'y accorde aucune attention. À dix heures, le docteur arrive et demande, avec une certaine raillerie que le détective n'apprécie guère, combien de temps il a l'intention de rester dans la chambre. Le médecin rappelle qu'elle peut se réveiller dans une heure comme dans un mois.

— Vous ne pouvez pas rester ici vingt-quatre heures sur vingt-quatre. Nous avons vos coordonnées, détective Sauvé. Nous vous tiendrons au courant.

— OK… Mais je vais venir le plus souvent possible.

Sans saluer, sans même un regard pour sa patiente, le médecin disparaît. Pierre, qui ne peut se résigner à s'en aller, demeure encore une demi-heure dans la chambre. Enfin, il s'approche de sa fille, lui prend la main et la serre avec force. Une boule douloureuse gonfle dans sa gorge, mais il se retient pour ne pas pleurer.

— Reviens vite, ma belle.

Le visage de Karine demeure paisible. Il l'embrasse sur le front et, le corps voûté comme s'il avait vieilli de vingt ans, sort de la pièce.

Dans sa voiture, son cellulaire se remet à sonner. Pierre l'éteint sans même vérifier de qui provient l'appel. Il se dirige vers la rue Drolet. Il est si abattu que, malgré son sens exceptionnel de l'orientation, il se trompe de route et se retrouve dans Rosemont, au milieu d'un bouchon monstre. Qu'est-ce que c'est que ce trafic en plein week-end ? En apercevant des affiches, il comprend que c'est le *Monster Truck* au Stade olympique et, en maugréant, retrouve le bon chemin. Il s'arrête devant l'immeuble où habite Karine et, sans sortir du véhicule, observe la fenêtre de l'appartement, à l'étage. Il sort les clés de sa poche et les examine. Peut-être, s'il va fouiller un peu, découvrira-t-il des lettres, un journal personnel, un message quelconque. Mais pour cela, il devra entrer dans la chambre à coucher de sa fille, cette pièce qu'il a entrevue l'autre jour avec cet éclairage feutré, cette musique sensuelle, ces perruques… et ce jouet indécent, trônant sur la table de nuit… Cette chambre dans laquelle tant d'hommes sont entrés avant lui… À cette seule idée, une fine pellicule de sueur se forme sur son front.

Il remet les clés dans sa poche et démarre.

◆

Pierre entre dans son bureau, s'assoit et se masse le front durant de longues minutes, jusqu'à ce que Bernier, fidèle à ses habitudes, entre sans frapper, avec un petit rictus de reproche.

— Grasse matinée ce matin ?

Chloé suit le capitaine.

— Ça va ? demande-t-elle à son collègue. J'ai essayé de te joindre sur ton cellulaire et…

— Je sais, je sais…

Le doute apparaît sur les traits de la jeune femme et Pierre devine aisément les questions silencieuses qu'elle lui envoie : « *Est-ce que ton absence de ce matin a un lien avec notre soirée d'hier ? Tu regrettes d'avoir couché avec moi et tu veux m'éviter ?* »

— Écoute, Gilles, je voudrais prendre une couple de jours de congé.

Bernier redresse la tête avec réprobation.

— Je le savais que t'étais pas prêt pour cette enquête ! Ton psy a dû trouver son diplôme dans une boîte de…

— C'est pas ça. C'est… Ma fille est à l'hôpital.

Chloé devient soudain plus attentive. Le capitaine demande ce qu'elle a et Pierre, évasif, se borne à dire que c'est assez grave et qu'elle aurait besoin de lui pour deux ou trois jours.

— Chloé pourra très bien poursuivre l'enquête seule pendant ce court laps de temps pis me tenir au courant.

Il évite le regard de sa collègue, qu'il sent vrillé sur lui. À contrecœur, Bernier finit par accepter. Mais si Pierre ne se remet pas en selle bientôt, il devra se faire remplacer. Une fois le capitaine sorti, le policier s'empresse d'expliquer :

— Voilà ce que tu pourrais faire. Tu te souviens, on voulait aller voir les quatre personnes, dans la chemise Centre-du-Québec, qui sont encore en vie… Tu pourrais t'en charger. Demande-leur carrément si elles ont participé à des réunions spéciales à Victoriaville, cette année ou l'année passée. Pis si oui, qu'elles t'expliquent en quoi consistaient ces réunions.

— Je suis pas une novice, Pierre, je sais comment m'y prendre.

— Je sais ben. Je vais revenir mardi après-midi pis tu me feras le topo de tes rencontres. S'il y a une

urgence, appelle-moi sur mon cellulaire pis ce coup-
là, je vais répondre, promis.

— Qu'est-ce qui est arrivé à Karine ?

— Un accident. Je te donnerai les détails une autre
fois.

Elle ne le croit pas, c'est évident. Elle s'humecte
les lèvres et dit :

— Écoute, Pierre, si tu as besoin de parler, n'hésite pas. Après ce qui… après notre soirée d'hier, tu
n'as pas à te gêner pour m'appeler.

— Faudrait pas capoter avec notre soirée d'hier !
réplique le policier, un rien agressif. On a pus vingt
ans, Chloé !

Contre toute attente, elle éclate de rire, son rire
si juvénile, si sincère, si contagieux.

— Voyons, Pierre, je le sais ! Surtout pas toi ! Tu
vas avoir quarante ans dans deux semaines, non ?

Elle rit à nouveau. Pierre, au contraire, se renfrogne. Dire que tout le monde voulait lui faire une
grande fête pour ses quarante ans… Ça promettait
d'être gai, oui. Chloé redevient sérieuse, mais a tout
de même un sourire d'encouragement :

— Allez, va voir ta fille… On se revoit mardi.

Elle marche vers la porte. Pierre, traversé par un
bref éclair de remords, lui lance d'une voix désinvolte :

— C'était très bien, hier soir.

Chloé le considère avec un sourire mi-hautain,
mi-frondeur :

— C'était pas pire…

Et elle sort, sous l'œil rond et déconcerté de son
collègue, qui n'attendait pas une réponse si modérée.

◆

Pierre loue une chambre dans un hôtel de la rue
Sherbrooke, tout près de l'hôpital Notre-Dame, prend
rapidement une douche et retourne dans la chambre
de Karine. Il passe la journée sur la chaise, sentant
peu à peu la fatigue de sa nuit blanche s'abattre sur
lui. Il plonge dans le passé, se rappelle Karine lorsqu'elle était petite, tente de se remémorer les moments
où il jouait avec elle, mais en trouve très peu. Pourtant, quelques scènes fortes lui reviennent en mémoire:
les baignades au lac du chalet, les trois ou quatre
fois où il est allé la voir jouer à la ringuette… et la
seule Halloween qu'il a courue avec elle. Elle avait
huit ans et était déguisée en lapin. Lui-même s'était
affublé en vampire, et elle était si heureuse. À chaque
porte, elle annonçait avec fierté: «C'est mon papa!»
Plusieurs fois, il se lève et va lui caresser la joue.

Vers dix-huit heures, Marie-Claude est de retour
avec une fille et un garçon de son âge, des amis de
Karine que Pierre ne connaît pas. Vaguement honteux, le détective les laisse seuls et erre dans l'hôpital,
indifférent aux infirmières pressées, aux médecins
bourrus et aux patients geignards qu'il croise dans
les couloirs encombrés. Parfois, provenant d'une
chambre, il perçoit les sons d'une télévision et,
importuné par ces bruits qui envahissent sa bulle, il
finit par sortir pour aller se promener dans le parc
LaFontaine, tout près. Lorsqu'il revient dans la
chambre à dix-neuf heures trente, les amis de sa
fille sont partis. À vingt heures quarante, le médecin
trouve le policier endormi sur sa chaise et lui ordonne presque d'aller se coucher.

Dans sa chambre d'hôtel, Pierre dort comme un
loir durant douze heures. Ses rêves vibrent de cris
et de pleurs, mais il n'arrive pas à se les rappeler à
son réveil.

Tout au long de la journée suivante, Karine ne donne toujours aucun signe d'évolution. En lui caressant l'épaule, Pierre songe : *Et si elle restait comme ça durant des mois ? Ou pour toujours ?* Il serait incapable de le supporter. Finalement, il se rend compte qu'il avait raison : la terreur n'existe qu'à court terme. Car déjà, ce qu'il ressent est différent : c'est le début du désespoir. Un sentiment moins aigu, mais plus sournois, plus lourd, plus destructeur...

Lorsque le soir il retourne dans sa chambre d'hôtel, il réalise que Chloé ne l'a pas appelé une seule fois. Sur le moment, il apprécie cette délicatesse, puis se dit qu'au fond, cela lui ferait peut-être du bien de lui parler un peu. Il l'appelle et tombe sur le répondeur. Il songe à laisser un message, puis renonce. Il raccroche, déçu. Il se souvient alors de ce qu'il a pensé en sortant de chez Chloé, l'autre soir, cette idée qu'il ne veut pas sortir avec une collègue de travail pour que sa vie privée ne contamine pas sa vie professionnelle... Est-ce ainsi qu'il a toujours vu le travail ? Comme une échappatoire au quotidien ? Au point qu'il a besoin d'une étanchéité totale entre les deux sphères ?

Comme pour s'empêcher de s'enfoncer dans une idée aussi déprimante, il réussit à s'endormir rapidement, indifférent à la dispute qui a lieu dans la chambre d'à côté.

◆

La journée de lundi se passe de la même manière.

Mardi, vers treize heures, debout à côté du lit de sa fille, il se convainc qu'il doit retourner à Drummondville. La nuit passée, il a de nouveau rêvé à la fusillade et Rivard, criblé de balles, tournait un regard accusateur vers lui en geignant : « Tu m'abandonnes, Pierre ! Tu t'approchais du but, et tu nous abandonnes ! » Il doit recommencer à vivre. Reprendre la seule chose qui le comble vraiment : le travail. Pour l'instant, il en a plus ou moins envie, mais il sait qu'il y reprendra goût rapidement. Après tout, c'est l'enquête de sa vie, une enquête comme peu de flics en vivront dans leur carrière.

Et si Karine mourait pendant son absence ?

Non, impossible. Le docteur est catégorique : elle est hors de danger.

Alors, si elle se réveillait pendant que tu n'es pas là ? Serais-tu capable de supporter l'idée que tu as été encore une fois absent pour elle ?

Une chose à la fois. D'abord, retourner à Drummondville pour demander à Chloé un compte-rendu des dernières journées. Ensuite… il verra. Comme pour se remettre dans le bain, il sort son agenda de son veston et constate qu'il a rendez-vous avec son psy cet après-midi. Il en a assez, de ces rencontres avec Ferland ! Maintenant qu'il va devoir faire la navette entre Drummondville et Montréal, il ne compliquera pas les choses avec un psychologue en plus ! Ferland l'a bien aidé, c'est vrai, mais maintenant il n'a plus besoin de lui. Il veut appeler le psychologue pour tout annuler mais réalise que le numéro de téléphone est à Drummondville. Tant pis, il arrêtera une dernière fois à Saint-Bruno sur le chemin du retour.

Et pourquoi ne pas parler à Ferland de Karine ? Et de toi, par la même occasion ?

Ça suffit ! Il n'a plus besoin de Ferland, point final. Il embrasse sa fille sur le front et murmure :

— Je vais revenir très vite. Je te le promets. Attends-moi.

Le visage de Karine ne bouge pas, lumineux. Le cœur brisé, Pierre sort de la chambre.

◆

Frédéric pince les lèvres, croise une jambe et réplique :

— Lors de notre dernier rendez-vous, Pierre, vous songiez aussi à abandonner la thérapie. Je croyais que nous avions conclu une entente.

Assis devant lui, Sauvé ne semble pas apprécier la terminologie employée par le psychologue.

— Je n'abandonne pas, je pense juste que je n'ai plus besoin de… heu… de ces rencontres. Elles m'ont beaucoup aidé… *Vous* m'avez beaucoup aidé, mais là, c'est correct. Je peux faire un bout tout seul.

Frédéric doute que son client aille mieux. En fait, il le trouve en plus mauvais état que la dernière fois, avec des cernes sous les yeux et le teint pâle. Sûrement que l'enquête du policier devient de plus en plus corsée… mais Sauvé ne divulgue plus rien à ce sujet. Comme la semaine dernière, le psychologue tente de raisonner le policier, mais devant l'impatience de ce dernier, il abandonne. Avec un sourire crispé, il dit enfin :

— Eh bien, Pierre, c'est vous qui décidez !

Avant que le détective ne parte, Frédéric va à son bureau, ouvre un cahier de notes et inscrit une série de chiffres sur une page.

— C'est mon numéro de téléphone personnel.

Il arrache la feuille, la plie en quatre et la donne au policier.

— Surtout, n'hésitez pas à m'appeler, à n'importe quelle heure du jour, s'il y a quoi que ce soit dont vous voulez parler. Que ce soit d'ordre émotif… ou d'ordre professionnel.

Sauvé, en rangeant le papier dans sa poche, arque un sourcil et le psychologue se dit qu'il en met peut-être un peu trop.

— Merci pour tout, Frédéric. Sincèrement.

Vingt secondes plus tard, il est parti. Frédéric s'assoit dans son fauteuil, joint les mains et pose ses deux index sur son menton, le visage contrarié.

Pas prévu, ça… Mais au fond, il a fait ce qu'il avait à faire, non ? Son flambeau est maintenant bien allumé, c'est ce qui est important. Il fume une ciga-rette tout en repensant à son dernier dîner avec Lavoie.

S'il savait tout, il te tuerait sans hésiter.

Le psychologue se lève. Cette éventualité est le dernier de ses soucis. Ce qui l'incommode, en ce moment, c'est qu'il ne pourra plus s'occuper de son flambeau jusqu'à ce qu'il s'éteigne. Bien sûr, ce sera intéressant, mais l'excitation réside *aussi* dans l'observation du processus de combustion. Ce qui, désormais, ne lui sera plus permis. D'ici la grande finale, Icare devra se contenter de faire du surplace. Très frustrant quand on a enfin un plan de vol idéal. Il se laisse retomber dans son fauteuil.

Très, très frustrant…

◆

— Comment va Karine ?

Pierre, assis derrière son bureau, change de posi-tion sur sa chaise.

— Un peu mieux. Mais va falloir que j'y aille souvent.

Chloé attend la suite. Pierre toussote puis, prenant un air « professionnel », demande :

— Alors, du nouveau ?

Chloé, qui n'insiste pas, sort son calepin et lance un regard étincelant vers son collègue.

— Tiens-toi bien... Tout d'abord, il y a Paul N'guyen, qui vit ici à Drummondville et qui a auditionné pour l'émission cette année. Il dit n'être au courant de rien. Je lui ai parlé des réunions à Victoriaville, mais il m'a juré qu'il n'a aucune idée de ce dont je parle. Franchement, il avait l'air terrifié et m'a presque mise à la porte. Disons que c'est assez louche comme comportement.

Elle tourne la feuille de son calepin.

— Puis j'ai rencontré Linda Mélançon, à Princeville. Elle a auditionné l'an passé. Elle a beaucoup résisté, mais a fini par m'avouer, en larmes, qu'elle s'était rendue en février et mars de l'année 2005 à trois réunions à Victoriaville, dans une salle communautaire. Pas celle qu'on a visitée l'autre jour, mais quelque chose du même genre. J'imagine que, par précaution, on change de salle d'une année à l'autre. Mélançon m'a résumé le déroulement de la réunion.

Chloé regarde son collègue, le visage tout à coup consterné.

— C'est... c'est affreux, Pierre. Les réunions sont organisées par un certain Charles qui incite les gens présents à se suicider. Il dit que plus rien ne vaut la peine, que tout est vain et que le mieux est de mourir.

Pierre écarquille les yeux, tellement secoué qu'il réussit à ne pas penser à Karine pendant quelques instants. Chloé poursuit :

— Cette femme était tellement bouleversée que je n'ai pas tout compris. Elle pleurait tout le temps et m'a avoué qu'elle n'avait jamais parlé de ça à personne. C'était vraiment… vraiment dur. (Pause.) Il paraît que le dénommé Charles leur dit qu'ils doivent brûler leur flambeau avant de se suicider.

— Leur flambeau… Le même mot qu'a employé Gagnon…

— Je lui ai demandé ce que ça voulait dire, mais elle n'était pas capable d'être très claire là-dessus, son discours était incohérent.

Pierre écoute maintenant attentivement, son intérêt parfaitement éveillé… sauf que Karine est toujours là, discrète mais prête à reprendre l'avant-scène au moindre silence.

— Quand je lui ai demandé pourquoi, après plus d'un an, elle ne s'était pas enlevé la vie, elle m'a répondu qu'elle n'en avait pas le courage. Elle n'arrêtait pas de répéter: «pas le courage, pas le courage». Elle est devenue presque hystérique et j'ai dû partir: je ne pouvais plus rien en tirer.

— Elle dit qu'elle a assisté à trois réunions. Pourtant, sur le calendrier de Nadeau, il y en avait quatre…

— Elle m'a précisé qu'il n'y en avait eu que trois. Et le mot déluge ne lui dit absolument rien.

Elle tourne à nouveau la feuille de son calepin.

— La troisième personne est aussi intéressante. Il s'agit de Jean-Marc Huard, de Saint-David, qui a auditionné cette année. Non seulement il n'a pas hésité à parler, mais il était même triomphant de tout me dire. Il a assisté aux trois réunions de cette année (lui aussi dit qu'il n'y en a eu que trois) et, si je me fie à la description qu'il en a faite, elles étaient identiques à celles de l'année dernière. Après ces trois séances, il a été quelques jours sans dormir, ne sachant plus si ce Charles avait raison ou non. Puis, au bout d'une semaine, il est venu tout raconter ici même, au poste de police.

— Tu es sérieuse?

— Il me jure que c'est vrai. Il est venu à la mi-mars. Il affirme qu'on l'a écouté, qu'on a tout noté, mais qu'après trois jours, on lui a dit qu'on ne pouvait donner suite à son histoire. Éperdu, il est retourné chez lui, en a parlé à quelques personnes mais, devant l'incrédulité générale, il a fini par se taire et ronger son frein.

— Qui de nos gars a recueilli sa déposition?

— J'ai fini par retrouver de qui il s'agissait: Salois et Courteau. Je les ai questionnés. Ils se souviennent très bien de Huard, qui leur a donné l'impression d'être un homme extrêmement instable. Ils ont découvert, tout comme nous, que la salle avait été louée par la compagnie Wizz-Art. Mais lorsqu'ils ont appelé cette compagnie, on leur a répondu et tout semblait dans les normes.

— La compagnie fantôme a donc continué d'exister quelques semaines après les réunions… S'ils avaient appelé trois mois plus tard, ils auraient constaté qu'elle n'était qu'un *front*.

— Ils ont ensuite fait quelques recherches sur Huard et ont constaté que le gars avait consulté des psys dans le passé et était sous médication. Bref, ils ont clos le dossier rapidement.

Pierre ronchonne en croisant les bras.

— Allons, Pierre, toi et moi, on aurait fait la même chose…

Le détective ne répond rien mais se dit intérieurement que sa collègue a sûrement raison.

Est-ce que Karine est réveillée, en ce moment? Toute seule dans sa chambre d'hôpital, aussi seule qu'elle l'était dans le bateau échoué tandis que le cadavre de sa mère flottait à quelques mètres d'elle…

Il secoue la tête. Il ne pourra pas passer des journées entières ici sans avoir de nouvelles de Karine, il n'y arrivera pas.

— Huard a été un peu plus précis sur la nature de ce « flambeau », poursuit Chloé. Ce serait une sorte de trip ultime qu'il faut réaliser avant la mort, afin de constater à quel point le plaisir qu'on en tire est intense mais éphémère.

Elle referme son calepin en concluant :

— Ni Mélançon ni Huard n'ont mentionné le nom de Lavoie. Il n'y aurait que ce Charles. Et le mot « déluge » ne leur dit absolument rien.

— Pourtant, Lavoie est lié à cette histoire, c'est évident ! rétorque Pierre avec humeur. Ça peut pas être par hasard que les gens classés dans sa « banque de seconde main » aient participé à ces réunions ! Parce que je suis sûr qu'il y avait des réunions dans chacune des seize régions de ces chemises ! Pis cette histoire de flambeau, tu trouves pas que ça ressemble aux trips des auditions ?

— J'ai vérifié. Effectivement, les gens qui se sont suicidés l'ont fait après avoir accompli des actes extrêmes qui se rapprochent du rêve qu'ils souhaitaient réaliser à *Vivre au Max*.

— Comme Nadeau qui voulait se venger de son ex, qui souhaitait même indirectement sa mort ! Pis tu te rappelles ce qu'elle a dit à sa meilleure amie, deux semaines avant de passer à l'acte ?

— Faut que ça flambe…

Silence. Puis, Pierre se lève, excédé :

— Alors, qu'est-ce qu'on attend pour convoquer Lavoie pis lui faire avouer que c'est lui qui pousse ces gens au suicide ?

Tout à coup, au mot « suicide », l'image de Karine, déjà omniprésente, explose littéralement dans son esprit, et le détective se sent défaillir. Chloé le remarque :

— Ta fille va pas mieux, hein, Pierre ?

— Excuse-moi, je…

Il ne pourra pas… Il ne pourra pas enquêter sur un dingue qui incite les gens à se tuer alors que sa propre fille a essayé de…

Un flash : il se revoit deux mois plus tôt avec Karine, en train d'écouter *Vivre au Max*… Karine qui aimait tellement cette émission…

— Pierre ?

Non, ce serait vraiment trop…

— Pierre, à quoi tu penses ?

Le détective se lève et sort de son bureau. Chloé le suit :

— Mais qu'est-ce que tu as ?

Il entre dans la petite salle où se trouvent tous les rapports de Lavoie. Il fouille parmi les dossiers et trouve celui de Montréal, que Chloé et lui n'ont pas encore vraiment examiné. Il l'ouvre et, d'une main fébrile, se met à feuilleter les rapports qui, pour la plupart, sont marqués d'un X. Il entend des bruits sourds résonner dans la pièce et se rend compte que c'est son cœur.

Calme-toi. Tu te fais des idées.

Pourtant, il cherche toujours, il cherche ce qu'il ne veut pas, ce qu'il ne *doit* pas trouver.

— Pierre, vas-tu me répondre ? demande Chloé, maintenant alarmée.

Et tout à coup, il tombe sur le rapport. Ou, plutôt, c'est le rapport qui lui saute au visage. Deux feuilles de papier exactement comme les autres, mais sans X, marquées d'un nom qui se met à briller comme s'il était écrit en lettres de feu, un nom qui grossit et brûle les rétines de Pierre. Le rapport lui glisse des mains et même si Pierre demeure debout, il a l'impression de tomber aussi. Il ne voit pas Chloé ramasser les deux feuilles. Il ne l'entend pas marmonner un «Oh non!» catastrophé lorsqu'elle lit le nom de Karine sur la première page. Par contre, il perçoit une voix, la sienne, aussi froide qu'un flacon de médicaments qui glisse d'une main rendue molle par l'inconscience:

— On convoque Maxime Lavoie. Le plus vite possible.

◆

À l'autre bout du fil, Lavoie garde le silence un moment, puis demande avec une sécheresse désertique:

— C'est une arrestation, détective?

— Pas du tout, rétorque Pierre, qui réussit à conserver un ton neutre. C'est juste une convocation pour vous poser quelques questions. J'ai essayé de vous appeler hier, mais vous étiez absent. Si cela avait été une vraie arrestation, j'aurais déjà envoyé des agents vous chercher.

— Et si je refuse?

— Parlez-en à votre avocat, je suis sûr qu'il vous le déconseillera.

Courte pause. Chloé, face à Pierre, entend toute la discussion retransmise par les haut-parleurs dans le bureau du détective. Lavoie dit enfin:

— Pour cette semaine, c'est impossible, je suis trop pris.

— Trouvez un trou.

Soupir à l'autre bout du fil, puis:

— Bon. Je pourrais me libérer dans deux jours, vendredi.

— Parfait. Au poste de police de Drummondville, à treize heures.

La voix de l'animateur devient aigre tandis qu'il crache presque :

— Vous vous enfoncez de manière vraiment pathétique, détective.

Pierre raccroche sans un mot. Chloé croise les bras :

— Pas sûre, moi, que cette convocation est une bonne idée. Je continue à croire qu'on aurait dû attendre d'avoir plus d'éléments solides pour pouvoir carrément l'arrêter.

— Moi, je te dis que je peux tout lui faire avouer vendredi après-midi !

Chloé ne réplique rien, dubitative. Pierre, qui ne peut tenir en place, marche vers la porte en lançant qu'il retourne à Montréal.

— Karine a voulu se suicider, n'est-ce pas ?

Le policier se retourne, électrifié. Sur le moment, il songe à nier… mais à quoi bon ? La veille, en voyant le rapport d'audition de Karine, sa collègue a évidemment tout compris.

— C'est pour ça que tu es pressé d'affronter Lavoie. Tu prends cette affaire personnel, maintenant.

La policière dit cela sans reproche, avec indulgence.

— Il faut que j'y aille, dit Pierre rapidement.

— Tu veux que je t'accompagne ?

Contre toute attente, il se sent soulagé qu'elle soit désormais au courant. Soulagé de ne plus avoir à faire semblant. Soulagé de pouvoir compter sur elle.

— Oui, répond-il sans hésitation. S'il te plaît.

◆

Ils n'ont pas dit un mot depuis leur départ il y a dix minutes. Mais tandis qu'il engage sa voiture sur l'autoroute, Pierre parle enfin :

— Le rapport d'audition de Karine est sur la banquette arrière. Prends-le et lis-le-moi.

— Tu peux attendre d'être seul si tu...

— Lis-le-moi.

Chloé prend les deux feuilles de papier et s'efforce d'adopter un ton neutre.

Madame Karine Sauvé est une jeune femme qui a toujours rêvé d'être comédienne mais qui n'a jamais été acceptée dans une école de théâtre. Elle a cessé d'auditionner, trop découragée, mais aimerait montrer aux gens à quel point elle est talentueuse et qu'elle peut adopter n'importe quel rôle.

Pierre tique. Et Karine qui lui affirmait qu'elle auditionnait toujours, qu'elle était convaincue qu'une école l'accepterait bientôt...

— Lis le rapport du psychologue.

Chloé tourne la page.

Karine Sauvé, malgré son très jeune âge, semble avoir beaucoup vécu. Une grande souffrance émane de cette jeune femme. Il est ressorti assez rapidement et assez clairement qu'elle veut être comédienne pour impressionner les gens, pour être aimée, pour être importante aux yeux de quelqu'un : sa mère est morte il y a dix ans et son père semble être plutôt absent.

La policière fait une pause et jette un œil circonspect vers Pierre, qui crispe les mâchoires, sans quitter la route des yeux. Par réflexe de défense, il a envie de dire à Chloé de se taire, de ne pas lire le reste, mais il réussit à demeurer silencieux. Sa collègue poursuit donc :

Malgré ses airs de dure, elle est très influençable, en profonde détresse et a un immense besoin d'attention. À la fin de l'audition, elle a pleuré et a même laissé sous-entendre, sans le mentionner clairement, qu'elle pourrait en finir (idéation suicidaire). J'ai cru aussi déceler certains symptômes de trouble de la personnalité de type histrionique. Cette jeune femme a déjà consulté deux psychologues par le passé.

Pierre serre le volant de toutes ses forces. Il revoit Karine, l'autre soir, devant sa maison…

« Je veux qu'on se parle, tous les deux, qu'on se parle pour de vrai ! »

— Tu vas trop vite, Pierre…

— Hein ?

— Ralentis un peu.

Il réalise que la voiture roule à 145. Il lève le pied et la vitesse descend rapidement à 115. Le reste du voyage se déroule en silence.

◆

Ils sont tous deux sortis de la voiture. Debout sur le trottoir, ils observent l'immeuble à logements de l'autre côté de la rue depuis une bonne minute.

Tout à l'heure, ils sont allés voir Karine. Pierre, silencieux, est demeuré vingt minutes devant sa fille toujours plongée dans le coma, à lui caresser les cheveux, tandis que Chloé, un peu à l'écart, observait la jeune fille avec tendresse. Puis, le détective a embrassé sa fille et a dit à sa collègue d'une voix neutre :

— On s'en va chez elle.

Mais Pierre, maintenant devant l'immeuble, n'ose pas. Autant tout à l'heure il souhaitait la présence de Chloé à ses côtés dans la chambre, autant maintenant, alors qu'il est sur le point d'entrer dans l'univers de sa fille, il a des scrupules à y emmener quelqu'un avec lui. Comme si elle avait lu dans ses pensées, Chloé lui dit qu'elle va se rendre au café, juste au coin de la rue. Reconnaissant, Pierre la remercie.

— Prends ton temps, ajoute-t-elle.

Le policier entre dans l'immeuble et sonne à l'appartement. Aucune réponse. Marie-Claude est donc sortie et cela l'arrange parfaitement. Grâce aux clés qu'elle lui a données, Pierre ouvre la première porte, monte à l'étage puis ouvre la porte de l'appartement. Il fait quelques pas lentement et a l'impression que ceux-ci résonnent avec une ampleur démesurée. Il s'approche de la chambre de Karine et, après avoir pris une grande respiration, il entre.

Pas d'éclairage sensuel, cette fois : juste le soleil qui pénètre par la fenêtre aux rideaux écartés. Pas de jouet érotique sur la table de chevet. À la place, un livre et un verre vide. Mais les perruques sont toujours suspendues aux crochets. Sur le bureau, il y a un ordinateur portatif ouvert. L'écran de veille représente un chat qui poursuit une souris. Il s'approche de la commode, ouvre les tiroirs avec méfiance. Trois d'entre eux ne contiennent que des vêtements, mais le quatrième est un foutoir de différents objets sexuels : vibrateurs, pénis en latex, menottes et autres trucs inconnus à Pierre qui, de toute façon, s'empresse de refermer cette vision dégoûtante.

Il va au garde-robe et l'ouvre avec prudence, comme s'il s'attendait à ce que sa fille en surgisse, habillée d'un corset de cuir et de jarretelles. Il se retrouve devant une série de costumes hétéroclites. Il y a les classiques : infirmière, religieuse, mariée, sado-maso, écolière, petit chaperon rouge... Puis, d'autres plus particuliers : juge, soldate, prisonnière, indienne, chef cuisinière… Quelques robes très chics, aussi. À chaque costume est suspendue une étiquette qui l'identifie. L'un d'eux ressemble à une sorte d'accoutrement de science-fiction et Pierre lit l'étiquette : Princesse Leia. Partagé entre la fascination et la nausée, il marche vers les perruques qui, elles aussi, portent toute une étiquette.

Qu'est-ce que tu cherches, Pierre ?

Il ne cherche rien. Il veut juste comprendre. Connaître un peu plus sa fille.

Mais ta fille n'est pas uniquement ce que tu vois ici. Elle est plus que ça.

— Il faut pas la juger, monsieur Sauvé.

Le détective se retourne. Marie-Claude se tient dans l'embrasure de la porte, mal à l'aise et pourtant l'air déterminé. Pierre ne l'a même pas entendue entrer.

— Elle faisait ça depuis combien de temps ? articule-t-il.

— À peu près un an.

Pierre hoche la tête, marche vers la table de chevet. Il y prend le roman : *Les Noces barbares,* écrit par un auteur dont le nom de famille lui semble illisible, quelque chose du genre de Qulefflec, ou Queffelce…

— Elle a tellement trimé dur pour ses auditions, poursuit Marie-Claude. Comme aucune école ne voulait d'elle, elle a essayé de travailler dans des restos ou des magasins, mais elle était trop tête dure pour se plier aux ordres des patrons.

Pierre va au bureau, ouvre quelques tiroirs. Papiers, crayons, différents livres. Pas de journal personnel. La coloc continue :

— Elle ne voulait pas être escorte longtemps. Elle disait que c'était temporaire. Le temps qu'un réalisateur ou qu'un metteur en scène la remarque enfin.

Pierre se retourne vers la jeune fille. Lorsqu'il parle, sa voix est égale et contrôlée, même s'il sent son ventre en proie à mille morsures, comme s'il était empli d'insectes.

— Elle a auditionné pour *Vivre au Max,* tu le savais ?

— Bien sûr. Karine ne parlait pas beaucoup d'elle, mais ça, on le savait tous.

Pierre hoche la tête. Sauf lui. Sauf son père. Il regarde autour de lui, puis demande :

— Est-ce qu'elle est allée à... à des réunions mystérieuses, en février ou mars dernier ?

Marie-Claude, prise de court par la question, réfléchit, dit qu'elle ne voit pas. Puis, elle demande au policier d'attendre un peu et fouille dans son sac à main. Elle en sort un agenda qu'elle feuillette.

— Attendez... Le 7 mars, il y avait un *party* d'organisé pour Julien, un ami commun. Durant l'après-midi, Karine m'a dit qu'elle n'irait pas, je me souviens que ça m'avait bien déçue. Je lui ai demandé pourquoi, mais elle m'a répondu qu'elle avait autre chose, sans préciser quoi. Elle était plus renfermée que d'habitude. Quand je suis rentrée à trois heures du matin, elle était au salon, l'air vraiment bizarre, comme en état de choc. En me voyant arriver, elle est allée dans sa chambre sans rien me dire.

Pierre sent l'irritation dans son ventre monter le long de son œsophage. Dieu du ciel, Karine s'est vraiment rendue à ces réunions pro-suicide... Elle y est allée ! Sa propre fille !

— En tout cas, poursuit Marie-Claude, c'est à partir de ce jour-là qu'elle a... heu... spécialisé ses services.

— Qu'est-ce que tu veux dire ? demande Pierre, qui voudrait se réveiller dix ans plus tôt, afin qu'il puisse partir de Montréal à l'heure et arriver au chalet à temps, avant que Jacynthe ne parte en bateau avec Karine, ou, mieux encore, se réveiller quinze ans plus tôt, avant même que Jacynthe ne le quitte.

— Ben… avant cette soirée, elle était une… heu… une escorte standard, disons… mais après elle s'est spécialisée en…

Elle hésite, puis marche vers l'ordinateur. Elle se branche sur Internet et inscrit l'adresse « montreal-chixxx.com ». Sur l'écran apparaissent en lettres rouges les mots « Montreal Chixxx », flanqués de trois filles habillées d'un simple slip qui fixent l'internaute d'un air lubrique. Marie-Claude s'écarte et propose :

— Le mieux est que vous constatiez par vous-même.

Elle prend un air contrit, et pourtant Pierre voit une certaine arrogance dans son regard, comme si elle disait : « Il est temps que vous voyiez enfin la vérité ! » Pierre se penche vers l'écran. Dans le menu du site, il voit une série d'onglets : « Pictures », « Videos », « Escorts »… En avalant sa salive, il clique sur le troisième onglet et une liste de prénoms de filles apparaît. En voyant celui de « Laura », il se souvient qu'il s'agit du prénom utilisé par le client de l'autre jour. D'une main tremblante, il clique sur « Laura ». Six photos apparaissent, représentant chacune une jeune fille costumée différemment, et même si le visage est camouflé, Pierre reconnaît cette petite tache de naissance sur l'épaule droite. Sa vue devient défaillante. Il réussit tout de même à lire le texte, écrit en français et en anglais :

LAURA : superbe jeune fille de vingt ans, 5' 6", 36-B/24/35. Laura se spécialise dans les jeux de rôle. Vous avez toujours rêvé de coucher

avec une nonne, une infirmière, une juge ou
n'importe quel autre personnage sorti de votre
imaginaire ou même d'un film célèbre ? Laura
se fera un plaisir de se transformer pour vous !
Mieux qu'une actrice : une actrice perverse !
Que demander de plus ?

Pierre cesse de lire, s'assoit sur le lit et fixe le
plancher entre ses cuisses. Il entend Marie-Claude
dire :

— Je sais qu'elle est allée vous voir, l'autre jour.
Elle m'a dit qu'elle voulait enfin tout vous expliquer,
qu'elle avait besoin de le faire. Quand elle est revenue,
elle ne m'a rien raconté, mais elle était plus renfermée
que jamais.

Une note de reproche dans sa voix, le policier la
perçoit nettement. Elle ajoute :

— Ça s'est pas bien passé, j'imagine ?

◆

Salvador étudie la grille posée sur son bureau
ainsi que les quelques chiffres qui y sont inscrits,
les traits crispés par la concentration. Lui qui est
déjà tout ridé malgré sa jeune quarantaine n'en
paraît que plus ratatiné. Il mâchouille le bout de son
crayon et les bijoux à ses doigts étincellent littéralement sous le lustre de la grande pièce, envoyant
des reflets dans le visage de Maxime assis en face
de lui. Le milliardaire se renfrogne, agacé autant par
le miroitement que par l'attitude de l'Espagnol, qui
persiste à s'occuper de sa feuille de papier. Les bruits
de discussion provenant de la salle à manger du restaurant, située dans la pièce voisine, se font à peine
entendre, étouffés par les murs insonorisés.

Les yeux de Salvador s'agrandissent de satisfaction et il inscrit un chiffre dans sa grille.

— Ah oui, un 3… Oui, oui, oui…

Il glousse.

— Étonnants, ces Japonais, susurre-t-il avec son accent loufoque. Comment est-ce que le sudoku pis le hara-kiri ont pu être inventés par la même gang ?

Maxime joue impatiemment avec son verre de gin tonic.

— Alors, Salvador, tu acceptes ou non ?

Salvador soupire et regarde enfin son interlocuteur, l'air ennuyé.

— Pourquoi tu veux que je fasse tuer ce flic ?

— Il m'a convoqué pour un interrogatoire vendredi.

— Un mandat d'arrestation ?

— Non. Mais c'est tout de même emmerdant.

— Même s'il meurt, t'auras un autre interrogatoire avec un autre flic plus tard.

— Oui, mais c'est justement ce que je souhaite : gagner du temps.

Salvador le considère un moment en donnant de petits coups de crayon sur son bureau, comme si on lui demandait d'aller faire des courses alors qu'il vient de s'installer confortablement dans son divan.

— Qu'est-ce qu'il te veut, ce flic, Max ?

— Je t'ai toujours grassement payé pour que tu me fournisses des hommes sans poser de questions.

— Mais tu m'as jamais demandé de faire assassiner un *poli*.

Maxime ne trouve rien à répondre à ça. Il tourne la tête vers l'arrière. Près de la grande porte fermée se tiennent deux gardes du corps, imperturbables. Même si Maxime sait qu'il peut compter sur la complète et totale discrétion de ces hommes, il n'aime pas tellement parler de choses si précises devant eux. Il revient à Salvador qui, à nouveau concentré sur sa grille, marmonne :

— Ah non, *mierda !* ça peut pas être un 3…

Maxime sait qu'il ne doit pas se méprendre sur les airs candides et désinvoltes de l'Espagnol. Il le sait, car lui-même a déjà eu affaire à l'autre Salvador, celui qui est toujours attentif sans en avoir l'air, prêt à apparaître à tout moment. Quand il est venu le rencontrer pour la première fois alors qu'il quittait Lavoie inc. et qu'il préparait son émission, Salvador était assis à ce même bureau. À ce moment-là, c'étaient les mots croisés qui le captivaient. Pendant tout le temps qu'a parlé Maxime, l'Espagnol a donné l'impression de n'être intéressé que par son petit jeu. Et pourtant, à la fin, il a fait un simple geste avec son doigt, sans lever la tête de ses mots croisés, et aussitôt Maxime a senti le ciel lui tomber sur la tête. Il s'est réveillé dans une cave humide et sombre, retenu par des chaînes à un mur de pierre. Trois hommes se tenaient devant lui, dont Salvador, qui n'arborait plus du tout son expression ludique et débonnaire. Il a demandé à Maxime comment il l'avait découvert, comment il savait que lui, Salvador Truscas, restaurateur depuis huit ans, était à la tête d'un des groupes criminels les plus redoutables du Québec. Maxime a répondu qu'avec l'argent, on pouvait tout savoir.

— OK, on résume, a dit Salvador. T'es un des hommes les plus riches d'Amérique, l'ex-PDG de Lavoie inc. qui vient tout juste de démissionner pis qui prépare une émission de télé. Pis tu viens demander à un chef de la pègre de te fournir des hommes, de te rendre quelques petits services, tout ça sans jamais poser de questions ?

— Contre un salaire des plus raisonnables, a ajouté Maxime.

— Pis tu t'attends à ce que je dise : « OK, *no problemo* », comme ça, les yeux fermés ?

— Pourquoi pas ?

Salvador lui a donné un coup de pied dans le ventre, premier d'une longue série.

— C'est quoi, la crosse ?

— Y en a pas, a bredouillé Maxime, le souffle coupé.

Deux autres coups ont suivi, au ventre et en pleine mâchoire.

— On va voir ça.

Et il est sorti avec ses deux hommes. Le temps a passé, atrocement lentement, sans que Maxime puisse faire la différence entre le jour et la nuit. De temps en temps, Salvador descendait, avec un peu d'eau mais sans nourriture, lui donnait trois ou quatre coups de pied et, penché en avant, les mains dans le dos, répétait inlassablement :

— C'est quoi, la crosse ?

Chaque fois, Maxime jurait qu'il n'y en avait pas.

Il savait très bien ce que faisait Salvador pendant qu'il croupissait dans ce cachot : lui et ses hommes fouillaient dans la vie de Maxime, à la recherche d'une arnaque, et s'assuraient qu'aucun policier n'attendait de ses nouvelles. Ils avaient sans doute fouillé sa maison. Comme Maxime avait prévu le coup, il avait loué une luxueuse chambre d'hôtel pour Gabriel. Il avait d'ailleurs expliqué à l'enfant qu'il serait sûrement absent quelques jours, tout en précisant que s'il n'était pas revenu d'ici une semaine, cela signifierait qu'il était mort et que Gabriel devrait se débrouiller. Le garçon n'avait évidemment rien dit, mais Maxime avait vu une fugace inquiétude passer sur ses traits. Le milliardaire lui avait serré les épaules avec plus de force.

Puis, Salvador est revenu avec ses deux hommes et ceux-ci ont détaché Maxime en silence.

— Combien de temps ? a râlé Maxime, affaibli par l'absence de nourriture.

— Trois jours, a répondu l'Espagnol, observant son prisonnier avec, cette fois, un certain respect.

Devant Maxime, un plateau de nourriture est apparu : pâtes, pain et même une bouteille de vin. Tandis que le milliardaire mangeait à même le sol en s'efforçant de ne pas tout avaler d'un coup, Salvador murmurait :

— Je pense qu'on peut essayer de faire de la *business* ensemble…

Pour commencer, Maxime a demandé deux hommes fiables à son service à temps complet, un majordome et un chauffeur qui, à l'occasion, auraient des fonctions plus « costaudes ». Ensuite, il a confié à Salvador le soin de dénicher des squelettes dans les placards de différentes personnes, par exemple de certains membres du CRTC. Salvador a été parfait. Ensuite sont venues des commandes plus précises, dont les armes…

Mais ce soir, Maxime vient voir l'Espagnol pour une mission beaucoup plus délicate, il en est conscient.

— Alors ? demande le milliardaire.

Salvador, mâchouillant à nouveau son crayon, étudie sa grille quelques secondes, puis dit sur un ton négligent :

— Récemment, tu t'es pourtant très bien débrouillé sans nous pour ce genre de *job*.

— Qu'est-ce que tu veux dire ?

— Cette tuerie, à Drummondville… Avec une vraie artillerie lourde. D'après ce que j'ai su grâce à certains contacts, les armes utilisées par ce commando ressemblaient pas mal à celles que je t'ai fournies il y a quatre mois. C'est fou, le hasard, non ?

Il émet un petit son de contentement puis inscrit un chiffre dans sa grille.

— Pour Drummondville, je me suis débrouillé seul parce que je suis certain que tu n'aurais jamais accepté ce contrat, explique Maxime.

— Descendre une fille déjà gardée par la police ? Jamais de la vie ! Ç'aurait été suicidaire. Pis ç'a été le cas, pas vrai ?

Il lève les yeux vers son interlocuteur.

— Pourquoi tu procèdes pas de la même manière pour ton flic ?

— Parce que le commando de Drummondville a attiré l'attention sur moi. Je ne peux pas me permettre de l'attirer davantage. Et ce sera simple pour tes hommes : le policier en question vit à Drummondville, seul. C'est sans risque, rien à voir avec le fait d'aller descendre une fille dans un fourgon de police. Tu n'auras qu'à déguiser ça en vol par effraction qui a mal tourné pour le proprio. Il faut faire ça jeudi.

— Demain ? Tu te fous de ma gueule !

— Ma convocation est pour vendredi. Je veux qu'on règle ça le plus vite possible. Demain soir, c'est mon émission : le policier en question est un fan, il l'écoute tout le temps, il sera donc chez lui. Maintenant qu'il me soupçonne, il doit l'écouter plus que jamais. S'il n'est pas là, tes gars n'auront qu'à l'attendre.

— Ce flic, c'est celui qui a survécu à la fusillade de Drummondville, *si* ?

— *Si.*

Salvador regarde Maxime attentivement.

— T'es un cas, Max. Des domestiques qui servent aussi d'hommes de main, des photos compromettantes sur des gens du milieu de la télé ou de la politique, des achats d'armes, un massacre à Drummondville, pis maintenant le meurtre d'un flic… Y a aussi ces réunions secrètes que tu organises à travers le Québec, durant lesquelles Luis doit parfois faire disparaître des gêneurs… Qu'est-ce que tu prépares, au juste ? À quoi tu joues ?

Un goût de fiel emplit la bouche de Maxime. Le jeu, encore… On y revient toujours.

— Pas de questions, Salvador. Cela a toujours été la règle.

— J'ai envie qu'elle change, la règle.

— Alors, on ne jouera plus ensemble.

L'Espagnol fait tourner son crayon entre ses doigts. De chaque côté de la porte, les deux gorilles ne bougent pas, mais on les sent prêts à intervenir. Maxime ne craint rien : on ne le tuera pas. On n'élimine pas une vache à lait si productive. Salvador dit enfin :

— Quand on s'est rencontrés, t'as dit que notre association durerait environ deux ans. Ça achève, non ?

— Absolument. Et si on joue ensemble jusqu'à la fin, ta prime de départ sera très généreuse, crois-moi.

Ce qui est un mensonge, mais cela n'a aucune importance. Salvador cogite encore un moment, puis, en souriant, il tend le jeu de sudoku à Maxime en lançant :

— Tiens ! J'arrive pas à trouver le bon chiffre pour ce carré. Si tu le trouves, je m'occupe de ton *poli*.

Maxime, exaspéré, prend le jeu et le considère un moment avec une absence totale d'intérêt. Finalement, il inscrit quelque chose et redonne la grille à Salvador, qui jette un coup d'œil au nombre : 1 000 000.

— La moitié tout de suite, explique Maxime en indiquant la mallette à ses pieds. L'autre moitié quand ce sera fait.

Salvador rétrécit les yeux, jonglant mentalement quelques instants, puis relève la tête en souriant :

— J'aime ben ta façon de jouer au sudoku, *hombre*.

◆

Tandis que le serveur enlève les assiettes vides, Maxime jette un œil à sa montre :

— On va devoir prendre le dessert assez vite. Je dois être au studio à vingt heures.

— Pourquoi dois-tu arriver une heure avant l'émission ? demande Ferland, assis en face de lui.

— C'est comme ça, à la télé. Il faut que je m'habille, qu'on me maquille, qu'on me présente les invités de ce soir…

Le restaurant s'emplit peu à peu de clients chics et guindés. Durant le repas, Maxime a parlé de la dernière émission, qui aura lieu la semaine prochaine. Après en avoir discuté longuement, l'animateur demande :

— Ton flambeau secret, il avance ?

Frédéric prend un air contrarié.

— Eh bien… Le processus va bien, mais je n'en profite pas autant que je le voudrais en ce moment. Il faut que je trouve un moyen d'arranger ça.

Maxime a une petite grimace de frustration.

— Si ton flambeau finit de se consumer après le mien, je ne saurai jamais de quoi il s'agit. Et s'il se consume avant, tu ne pourras pas assister à la combustion du mien. Il faut donc que les deux brûlent *vraiment* en même temps !

Frédéric a un sourire de dérision.

— Tu nous entends parler, avec nos paraboles ? Flambeau, combustion…

Maxime fronce les sourcils.

— Tu trouves ça ridicule ?

— Tu sais bien que non.

Maxime ne voit vraiment pas ce qu'il y a d'amusant là-dedans. Ce Ferland, par moments, est vraiment déroutant. Bien sûr, il pourrait toujours l'obliger à lui révéler la nature de son flambeau, mais cela pourrait échauffer le psy au point qu'il laisse tout tomber, ce que le milliardaire ne souhaite pas. Maintenant que Ferland est avec lui dans cette histoire, Maxime veut qu'il assiste à son triomphe final. Le psychologue le rassure :

— Je t'ai déjà dit que c'était exactement mon intention : que la combustion de nos deux flambeaux se termine en même temps. Un gros feu de camp, quoi.

L'animateur approuve. Les deux hommes gardent le silence tandis que le serveur apporte le dessert. Quelques clients reconnaissent et dévisagent la star, mais très peu. Après tout, il s'agit d'un restaurant cinq étoiles, les gens qui s'y trouvent ont un standing à défendre. Pourtant, se dit Maxime, ils ont beau jouer les snobs de la haute classe et se croire plus évolués que la plèbe qu'ils rejettent, la plupart d'entre eux seront devant leur téléviseur tout à l'heure à s'esclaffer devant son émission. En ce moment, ils mangent avec dignité, mais demain, ils exploiteront leurs employés, ou tromperont leur conjoint, ou ignoreront leur enfant, ou trouveront le moyen d'écraser leurs concurrents financiers, ou…

Il reconnaît le sombre séisme qui le secoue intérieurement, qui fait osciller sa vision comme si elle gonflait : c'est la haine qui s'éveille.

— Et avec ton policier, Pierre Sauvé, comment ça se passe ?

Ferland pose la question sur un ton négligent, mais Maxime s'étonne :

— Tu te souviens de son nom ? Je ne t'en ai parlé qu'une seule fois !

Ferland semble pris au dépourvu une seconde, puis répond :

— C'est pratique, quand tu es psy, de retenir les noms.

— Justement, je voulais t'en parler. Il m'a convoqué pour demain matin. Un interrogatoire.

— C'est vrai ?

Ferland ouvre de grands yeux, mais Maxime n'y lit aucune crainte. Juste un immense intérêt.

— Tu es vraiment inquiet, retiens-toi un peu, maugrée Maxime en commençant sa crème brûlée.

— Tu crois vraiment qu'il a finalement trouvé quelque chose ?

Maxime essuie sa bouche avec un air fataliste :

— De toute façon, j'ai décidé de régler ça une fois pour toutes.

Il explique à son complice ce qui va se passer. Tandis que Ferland écoute, son visage s'allonge de plus en plus.

— Ça va se faire durant l'émission, tout à l'heure. Un alibi parfait pour moi, conclut l'animateur.

— Je pensais qu'on avait décidé de ne pas se rendre jusque-là !

— Ça devient trop menaçant.

— Voyons, il ne peut quand même pas te faire un procès et te condamner en une semaine !

— Parle moins fort, Frédéric…

Il prend une gorgée de café et dit que, de toute façon, il est trop tard : tout sera terminé dans moins de deux heures. Ferland secoue la tête, manifestement embrouillé.

— Depuis quand la vie de quelqu'un te tient à cœur, toi ? ironise Maxime.

— Ce n'est pas la question ! C'est juste que… tu triches, et je n'aime pas ça.

— Comment ça, je *triche* ?

Ferland fait un signe de la main et marmonne :

— Il ne faudrait pas que la police remonte jusqu'à nous.

— Rassure-toi : je fais affaire avec des professionnels.

Ils terminent le dessert en silence.

Vingt minutes plus tard, ils quittent le restaurant. À la sortie, ils se donnent la main et se séparent. Frédéric marche sur le trottoir un moment, puis se retourne. Constatant que Lavoie a disparu, il regarde partout autour de lui en allongeant le pas. Merde ! il est en plein centre-ville de Montréal et il n'arrive pas à trouver une cabine téléphonique ! Lui qui a toujours refusé d'avoir un cellulaire, il regrette tout à coup cette décision. Enfin, une cabine apparaît et il s'y engouffre. Après deux ou trois appels, il tombe sur l'assistance-annuaire de Drummondville et demande le numéro de téléphone de Pierre Sauvé. On lui répond qu'aucun abonné n'est inscrit sous ce nom. Le psychologue comprend : Sauvé, en tant que flic, doit avoir un numéro confidentiel. Ferland a bien sûr son numéro, mais pas avec lui. Il regarde l'heure : dix-neuf heures cinquante.

Il se rend en vitesse au stationnement souterrain, trouve sa voiture et s'engage dans la rue Sainte-Catherine rapidement. La soirée est superbe, le centre-ville est donc passablement congestionné. Après dix minutes, il arrive enfin au pont Jacques-

Cartier, où l'attend une autre malchance : un accident ralentit la circulation. Ferland prend donc un bon vingt minutes pour une traversée qui, normalement, aurait dû lui en demander trois au maximum. Tandis qu'il file sur l'autoroute 20, il tente de se rappeler où se trouve le numéro de Sauvé : chez lui ou au bureau ? Il opte pour le bureau.

À vingt heures quarante, il fait irruption dans son bureau. Après avoir fouillé partout, il se rend à l'évidence : le numéro est chez lui ! À bout de souffle, il remonte dans sa voiture. À vingt heures cinquante, il entre chez lui, va directement à son agenda et trouve rapidement le numéro de Pierre Sauvé. Mais évidemment, pas question de l'appeler de chez lui. Ni de Saint-Bruno ni même de la Rive-Sud, ce serait une piste trop facile. Il remonte dans sa voiture et file vers Montréal. Cette fois, il prendra le tunnel et, de l'autre côté, s'arrêtera à la première cabine.

Une fois sur l'île, il prend la sortie pour Sherbrooke Est, tourne sur un boulevard et applique les freins à la première cabine qu'il croise. Il constate qu'il est vingt et une heures dix. L'émission est commencée !

Il se jette dans la cabine, le numéro de téléphone en main.

◆

Pierre stationne sa voiture devant chez lui à vingt heures quinze. Il a passé les dernières heures à Montréal, auprès de sa fille inconsciente. Quand il est parti, il l'a embrassée en lui promettant, comme d'habitude, de revenir. Chez lui, il se prépare un modeste souper, perdu dans ses pensées. En fait, il songe au lendemain, à l'interrogatoire de Lavoie. Il voudrait déjà y être. Mais il devra se retenir pour ne pas sauter sur la star, il le sait très bien. Chloé lui a offert de mener l'interrogatoire elle-même, ce qu'il a brutalement refusé.

À vingt et une heures, il allume la télévision et s'installe sur le divan. Il écoute *Vivre au Max* d'un œil torve et, en voyant Max Lavoie s'esclaffer, il se dit en lui-même : *Vas-y, ris, mon gars… Tu ne riras plus longtemps…* Il tente de déceler des traces de nervosité chez Lavoie, des signes qui trahiraient la tension qu'il doit ressentir à la veille de son interrogatoire, mais franchement, le milliardaire doit être un excellent comédien, car le policier le trouve aussi en forme qu'à l'habitude… peut-être même un peu plus.

Il assiste à la présentation de la première invitée sans une once de plaisir et se demande tout à coup pourquoi il a tant aimé cette émission. Pour la première fois, il sent la détresse chez ces hommes et ces femmes qui s'exhibent devant lui. Trois millions de spectateurs écoutent l'émission de Lavoie chaque semaine ; alors qu'auparavant cette pensée lui donnait l'impression d'appartenir à un groupe, Pierre se sent tout à coup infiniment seul.

Dix minutes après le début de l'émission, le téléphone sonne. Il n'a pas aussitôt articulé « Allô » qu'une voix rauque défile à toute allure :

— Détective Sauvé, on veut vous tuer ! Les assassins sont en route, ils sont peut-être déjà devant votre porte ! Attention !

Et la communication s'interrompt aussitôt.

Entraîné à ne pas se figer devant l'inattendu, Pierre prend à peine une seconde pour évaluer la situation. Il raccroche et, s'assurant d'un rapide coup d'œil que la porte d'entrée est toujours fermée et qu'aucune ombre ne se profile par les fenêtres du salon, il bondit vers le placard et en sort son pistolet. Rapidement, il va à la fenêtre et regarde discrètement dehors : la nuit est maintenant tombée, la rue est déserte, tout est calme chez les voisins. Il ramasse son cellulaire sur la table, puis sort prestement. Sur la galerie, il scrute à nouveau les alentours, arme pointée vers le haut. Son cœur bat à tout rompre, mais il se contrôle parfaitement.

Au pas de course, il traverse la rue et va se poster derrière le bosquet de vivaces de sa voisine d'en face. Il jette un coup d'œil vers les fenêtres de celle-ci pour s'assurer qu'on ne l'a pas vu : personne. Il entend même, en provenance de l'intérieur de la maison, l'émission *Vivre au Max*. Plié en deux derrière les plantes touffues, arme au poing, il surveille sa maison juste en face. Il appuie sur un bouton de son cellulaire et le porte à son oreille. Il ne veut pas appeler au poste : on enverrait des voitures de patrouille et cela ferait fuir les tueurs. Si tueurs il y a. Car il s'agit peut-être d'une sinistre blague. Lorsque Chloé répond, le détective souffle rapidement :

— C'est Pierre ! Viens vite chez moi pis apporte ton *gun*. Il va peut-être y avoir de l'action. Arrive discrètement.

Il coupe sans laisser le temps à sa collègue de répliquer.

Une voiture passe dans la rue. Deux minutes plus tard, un couple approche et met Pierre sur le qui-vive. Mais les tourtereaux s'éloignent rapidement, sans aucun regard vers la maison du policier. Cinq minutes s'écoulent, puis deux nouvelles ombres approchent sur le trottoir, deux hommes habillés de vêtements sombres. Pierre serre son arme avec plus de force. Les deux individus s'arrêtent devant la maison, regardent autour d'eux puis pénètrent dans l'aire de stationnement, manifestement dans l'intention de se rendre dans la cour arrière. Le coup de fil n'était donc pas une blague ! Le policier sort de sa cachette et brandit son pistolet à deux mains en criant un « Stop » autoritaire. Les deux hommes s'immobilisent et se retournent vivement…

… et tout à coup, le décor s'embrouille, change, et Pierre se retrouve sur le boulevard Saint-Joseph, devant quatre tueurs cinglés qui tirent sur ses collègues, puis qui se dirigent vers lui, menaçants… Déstabilisé par ce flash, Pierre sent son corps ramollir et, titubant, abaisse même son arme en portant sa main libre à son front.

Reprends-toi, ostie de con, REPRENDS-TOI !

Le décor réel réapparaît enfin, instable mais clair, et le policier a tout juste le temps de voir l'un des deux hommes sortir rapidement un revolver de sous sa ceinture. Il se jette aussitôt derrière le bosquet en même temps qu'il entend un coup de feu. Plaqué au sol, il vise entre les branches la jambe du tueur et tire. Le gars pousse un cri, atteint à la cuisse, lâche son arme et s'écroule. L'autre homme a aussi sorti un revolver mais n'arrivant pas à discerner sa cible, il tourne les talons et fuit vers l'arrière de la maison.

Pierre se lance à ses trousses. Le premier tueur, sur le dos, jure en se tenant la cuisse. Le détective donne un coup de pied sur le revolver pour l'éloigner de l'homme, puis poursuit sa course. Dans la cour arrière, il voit le fuyard sur le point de traverser la haie de cèdres qui entoure sa maison.

— Stop ou je tire !

L'homme s'arrête et, toujours de dos, lève les bras en criant avec un fort accent :

— OK, OK, je me rends, tirez pas !

Pierre lui ordonne de jeter son arme et le tueur la lance sur le gazon.

— Retourne-toi ! le somme Pierre en s'approchant, pistolet pointé.

L'homme obéit. Il doit avoir vingt-sept, vingt-huit ans, il a les traits hispaniques. Le policier s'arrête à environ trois mètres de lui.

— Pourquoi vous êtes venus pour me tuer, ton *chum* pis toi ?

— On voulait pas te tuer. On est des voleurs, pas des tueurs.

— C'est ça, oui…

Pierre n'a pas de menottes sur lui. Il se demande comment procéder lorsqu'il entend un glissement. Il se retourne : le premier tueur, qui, en rampant sur le sol, a récupéré son revolver, le dirige maintenant vers le détective. Par réflexe défensif, Pierre tire le premier et la tête du gars retombe au sol. Le policier retient son souffle. L'a-t-il tué ?

Il se retourne à nouveau. La haie que l'Espagnol vient de traverser bouge encore. Pierre pousse un juron, traverse la haie à son tour et se retrouve dans la cour du voisin. Tenant son Glock à bout de bras, il regarde autour de lui : personne. Il court vers l'avant de la maison et le voisin sort de chez lui au même moment.

— C'est toi, Pierre ? Qu'est-ce qui se passe, donc ? On dirait que j'ai entendu des…

— Rentre, Denis, pis sors pas ! ordonne Pierre en passant devant lui sans ralentir.

Il se retrouve dans la rue. Il y a bien un ou deux voisins sortis sur leurs galeries, mais pas de trace du tueur.

— Rentrez chez vous, tout le monde, c'est dangereux !

Droite ? Gauche ? Sans raison particulière, Pierre prend la droite. Personne, merde ! Mais il voit une voiture venant de l'opposé tourner dans sa rue : il reconnaît la Honda blanche de Chloé. Au pas de course, le bras gauche douloureux, il retourne chez lui. Sa collègue est déjà penchée sur le corps du premier tueur. Quatre ou cinq voisins sont sortis et observent la scène en marmonnant entre eux. En voyant Pierre s'approcher, Chloé se relève.

— Pierre ! Qu'est-ce qui s'est passé ?

— Il est mort ?

— Oui. C'est toi qui… ?

Un étourdissement saisit le détective. C'est la seconde personne qu'il tue dans sa carrière… Les deux fois en deux mois !

— Pierre, qu'est-ce qui…

— Monte dans ton char pis fais le tour du quartier ! Il y en a un autre qui court toujours ! Un grand latino mince, jeune, habillé en noir ! Moi, j'appelle du renfort.

Chloé se précipite vers sa voiture. Pierre, tout en cherchant son cellulaire, ordonne aux voisins de rentrer ; personne ne l'écoute. Mais où il est, son foutu cellulaire ? Il a dû le perdre dans la poursuite. Pas le temps de le chercher : il rentre chez lui. Là, il appelle au poste, demande du renfort et une ambulance, puis raccroche en prenant de grandes respirations, les paupières closes. Il entend des applaudissements et, interdit, ouvre les yeux.

À la télévision, c'est la fin de l'émission *Vivre au Max*. Lavoie, tout sourire, pointe un doigt vers la caméra et, les yeux étincelants, lance d'une voix tonitruante :

— Soyez là, toute la gang, la semaine prochaine pour la dernière émission de la saison !

Tandis que les applaudissements redoublent d'enthousiasme, Pierre, le visage couvert de sueur, son pistolet le long du corps, fixe le visage souriant de Lavoie.

◆

La petite salle d'interrogatoire, éclairée au néon, ne comporte qu'une table avec trois chaises. Pierre et Chloé attendent en silence, lui assis sur le coin de la table, elle appuyée au mur. Pierre regarde sa montre : treize heures dix. Lavoie est en retard.

Malgré des recherches intenses, l'Espagnol en fuite n'a pas été retrouvé. Par contre, celui qui a été abattu par Pierre a rapidement été identifié : Sandro Puerez, un petit truand de Montréal arrêté deux fois pour vente de drogue. Impossible de le relier à quelque organisation que ce soit. Bernier a suggéré à Pierre de prendre une ou deux journées de congé, ce que le détective a refusé fermement. Ce matin très tôt, sa mère l'a appelé, puis son frère, directement d'Europe (tous deux lui affirmant qu'il devrait abandonner ce travail de fou où l'on se fait tirer dessus à tout bout de champ), de même que quelques journalistes. À bout, il n'a plus répondu au téléphone et a même débranché son répondeur.

— Tu penses quoi ? demande tout à coup Chloé, toujours le dos au mur. Que c'était une sorte de duo de choc comme le commando de la fusillade du boulevard Saint-Joseph ?

Pierre ne répond rien. Chloé, sur un ton entendu, ajoute :

— Deux autres membres du dossier Déluge ?

— Je pense pas, non. Ils avaient pas du tout une attitude kamikaze comme les autres.

Sans raison, comme cela arrive presque toujours depuis six jours, il songe à Karine, étendue sur son lit d'hôpital, et se demande si elle s'est réveillée. Déjà une semaine, et toujours dans le coma…

— Et ce coup de fil anonyme qui t'a prévenu ? demande Chloé.

— Aucune idée. On a établi qu'il provenait d'une cabine téléphonique de Montréal. La voix me rappelait personne, mais elle semblait volontairement changée.

Le gars qui a appelé connaît donc son numéro confidentiel, ce qui est le cas de bien peu de gens, à part sa mère, son frère, sa fille et, il va sans dire, plusieurs flics de Drummondville. Mais ça ne peut être personne parmi eux, évidemment. Alors qui ? Et de Montréal, en plus ?

— En tout cas, ce gars t'a sauvé la vie, fait la jeune femme.

Pierre approuve en silence. Sans ce coup de fil, les deux tueurs seraient sûrement entrés par une des fenêtres arrière du sous-sol, auraient surgi dans le salon et auraient tiré sur Pierre avant même qu'il n'ait le temps de quitter son divan. Qui a bien pu l'appeler ?

La porte du petit local s'ouvre. Boisvert entre, s'écarte et laisse passer un Maxime Lavoie froid, habillé en complet-cravate, attaché-case à la main. L'animateur est seul, sans avocat, ce qui n'étonne pas Pierre. Il n'y a que dans les films que les avocats assistent aux interrogatoires. Dans la vraie vie, il est plus avisé que l'interrogé soit seul, pour éviter à l'avocat tout conflit d'intérêts dans l'éventualité d'un procès. Lavoie a sûrement été *briefé* avant la rencontre. Peut-être même que son avocat l'attend dehors, dans sa voiture.

Boisvert sort en refermant la porte. Le détective et Lavoie se défient du regard. Habituellement, c'est le moment où Pierre se sent le plus tendu. C'est le moment où le plongeur regarde la piscine en bas, prend de grandes respirations, se concentre et se prépare à effectuer son triple saut périlleux, habité par un mélange de nervosité et d'ivresse qui, pour Pierre, représente ni plus ni moins que la plus vivifiante des sensations. Mais cette fois, l'excitation est parasitée par une émotion qu'il ne ressent habituellement pas au début d'un interrogatoire : une sourde colère, qui ressemble dangereusement à de la haine, dirigée vers celui qui, il en est sûr, est en partie responsable de l'état actuel de sa fille. Le fait qu'on ait tenté de le tuer la veille n'a fait que jeter de l'huile sur le feu. Il sait que cette colère risque d'éclater à tout moment et, plus que jamais, il doit se maîtriser parfaitement.

— Assoyez-vous, monsieur Lavoie.

Voix égale, identique à celle qu'il prend toujours dans les interrogatoires. Le milliardaire regarde autour de lui. Il reconnaît, dans le fond de la pièce, les nombreuses boîtes en carton contenant les milliers de rapports rejetés. Sur la table, il contemple un moment les seize chemises groupées en trois piles, ainsi que le magnétophone qui repose sagement. Il daigne à peine regarder Chloé et s'assoit enfin. Pierre s'installe en face et jette un coup d'œil vers la vitre sans tain sur le mur de droite : il sait que, derrière, Bernier suit la scène attentivement. Il actionne le magnétophone, croise les mains sur la table et ouvre le bal :

— Monsieur Lavoie, nous avons ici seize chemises contenant plus de six cents rapports d'auditions. Selon vos dires, ils représentent une sorte de banque de seconde main, qui pourrait servir s'il vous manquait des participants réguliers, c'est exact ?

— Exact.

Chloé, appuyée au mur, les bras croisés, ne quitte pas l'animateur des yeux.

— Pourquoi avez-vous choisi ceux dont les rêves étaient les plus difficiles à réaliser ? Ceux définitivement rejetés (il désigne les boîtes) étaient plus réalisables.

— Et donc beaucoup moins intéressants. Voilà pourquoi je conservais les plus difficiles dans ma banque de seconde main : le défi n'en serait que plus stimulant.

— Certains d'entre eux sont carrément impossibles à concrétiser, fait Chloé sans quitter sa posture.

— Ça reste à démontrer.

— Un homme qui veut devenir une rock star et qui veut que tout le monde l'aime, c'est réaliste, pour vous ?

— Je vous rappelle que ces participants n'ont justement pas été choisis. Mais je les conservais au cas où, un jour, je trouverais le moyen de réaliser certains de ces rêves « irréalisables ».

Pierre se lève, prend une chemise au hasard et, tout en la feuilletant, arpente la pièce en silence. Vieux truc pour installer une certaine tension, pour rendre le suspect nerveux. Mais du coin de l'œil, il constate que Lavoie affiche un contrôle parfait.

— À part plus ou moins soixante-dix d'entre eux, tous les rapports des seize chemises sont marqués d'un X. Qu'est-ce que…

— Nous allons nous sauver du temps à tous les deux, détective Sauvé, d'accord ? le coupe soudain Lavoie. Vous allez me dire que tous les demandeurs dont le rapport est barré d'un X se sont suicidés et vous allez m'accuser d'être le responsable de ces suicides, c'est ça ?

Pierre, pour l'une des premières fois de sa carrière, se retrouve bouche bée face à un suspect. Chloé décolle son dos du mur en décroisant lentement les bras.

— C'est ça, oui ou non ? insiste Lavoie, toujours flegmatique.

Pierre reprend son aplomb :

— Si c'est le cas, vous répondez quoi ?

— Je réponds ceci : accusez-moi formellement et faites-moi un procès, si vous tenez tant à vous rendre grotesque.

Il commence à se lever.

— Alors, voilà, je m'en vais et rappelez-moi lorsque vous aurez votre mandat d'accusation.

— Assoyez-vous, Lavoie, j'ai pas fini avec mes questions ! ordonne Pierre sèchement.

Le milliardaire, hautain, se rassoit. Pierre desserre le nœud de sa cravate, le trouvant tout à coup serré.

— Vous admettez donc que tous les rapports marqués d'un X représentent des gens qui se sont suicidés ?

— Vous l'avez vous-même constaté, non ?

— On a juste vérifié pour le dossier du Centre-du-Québec et quelques autres rapports, mais on imagine que c'est la même chose pour tous les autres dossiers… ce que vous avouez !

— Absolument.

— Pis vous admettez aussi que vous organisiez des réunions avec ces gens ?

— Quelles réunions ? Je n'ai aucune idée de ce dont vous parlez.

— Deux personnes qui ont passé une audition pour votre émission nous ont raconté avoir assisté à des séances pro-suicidaires.

— Et qu'est-ce que j'ai à voir là-dedans ?

Pierre tique. Fausse route. Il change de direction :

— Et Déluge, ça vous dit quelque chose ?

— Encore ce mot farfelu ! Je vous ai dit que DEL voulait dire « delete », et non pas « déluge » !

— Ce serait pas plutôt un code qui désigne des tueurs à votre solde ?

Chloé ouvre de grands yeux, estomaquée que Pierre aille si loin.

— Vous êtes fou ! s'exclame le milliardaire, outré et railleur à la fois.

Pierre réalise qu'il pousse trop fort. Il doit se pondérer un peu. Il fait marche arrière :

— Mais vous admettez avoir inscrit un X sur tous ceux qui se sont suicidés, ce qui représente presque la totalité des six cents rapports de ces chemises !

— Évidemment, que je l'admets ! Qu'est-ce que vous croyez, que je vais prétendre que c'est un hasard ? Vous me prenez pour un imbécile ?

Pierre n'aime pas du tout la tournure que prend l'interrogatoire. Il devrait être ravi de constater que Lavoie ne nie rien, mais l'animateur est trop transparent, trop « coopératif », ce qui n'est pas bon signe du tout. Il pourrait l'interroger sur Diane Nadeau... mais pour lui demander quoi, au juste ? Lui parler encore du Déluge ? Il va répéter les mêmes dénégations. Chloé elle-même a une expression défiante.

— Et maintenant, vous allez me demander pourquoi j'inscrivais un X sur les rapports des suicidés, c'est ça ?

Le détective ne répond rien, de plus en plus dépassé. Il a beau être debout, il a l'impression que c'est Lavoie qui le domine. Ce dernier poursuit :

— Parce que, lorsque j'apprenais qu'un de mes participants potentiels mourait, je le rayais de ma banque, tout simplement !

— Pourquoi vous ne jetiez pas son dossier, alors ?

— Je conserve tout, vous avez dû le remarquer !

Pierre serre les dents.

Et si je n'étais pas allé chercher tous tes dossiers
et que ma fille avait réussi son suicide, tu aurais
aussi tracé un X sur son rapport ? Pour ajouter un
autre trophée à ta morbide collection ?

— Vous trouvez ça normal que la plupart des participants potentiels de votre banque se soient suicidés ?
poursuit-il.

— Ils étaient dépressifs, c'est une des raisons
pour lesquelles je ne les ai pas officiellement choisis
pour l'émission ! Ils n'étaient pas fiables psycholo-
giquement !

— Mais assez fiables pour être potentiellement
choisis ?

— Peut-être, oui !

— Pis si je vous disais que ces gens ont participé
à des réunions pro-suicidaires qui les poussaient à
trouver leur « flambeau », vous diriez quoi ?

— Leur flambeau ? Mais de quoi parlez-vous ?

— Comment vous appreniez que tous ces gens
s'étaient suicidés ?

— Je me tenais au courant. Je lis tous les journaux.

Pierre pose ses deux poings sur la table et penche
son visage congestionné de rage vers l'animateur.

— Vous pensez que je suis cave au point de croire
ça ?

Lavoie, le regard un rien narquois, répond :

— Prouvez qu'une seule de mes réponses est
fausse, prouvez-le à l'instant. Sinon, laissez-moi
partir. Vous ne pouvez pas m'accuser formellement.

— Écoutez-moi, espèce de…

— Pierre !

C'est Chloé qui intervient enfin. Son collègue se
tourne vivement vers elle. La policière fait un petit

signe du menton vers le miroir sans tain. Pierre comprend et se passe une main dans le visage. Un peu trop émotif, comme interrogatoire. Ça ne lui arrive jamais.

Et tout ce qui se passe dans ta vie, en ce moment, ça t'arrive souvent ?

— On revient dans deux minutes, maugrée le détective.

Il marche vers la porte, suivi de Chloé. Dix secondes plus tard, ils entrent dans le petit bureau dans lequel on peut voir la salle d'interrogatoire par la vitre sans tain. Debout devant celle-ci, les bras croisés, Bernier les attend, l'œil désapprobateur.

— Qu'est-ce qui te prend, Pierre ?

— Il veut un procès ? C'est parfait, il va l'avoir !

— Ça, c'est au procureur de le décider. Mais toi, aujourd'hui, tu veux l'inculper avec quelles preuves ?

— Il a avoué lui-même que…

— Rien dans ce qu'il dit démontre qu'il est coupable de quoi que ce soit.

— Ses réponses sont absurdes !

— Elles sont dures à avaler, nuance le capitaine, mais ça démontre pas sa responsabilité. Tu peux bien le garder prisonnier cette nuit, mais demain matin, le juge va le laisser repartir pis tu le sais. Ça aura donné quoi, à l'exception du scandale que ça risque de créer ?

Pierre a envie de crier à son supérieur : *T'as peur de quoi ? Que Lavoie dise à tout le monde que t'es un fif ?*, mais il sait que cette pensée est injuste et que Bernier a raison : le garder prisonnier maintenant ne servirait à rien, sinon à se ridiculiser.

— Laissons-le partir mais préparons un dossier solide pour le procureur, propose Chloé. C'est ce qu'on aurait dû faire avant de le convoquer, d'ailleurs…

Un accent de remontrance dans sa voix... Pierre se mordille les lèvres, regarde vers la vitre. Dans l'autre pièce, Lavoie attend, impassible. Le détective se met les deux mains sur la tête, les coudes relevés, et pousse une longue expiration. A-t-il le choix ?

Lorsque lui et Chloé retournent dans la petite pièce, Pierre se plante devant le milliardaire et, à contrecœur, lui annonce qu'il peut s'en aller. Sobre, Lavoie se lève, replace les plis de son veston.

— Mais vous aurez de mes nouvelles bientôt, ajoute le policier d'un air entendu.

— Je n'en doute pas.

L'animateur effectue quelques pas et se retourne :

— En passant, si je lis quoi que ce soit dans les journaux concernant cette affaire, je vous jure que je ne serai pas le seul à subir un procès.

Il sort, sous les regards noirs de Pierre et de Chloé. Bernier entre dix secondes plus tard.

— Vous avez entendu ? Pas un mot à personne là-dessus ! On fait passer le message dans tout le poste !

Pierre marche à son tour vers la sortie et Bernier lui demande où il va.

— À Montréal, voir ma fille.

— Ça suffit, Pierre ! se fâche le capitaine. Je laisserai pas une enquête à un détective qui passe son temps à faire la navette entre Drummondville et Montréal ! Pis en plus, tu ne vois plus ton psychologue, il paraît ?

Pierre fait volte-face et rétorque avec impudence :

— Tu vas m'enlever l'enquête, peut-être ? Après tout ce que j'ai fait ? Après qu'on s'est rendus si loin ? Envoie, enlève-la-moi ! Vas-y !

Bernier, furibond, ne répond rien. Pierre se tourne vers Chloé et, plus doucement, lui dit :

— Désolé, mais là, faut que… que je me pousse un peu. On se voit demain.

Chloé, silencieuse, fait signe qu'elle comprend.

◆

En marchant vers la sortie arrière du poste de police, Maxime croise quelques agents qui le dévisagent avec intérêt. L'animateur, le visage cool, lance des « Salut ! » avec pouce levé et clins d'œil en série. En sortant, il s'assure qu'il n'y a personne dans le stationnement. Il n'aperçoit que son avocat, Veilleux, qui fume une cigarette près de la voiture. Maxime traverse rapidement le stationnement, sous le ciel couvert de cette fin de matinée.

— Allez, on retourne à Montréal.

Mais avant même que Maxime n'atteigne la portière, Veilleux le bombarde de questions :

— Ça s'est bien déroulé ? Tu n'as rien dit de compromettant ? Et vas-tu finir par m'expliquer clairement de quoi il s'agit ?

— C'est des niaiseries, Rémy…

— Tant mieux ! T'as déjà assez de procès sur le dos comme ça, t'as pas besoin en plus d'une affaire aussi dingue !

Maxime commence à contourner la voiture… lorsqu'il aperçoit à l'extérieur du poste, près de la porte qu'il vient de franchir, Pierre Sauvé qui, les bras croisés, regarde dans sa direction.

— Attends-moi une minute, marmonne l'animateur en s'éloignant de la voiture.

— Max, pas de conneries, là !

Maxime marche vers le policier, s'immobilise devant lui et les deux hommes se mesurent du regard en silence. Pierre, l'air soudain sûr de lui, marmonne :

— T'as essayé de me faire tuer, hier soir.

— On se tutoie, maintenant, détective ?

— Fouille-moi, j'ai pas de micros. On est juste entre nous.

Maxime conserve son masque impassible. Pierre fait un pas vers l'avant, tandis que sa bouche se crispe en un rictus victorieux.

— T'as peur de moi. T'as peur parce que j'ai découvert ta combine tordue : ton émission est un prétexte pour pousser plein de malheureux au suicide.

Un éclat de haine traverse son regard.

— Pis parmi eux, y a ma fille… qui a failli mourir… qui est dans le coma en ce moment…

Cette fois, le milliardaire démontre une certaine surprise. Le rictus de Pierre s'agrandit.

— Mais je t'ai découvert, ostie de malade… Je te tiens !

Lavoie secoue la tête et, sans aucune trace d'ironie, d'une voix aigre, il articule :

— Il est trop tard, détective…

Pierre fronce les sourcils tandis que Lavoie, sans un mot de plus, retourne vers la voiture où l'attend Veilleux.

◆

C'est samedi, mais pas question de prendre congé. Les deux détectives et leur supérieur préparent leur plan de match. Bernier soutient que le dossier n'est pas encore assez convaincant pour que le procureur donne le feu vert pour les procédures d'accusation. Chloé pense la même chose.

— On a les dépositions de Huard et Mélançon, c'est vrai, mais c'est peu. Surtout qu'aucun des deux n'implique Lavoie. En fait, l'organisateur de ces réunions serait un dénommé Charles, que personne ne connaît.

Pierre a un mouvement d'impatience, mais sait que ses collègues ont raison : s'ils rencontrent le procureur maintenant et que, dans deux jours, ce dernier leur refuse le mandat d'arrestation pour insuffisance de preuves, ils n'auront réussi qu'à perdre du temps. Aussi bien arriver dès la première rencontre avec un dossier solide.

— Voilà ce qu'on va faire, propose Pierre. On consulte les dossiers des autres régions, on trouve ceux qui sont pas barrés d'un X pis on les questionne. Peut-être que l'un d'eux nous mettra sur la piste de Lavoie. On commence par les régions où vivaient les quatre membres du commando-suicide. Donnons-nous quelques jours pour rencontrer le plus de gens possible.

Une fois Bernier parti, Chloé demande à Pierre si ça va.

— Oui, oui, c'est correct, répond évasivement le détective.

Depuis quelques jours, il a toujours l'air sur l'adrénaline, mais une adrénaline malsaine, qui l'empoisonne tout autant qu'elle le stimule. Chloé propose :

— Écoute, le jour, on peut travailler tous les deux, mais le soir, je continue seule et toi, tu vas retrouver ta fille.

Pierre songe à s'opposer, mais renonce. Parce qu'il sait que Chloé ne voudra rien entendre. Et surtout parce qu'il sait qu'il sera incapable de passer une journée sans voir sa fille. Pour la première fois depuis deux jours, Pierre se détend ; il pose sa main sur l'épaule de sa collègue et lui dit :

— D'accord. T'es vraiment gentille, merci…

— Et si en revenant de l'hôpital, un soir, tu te sens seul, viens me voir, ajoute-t-elle d'un ton tout à fait naturel.

Pierre garde le silence. Chloé ajoute avec un clin d'œil coquin :

— Tu n'as plus besoin d'invitation, maintenant.

Avant que Pierre, les joues rouges, puisse ajouter quoi que ce soit, elle se claque les deux mains en proposant :

— Bon ! On se met au travail ?

◆

Le comptable, assis devant le bureau, consulte son dossier d'un air désolé et conclut :

— Je vous ai prévenu plusieurs fois, Maxime, que vous ne pourriez pas soutenir de telles dépenses pendant bien des années. En deux ans d'émissions spectaculaires et de procès coûteux, vous avez flambé presque toute votre fortune. Il y a bien vos dividendes de Lavoie inc. qui entrent toujours, mais ce ne sera pas suffisant pour produire une troisième année de *Vivre au Max*. Bref, dans trois jours, ce ne sera pas seulement la dernière émission de la saison, mais la dernière tout court. À moins que vous ne fassiez un formidable coup d'argent dans les six prochains mois.

Maxime, assis de profil de l'autre côté du bureau, fait un geste vague de la main en regardant vers la forêt du mont Royal, à travers la fenêtre. Il a plus ou moins prêté attention à tout ce que vient de lui raconter son comptable, se remémorant plutôt sa rencontre avec Salvador durant le week-end. Maxime est entré dans son restaurant samedi après-midi, tremblant de rage.

— J'essaie de te joindre depuis hier ! a crié l'animateur. En fait, depuis que j'ai appris que tu as manqué ton contrat !

Sans aucune gêne, le chef criminel a précisé que non seulement le meurtre de Sauvé avait échoué, mais que Joan, celui des deux tueurs qui a réussi à se sauver, demeurait introuvable.

— Ça m'étonne pas, a expliqué Salvador. Mes hommes savent que lorsqu'ils échouent une mission, ils ont intérêt à pas réapparaître. Mais on le retrouvera ben…

Maxime a montré de l'agacement tandis que l'Espagnol poursuivait:

— Je te l'avais dit que c'était pas simple de tuer un flic… Il a beau être de Drummondville, il est quand même futé.

Il a souri de toutes ses dents, fier de sa blague, puis a ajouté:

— Le plus plate, c'est que j'imagine que je toucherai pas la seconde moitié de la somme…

— Évidemment que non! a grogné Maxime. À moins que tu fasses un deuxième essai demain ou lundi!

— Pas question, a répondu Salvador d'une voix tout à coup très sévère. J'ai été assez cave pour accepter une fois, je referai pas la même erreur.

Maxime est parti en colère. Puis, il s'est raisonné: l'interrogatoire avec Sauvé s'est bien déroulé, non? Manifestement, le détective n'a encore rien d'irréfutable contre lui. Et, surtout, il n'a pas le dossier Déluge. Alors, même si on veut l'accuser formellement, qu'on l'accuse! D'ailleurs, Maxime se doute bien de ce que fait Sauvé en ce moment: lui et cette petite Dagenais doivent interroger le maximum de gens possible pour préparer un dossier en béton, afin de convaincre le procureur de Drummondville de lui donner un mandat officiel d'arrestation. Comme tout cela prendra au moins quelques jours, Maxime n'a plus à se faire de bile.

Le comptable dévisage son patron.

— Ça n'a pas l'air de vous émouvoir outre mesure…

— De toute façon, le CRTC m'a prévenu que je ne pourrais sûrement plus produire l'émission l'année prochaine.

Et c'était vrai. René Coutu, le responsable du CRTC que Maxime a pu faire chanter durant deux ans, a quitté son poste récemment, au grand soulagement des autres membres du conseil qui ne comprenaient pas le laxisme de leur patron. Le nouveau directeur, John Sanders, a accordé une attention méticuleuse aux centaines de plaintes portées contre l'émission au fil des mois. Et comme Sanders est un pur, sur lequel même Salvador n'a rien pu découvrir (ni maîtresse, ni détournement de fonds, ni le moindre petit vice honteux), il a juré à Lavoie qu'il ferait en sorte que son freak show décadent ne revienne pas pour une troisième saison. Menace qui, bien sûr, a peu impressionné l'animateur.

— Je vous ai aussi souvent prévenu que cette émission était de la folie, insiste le comptable. Voulez-vous bien me dire à quoi vous a servi un show qui n'a duré que deux saisons et qui non seulement ne vous a pas donné un sou, mais vous a complètement ruiné ?

L'ex-milliardaire plisse les yeux, le visage toujours tourné vers la fenêtre, l'expression lointaine.

— Vous comprendrez ça dans trois jours.

— Désolé, Maxime, mais je ne regarde jamais votre émission.

Maxime fait pivoter son fauteuil et contemple son employé avec admiration.

— C'est vrai ? Voilà qui est tout à votre honneur, Raymond.

À nouveau, son esprit gambade hors du bureau. Il songe à demain, à la toute dernière réunion qu'il aura avec les membres du Déluge… Les reproches du comptable le tirent de ses réflexions :

— Je vous annonce que vous avez flambé tout l'héritage de votre père et vous ne trouvez rien de mieux à dire ?

Il secoue la tête :

— Vous êtes vraiment inconscient, Max…

Maxime plante son regard dans celui de l'homme devant lui et, la voix dure, rétorque lentement :

— C'est bien la seule chose qu'on ne peut pas me reprocher.

◆

Mardi matin, à six heures trente, un animateur hilare réveille Pierre en sursaut et le détective, bouffi de sommeil, éteint la radio d'une main molle. Hier soir, il est encore resté à l'hôpital jusqu'à minuit trente. Sur le chemin du retour, il a jonglé avec la remarque que Chloé lui a faite l'autre jour, à savoir qu'il n'a plus besoin d'invitation pour passer chez elle. Tout de même, il ne peut pas rebondir chez sa collègue à une heure trente du matin ! Il marche vers la douche en se promettant de dormir vingt-quatre heures d'affilée lorsque tout sera terminé.

Tandis qu'il déjeune, il songe aux trois dernières journées. Jusqu'à maintenant, Chloé et lui ont réussi à joindre une vingtaine d'individus dans différentes régions. Si une bonne partie ont refusé de parler de ce qui leur est arrivé (par peur ou par honte), neuf ont accepté de rencontrer les détectives. Ils ont admis avoir participé à des réunions pro-suicide soit cette année, soit l'année dernière, et leurs témoignages correspondent en tout point à ceux de Mélançon et Huard. Mais le nom de Maxime Lavoie n'a jamais été mentionné. Peu importe, les deux détectives croient avoir maintenant suffisamment d'éléments troublants. Ils ont donc pris rendez-vous avec le procureur pour demain, mercredi, ce qui leur laisse toute la journée pour monter un dossier solide.

À sept heures quarante-cinq, il est sur le point de sortir (Chloé l'attend au poste pour huit heures) lorsque le téléphone sonne. Convaincu que c'est l'hôpital, il s'empresse d'aller répondre.

— Détective Pierre Sauvé ?

Il connaît cette voix et tente rapidement de la replacer en répondant : « Lui-même. »

— C'est Frédéric Ferland, Pierre.

Le policier retient difficilement un petit soupir. Il ne lâche donc jamais, celui-là !

— Je suis désolé d'appeler si tôt, mais comme je voulais être sûr de tomber sur vous... Je vous ai appelé plusieurs fois au cours des dernières journées, mais vous n'étiez jamais là. Et je n'ai pas le numéro de votre cellulaire. Vous n'avez pas de répondeur à la maison ?

Pierre se souvient avoir débranché son répondeur vendredi, excédé par les appels de sa mère et des journalistes.

— Je rentre très tard à la maison, ces temps-ci. Je suis très, très occupé.

— Bien sûr. Je voulais vous joindre parce que j'ai su que vous aviez été attaqué, jeudi soir.

Cette fois, Pierre ne peut réprimer son soupir. Lui dont le nom n'était jamais apparu dans aucun entre-filet de journal durant dix-sept ans, voilà qu'il faisait les manchettes pour la seconde fois en deux mois !

— Oui, mais j'ai même pas été blessé. Tout est sous contrôle.

— J'imagine que cela est lié à votre enquête ?

— Oui, c'est lié. Maintenant, Frédéric, je vais devoir vous laisser…

— Je comprends. Je me demandais juste si, à la suite de cette seconde attaque, vous ne devriez pas venir me voir pour qu'on en discute. Je pourrais vous recevoir dès cet après-midi.

— C'est gentil, Frédéric, mais je me sens très bien…

— Vous avez *l'impression* de bien aller, mais il est évident que cela a dû vous perturber, même inconsciemment. Si nous parlions un peu, je…

— Je vous jure que je vais bien, le coupe le policier en faisant preuve d'une patience dont il ne se serait pas cru capable.

— Écoutez, Pierre, c'est moi le psychologue et je pense vraiment que vous devriez venir me voir !

Pierre, combiné sur l'oreille, en demeure pantois. C'est la première fois que Ferland lui parle sur un ton aussi sec et autoritaire. Mais il y a aussi dans cette voix, en arrière-plan, une sorte de supplication fiévreuse. On dirait que le besoin du psychologue de revoir Pierre est du même ordre que celui du junkie à s'envoyer un shoot.

Ce n'est pas moi qu'il veut revoir… Il veut avoir des nouvelles de l'enquête…

Il secoue la tête pour chasser cette idée quelque peu farfelue et articule froidement dans le combiné :

— Je vais raccrocher, Frédéric.

— Non, attendez, c'est…

Ricanement penaud.

— Je suis désolé, je me suis emporté, ce n'était pas… Désolé, Pierre.

Le policier ne dit rien. Outre l'insistance du psychologue, quelque chose turlupine le détective dans ce coup de téléphone, mais il ne saurait dire quoi.

— Promettez-moi de m'appeler si vous vous sentez le moindrement angoissé ou si vous avez tout simplement envie de vous confier, propose Ferland d'un ton cette fois posé. Vous avez toujours mon numéro, n'est-ce pas ?

— Oui, je vous remercie.

— Parfait. Et... heu... (brève hésitation, bruit de lèvres humectées) Votre enquête, ça avance ?

L'idée farfelue de tout à l'heure revient à l'esprit de Pierre.

— Oui, ça avance.

— Et Maxime Lavoie, finalement, est-il mêlé à tout ça ou...

— Frédéric, c'est confidentiel, je vous l'ai déjà dit. Je dois y aller, maintenant.

— Oui, oui...

Sa voix devient rapide avec, à nouveau, cette nuance de supplication :

— N'hésitez pas à m'appeler.

— Merci.

Pierre raccroche. Dieu du ciel ! ce Ferland est vraiment un numéro ! Est-ce normal qu'un psy harcèle ses patients jusque chez eux ?

Et qu'est-ce qui le chicote tant à propos de ce coup de fil ?

Au diable ce Ferland ! Il attrape une pomme au passage et sort enfin de chez lui.

◆

Dans les coulisses, Maxime regarde sa montre : quatorze heures cinquante-huit. Dans quelques minutes, il fera son apparition sur la scène. De la salle lui parvient un brouhaha plutôt faible si on songe au nombre de personnes qui s'y trouvent. Mais qu'auraient-elles à se dire ? Elles ne veulent pas parler, elles veulent agir, enfin. Frédéric Ferland, qui est allé regarder discrètement dans la salle, revient et annonce :

— Ils sont soixante-dix, tous assis sagement.

Soixante-dix ! Ils sont presque tous venus, malgré le temps qui a passé et les distances ! Ils sont venus dans cette salle près de Québec, la plupart en voiture, d'autres en autocar, certains en taxi, peut-être même quelques-uns ont-ils fait de l'auto-stop ! Certains d'entre eux ont roulé pendant une dizaine d'heures ! Et en rouleront tout autant pour retourner chez eux ! C'est mieux que Maxime ne l'espérait. Ferland toise l'ex-milliardaire de haut en bas.

— Pas de déguisement aujourd'hui ?

— Non. Aujourd'hui, tout est révélé.

— Ça leur laisse tout de même deux jours pour te dénoncer si l'un d'eux change d'avis.

— Tu oublies ma police d'assurance. Rappelle-toi la quatrième réunion, en mars dernier…

Ferland approuve en silence. L'ex-milliardaire poursuit :

— De toute façon, au point où ils sont rendus, ils ne changeront pas d'idée. Leur présence ici cet après-midi en est la preuve.

Ferland hoche la tête, mais Maxime remarque son air préoccupé.

— Qu'est-ce qu'il y a ?

— Rien. J'ai… j'ai un client qui refuse de me voir pour une dernière rencontre.

— Et ça te dérange ? s'étonne Maxime.

— C'était un cas… intéressant.

L'animateur hoche la tête, puis dit d'une voix grave :

— Dans deux jours, Frédéric… Jeudi soir, nous brûlerons nos flambeaux côte à côte.

Et il ajoute sur un ton de faux reproche :

— Ton foutu flambeau dont tu auras conservé le secret jusqu'à la toute fin !

Frédéric sourit, mais paraît toujours distrait. L'animateur regarde à nouveau sa montre : quinze heures trois. C'est le moment. Il prend une grande respiration, puis traverse les rideaux.

Soixante-dix personnes, hommes et femmes de tous âges, sont assises sur des chaises de bois dans la salle, la plupart silencieuses, le faciès absent. Lorsque Maxime apparaît, toutes le dévisagent avec une perplexité qui se transforme rapidement en un ahurissement total. Les exclamations se mettent à fuser, certains se lèvent d'un bond, convaincus d'avoir été trompés, mais Maxime lève deux bras en un geste apaisant et sa voix forte envahit la salle.

— Du calme ! Ce n'est pas un piège ni une mauvaise blague ! Tout va bien ! Il n'y a jamais eu de Charles. C'est moi depuis le début ! Moi, Maxime Lavoie !

Les gens se taisent peu à peu, mais le doute se lit toujours sur leur visage et certains demeurent debout, comme prêts à détaler au moindre pépin.

— Votre présence ici démontre que vous avez compris et que vous acceptez ! Je peux donc enfin me révéler sous mon vrai jour ! poursuit Maxime avec emphase. Les auditions que vous avez passées pour mon émission m'ont permis de vous trouver, de vous rencontrer et de vous révéler à vous-mêmes !

Peu à peu, les gens debout se rassoient, plus aucun son ne provient de la salle et tous écoutent, ensorcelés.

— Vous attendez ce moment depuis longtemps ! Certains depuis cinq mois, d'autres depuis presque un an et demi ! Vous avez accepté d'attendre parce que vous saviez que ça en vaudrait la peine, qu'agir tous ensemble rendrait votre flambeau encore plus lumineux !

L'animateur observe chacune des personnes présentes avec attention, et annonce sur un ton solennel :

— Votre patience va maintenant être récompensée...

Les soixante-dix paires d'yeux brillent soudain d'un éclat sinistre. Maxime, à nouveau, se sent impressionné : ils sont presque tous là... Bien sûr, parmi les huit absents, il y a cinq morts : Diane Nadeau, qui a bien failli tout gâcher, ainsi que Robitaille, Liang, Proulx et Lacharité, qui ont réparé les pots cassés. Maxime se souvient d'ailleurs de cette journée, il y a deux mois, où il a convoqué ces quatre derniers...

... une convocation non prévue, mais nécessaire...

CHAPITRE 26

— C'est aujourd'hui, le 12 juin, que Diane Nadeau, accusée d'un quadruple meurtre, comparaissait au Palais de justice de Drummondville pour sa représentation sur sentence.

Le journaliste se trouve devant le Palais de justice. Assis chacun dans un fauteuil, dans le vaste et froid salon du milliardaire, Maxime et Ferland écoutent le reportage télé, le premier d'un air soucieux, l'autre avec attention. Maxime l'a déjà regardé plus tôt, aux nouvelles de dix-huit heures, et s'est empressé d'appeler Ferland pour lui donner rendez-vous ici même, pour les nouvelles de vingt-deux heures.

— Un événement particulier a marqué cette comparution, poursuit le journaliste. Nadeau, qui a déjà plaidé coupable et qui, jusqu'à maintenant, garde un mutisme presque total malgré une nervosité évidente, a soudain craqué tout à l'heure en sortant du Palais de justice.

À l'écran, on voit alors Nadeau, le visage crépusculaire mais torturé, traverser la foule haineuse. Tout à coup, elle aperçoit la caméra et, comme si celle-ci venait de déclencher quelque chose chez la meurtrière, elle avance la tête vers l'objectif et se met à crier :

— Il faut que vous fassiez quelque chose ! Pis vite ! Le plus vite possible ! Je pourrai pas me retenir longtemps, vous entendez ? Je... je ne peux plus ! Je ne peux plus !

L'image change et le journaliste réapparaît, tandis que le visage de Maxime se renfrogne.

— Que signifie cet appel énigmatique ? demande le journaliste en prenant des airs mystérieux. Sans doute ne le saurons-nous jamais. Une chose est sûre, c'est que de telles paroles confirment le désordre mental de...

La télévision s'éteint et on n'entend plus que la mastication de Gabriel qui, sur un divan à l'écart, mange tranquillement ses céréales, la boîte entre les cuisses. Maxime se tourne vers Ferland :

— Tu t'imagines comment j'ai réagi en voyant ça ?

— En tout cas, c'est clair qu'elle s'adresse à toi, explique le psychologue en s'allumant une cigarette. Ce qu'elle te dit, c'est que si tu n'interviens pas rapidement, elle va craquer et tout déballer.

— Je vais donc l'écouter et intervenir, approuve Maxime en saisissant un dossier déposé sur la petite table de verre.

Le dossier porte l'inscription « Déluge ». Maxime l'ouvre, prend les quatre premiers rapports sur le dessus et les tend à Ferland.

— Pendant deux heures, j'ai lu et relu chaque rapport de cette chemise. Je voulais choisir des individus qui, entre autres, proviennent d'endroits différents. Je vais devoir les contacter par téléphone, je n'ai pas le choix. Mais j'utiliserai un cellulaire anonyme que je jetterai après.

Ferland lit les noms des quatre rapports, marqués des lettres DEL : Louis Robitaille, Siu Liang, Philippe

Lacharité et Richard Proulx. Maxime croise les jambes :

— Je vais leur donner rendez-vous ici même, à Montréal, dans trois ou quatre jours. Un rendez-vous imprévu, plus tôt que celui du mois d'août que j'ai donné à tous les autres... mais ils comprendront. Ils seront même fiers, j'en suis sûr. Si je me fie à leur profil psychologique et au souvenir que je garde de la dernière séance, ils seront parfaits pour cette mission.

— Quelle mission ?

— Qu'est-ce que tu crois ?

Gabriel fouille dans la boîte de Froot Loops puis, constatant qu'elle est vide, se lève pour se diriger vers la cuisine. Le psychologue commence à lire les quatre rapports avec curiosité. Maxime hoche la tête, approbatif : Ferland, qui a compris, n'a émis aucune objection au projet. Une autre preuve que le milliardaire a vu juste en faisant de cet homme son « associé ». Il croise ses mains sur sa tête et marmonne :

— Mais avant de les appeler, je dois savoir quand Nadeau retournera à Drummondville pour connaître sa sentence...

CHAPITRE 37

Pierre, assis au pied du lit, n'a pas quitté sa fille des yeux depuis soixante minutes. Tout au cours de cette heure, il s'est concentré sur une seule phrase, qu'il propulse mentalement de toutes ses forces vers Karine ; deux mots dans lesquels il canalise toute son énergie, son espoir, sa vie.

Réveille-toi !

Mais Karine garde les yeux fermés, encore plus belle sans son aura sombre qui s'est évaporée depuis qu'elle est dans le coma.

Pierre et Chloé ont fini de monter le dossier à seize heures cet après-midi. Ils sont maintenant prêts à le présenter au procureur demain et Pierre, tout à l'heure, a avoué à sa collègue :

— J'ai hâte à demain, t'as pas idée !

Pourtant, devant le lit de sa fille, il ne pense plus du tout à Lavoie. Il songe à sa visite à l'appartement de Karine, à tous les morceaux de puzzle qu'il y a découverts. Et maintenant, il les remet en place, un à un. Karine a auditionné pour l'émission *Vivre au Max* dans l'espoir de devenir comédienne. Elle n'a pas été retenue mais a été convoquée à l'une de ces réunions pro-suicide. Après quoi, elle a « spécialisé » ses services, jouant des rôles pour ses clients. Pourquoi ? Pour s'approcher de son rêve de comédienne ? Songeait-elle à se suicider à ce moment-là ? Le gourou fou de ces réunions pro-suicide avait-il réussi à la convaincre d'allumer son… son « flambeau » ?

Mais le plus grave, c'est que, quelques mois après cette réunion, peu de temps après que Pierre eut découvert son vrai travail, Karine est allée le voir. Pas la visite de courtoisie habituelle : une vraie *rencontre*, pour la première fois depuis dix ans.

Une rencontre que tu as rejetée, comme toujours.

Il masse ses tempes douloureuses. Non, c'est faux. À la mort de Jacynthe, par exemple, il a essayé de lui parler, il a été disponible. C'est elle qui refusait de s'ouvrir.

Elle avait dix ans, pour l'amour du ciel ! Dix ans et elle était traumatisée ! C'était toi, l'adulte, toi qui aurais dû persévérer ! As-tu vraiment essayé ? Et pendant combien de temps ? Quelques mois ? Ce silence qui s'est installé entre vous de manière définitive faisait bien ton affaire, avoue-le !

Et à elle aussi. Car le silence peut devenir un cercle vicieux sournois. Le départ de Karine pour Montréal n'était que la concrétisation d'un fossé qui se creusait depuis déjà un bon moment.

Elle a vécu une vie que tu n'as jamais soupçonnée. Et qui, de toute façon, ne t'a jamais intéressé.

Voilà que, par hasard, il découvre sa double vie. Alors que cette choquante révélation pourrait être l'occasion de se découvrir enfin, de se rapprocher, au moment où Karine fait elle-même l'effort de venir le voir, misérable… que fait-il ?

« Aide-moi un peu, p'pa ! »

Il bousille tout.

« Ç'a déjà été assez dur de venir ici, aide-moi pis écoute-moi ! »

Pierre croise les doigts sous son menton, la gorge serrée, sans quitter sa fille des yeux. Il l'a rejetée par orgueil, par lâcheté et par peur. Par peur de sa fille qu'il ne connaît pas.

« *Écoute-moi !* »

Il secoue la tête en se redressant sur sa chaise. Non, il ne l'a pas rejetée ! Il était même prêt à lui pardonner si elle changeait de vie ! Il était prêt à tout oublier !

Mais ce n'est pas ça qu'elle voulait ! Ce n'est pas ça qu'elle était venue chercher !

« *Écoute-moi !* »

Il entend si clairement ces deux derniers mots qu'il lève la tête, convaincue que sa fille vient de les prononcer. Mais Karine n'a pas bougé.

Elle est venue te voir dans l'espoir de trouver une preuve, une seule, que ce qui s'était dit dans ces réunions pro-suicide était faux. Non seulement tu n'as pas su la lui fournir, mais tu as confirmé le pire !

Alors, Karine a abandonné pour de vrai. Tant qu'à vivre en traînant avec soi une chape de ténèbres, aussi bien y disparaître définitivement.

Tout à coup, les digues que Pierre s'est efforcé de construire tout au long de sa vie pour empêcher les émotions de le submerger cèdent dans un fracas silencieux, et au cœur du torrent qui déferle en lui roule la culpabilité, la pire des vagues, celle qu'il a toujours redoutée et dont le ressac, qui jusqu'à aujourd'hui lui avait à peine effleuré les pieds, le happe maintenant brusquement, jusqu'à l'étouffer. Emporté par les flots, Pierre ne combat plus, se laisse soulever de sa chaise et échoue sur le lit de Karine. Recouvrant le visage angélique de baisers et de larmes, il bafouille d'une voix brisée :

— Pardonne-moi, Karine… Pardonne-moi, mon bébé, pardonne-moi… Pardonne-moi…

Il répète ces mots, encore et encore, caressant de ses doigts tremblants les joues de sa fille. Quand une infirmière passe vingt minutes plus tard, il pleure toujours.

Durant le trajet de retour vers Drummondville, il songe à cette phrase qu'il a dite à Karine, l'autre jour.

« Avec le temps, tout va peut-être redevenir comme avant… »

Il voit tout à coup la vie qui se dessine devant lui si, effectivement, tout redevient comme avant… Il continuera à voir Karine deux fois par année, sans vraiment lui parler, sans vraiment la connaître. Au fil des ans, ces rencontres se réduiront à une seule par an, puis finiront sans doute par disparaître à peu près complètement. Parallèlement, Pierre, par peur de l'engagement et pour se simplifier la vie, persistera à repousser toute relation amoureuse, s'accommodant toute sa vie de petites aventures sans lendemain, et travaillera encore plus pour éviter tout questionnement troublant à ce sujet. À cinquante ans, il sera un détective reconnu mais quelque peu blasé. Le soir, seul, sans conjointe, sans nouvelles de Karine depuis des lustres, sans amis à l'exception de ses collègues qui parlent toujours des mêmes choses, il écoutera la télé. Ira au cinéma. Bricolera un peu. S'intéressera à peu de choses. Puis la retraite. Toujours seul. Avec quelques retraités aussi ennuyants que lui. Avec sa télé et ses petits bricolages. Et il se convaincra que, finalement, il a eu la vie qu'il souhaitait : tranquille, sans confrontation, sans réflexion… sans remise en question… sans changements… sans surprises… égale… banale…

… vide…

Dans un flash terrifiant, le visage de son père agonisant lui apparaît, comme si son pare-brise s'était
transformé en écran de cinéma. La bouche édentée
du moribond articule ces derniers mots que Pierre a
toujours voulu mettre sur le compte du délire et qui,
tout à coup, lui paraissent d'une acuité affolante :

— *Oh! mon Dieu! c'est fini… et il ne s'est rien
passé! Rien!*

Le visage du mourant grossit et sa bouche, qui ne
cesse de répéter le dernier mot, devient démesurée,
emplit la vision de Pierre, gigantesque gouffre sans
fond sur le point de tout avaler…

Pierre bifurque vers l'accotement, ralentit rapidement, puis immobilise son véhicule. Dans la
pénombre, il mord son poing droit de toutes ses
forces pour ne pas hurler.

◆

Chloé est en train d'écouter les nouvelles à la télé
(commanditées, comme en fait foi le logo au bas de
l'écran, par les restaurants McDonald's) lorsqu'on
sonne à la porte. Elle va répondre, sachant déjà de
qui il s'agit.

Pierre est là. Debout, et pourtant effondré. Chloé
ouvre lentement les bras et Pierre s'y réfugie. Ils ne
s'embrassent pas. Ils se serrent l'un contre l'autre
longuement, se fondent, s'aspirent.

Ils font l'amour, ou du moins quelque chose qui
y ressemble beaucoup. Cette nuit, Pierre sait qu'il
ne couche pas avec une femme qu'il trouve jolie et
qui va lui donner un peu de bon temps : il couche
avec Chloé Dagenais. Durant toute la relation, il la
regarde dans les yeux, car la dernière chose dont il
a envie ce soir est d'être seul. Il veut être avec Chloé.

Et Chloé, émue, reste avec Pierre, durant son orgasme à lui, durant son orgasme à elle.

Lorsqu'il enfouit son visage dans le cou de la jeune femme pour reprendre son souffle, Chloé l'entend sangloter. Elle ferme les yeux et lui caresse la nuque, sans un mot.

◆

— Qu'est-ce que tu peux bien me trouver ?

— Quoi ?

Couché sur le dos dans le lit, il promène son regard sur les rangées de livres sur les murs, les reproductions de peintures incompréhensibles.

— Tu es une fille qui lit, qui a de la culture, qui déteste tout ce que moi, j'aime... Pourquoi tu me trouves de ton goût ?

La tête sur le torse de Pierre, Chloé a une petite moue songeuse.

— Je ne sais pas... Peut-être que j'ai senti ta vulnérabilité sous tes airs de *tough*...

Elle éclate de rire et Pierre sourit. Ah ! le rire de Chloé...

— Et puis, pour un gars qui va avoir quarante ans, je trouve que t'as un beau petit cul musclé, ajoute la policière en lui mordant l'épaule.

— Non, mais sérieusement... T'es une flic intello alors que moi...

— Je ne suis pas intello du tout, voyons ! Tu aurais dû connaître mon ex, ça, c'était un intello ! Il était prof à l'Université de Sherbrooke et jugeait tout le monde. Il dénigrait mon travail et me traitait comme si j'étais une de ses étudiantes. Être heureux, pour lui, était un signe d'aveuglement total. J'ai toujours admiré l'esprit critique, mais là, c'était trop pour moi. Au bout de quatre ans, j'ai fini par le comprendre.

Elle se tait un court moment, puis :

— Je pense que j'ai besoin d'un peu plus de simplicité, dans la vie.

— C'est pour ça que tu t'intéresses à un gars simpliste ?

— J'ai dit simplicité, pas simplisme…

Elle tourne la tête vers lui.

— Tu es bien sévère avec toi-même, tout d'un coup ! C'est assez inhabituel.

Pierre ne dit rien un moment, puis :

— Demain, on rencontre le procureur.

Chloé pose à nouveau sa tête sur le torse de son amant, amusée par ce changement de sujet peu subtil.

— Onze témoignages de gens éparpillés dans tout le Québec, ça devrait démontrer l'ampleur de l'affaire.

Pierre s'assombrit.

Dans toutes les régions du Québec depuis deux ans… sans que personne ne s'en rende compte…

— Tu peux dormir ici, si tu veux, susurre Chloé.

— Je veux bien, répond-il spontanément, sans même se demander si c'est sage, dangereux ou quoi que ce soit d'autre.

Ils se taisent et Pierre s'endort rapidement. Pour la première fois depuis la fusillade de la rue Saint-Joseph, il ne fait aucun rêve.

◆

En ouvrant les yeux, Pierre a un court moment d'instabilité : où est-il donc ? Le temps de se redresser, tout lui revient en mémoire. Il a passé la nuit chez Chloé. Cette dernière, d'ailleurs, n'est plus dans le lit. L'horloge indique sept heures vingt. Comme par réflexe, il se sent tout à coup mal à l'aise. De nouveau il est assailli par cette idée que s'il laisse sa vie personnelle envahir sa vie professionnelle, il gâchera cette dernière.

Une fois habillé, il sort de la pièce et marche dans le couloir, guidé par une odeur de café. Il passe devant une pièce qu'il a déjà entrevue lors de sa dernière visite : ce bureau recouvert de papiers... Il y entre, curieux, et s'approche. Des restes de dizaines de pages de journaux de toutes sortes traînent sur le bureau, comme si on les avait découpés. Au milieu de ce fatras se trouve un grand *scrapbook* que Pierre ouvre. Il renferme une grande quantité de coupures de journaux collées sur chaque page.

— Bon matin.

Il se retourne. Chloé, en robe de chambre, joliment ébouriffée, se tient dans l'embrasure de la porte, café à la main. Pierre, embourbé, veut justifier sa présence dans cette pièce, mais sa collègue, souriante et même quelque peu fière, s'approche en disant :

— Tu as découvert ma petite oasis.

— Ton oasis ?

— Ce sont des articles de journaux que je collectionne depuis quelques années, sur l'actualité mondiale. Je ne ramasse que les bonnes nouvelles.

Pierre, encouragé par l'attitude de Chloé, feuillette quelques pages : articles sur des enfants sauvés d'un incendie, sur des dons gouvernementaux pour aider tel ou tel pays pauvre, sur les bienfaits d'une nouvelle technologie, sur une manifestation humaniste qui a eu des effets positifs...

— Pourquoi tu fais ça ?

— Pour ne pas oublier que c'est possible.

Il la regarde. Malgré la tristesse de son regard, son sourire est éclatant, triomphant, plus fort que tout.

— Je n'en trouve pas beaucoup. C'est justement pour cette raison qu'ils sont précieux.

Pierre comprend alors que si le sourire de sa collègue est toujours si riche, c'est parce qu'elle vient périodiquement se brancher sur cette génératrice de papier pour recharger sa batterie.

Et si ta vie personnelle devenait agréable et satis- faisante, en quoi serait-ce un problème qu'elle se mêle à ta vie professionnelle ? Est-ce si impensable ?

Il ressent alors une forte envie de l'embrasser, qu'il repousse bêtement.

— Viens, fait Chloé sans transition, tout simple- ment. Je t'ai préparé un café.

La cuisine est peinte en orangé, ce qui rend les éclats du soleil encore plus lumineux. Pierre voit le sac de café sur le comptoir et, moqueur, remarque :

— Du Van Houtte ? Ça me surprend.

— Pourquoi ?

— De ta part, toi qui es contre Wal-Mart, contre la pollution, contre plein d'affaires... Je me serais attendu à du café équitable.

Il éprouve un plaisir coquin à la prendre ainsi en défaut. Mais la policière, en remplissant une tasse, hausse une épaule :

— On ne peut pas être de tous les combats, on ne vivrait plus. L'important, c'est d'en choisir quelques- uns et de les mener jusqu'au bout.

Pendant une seconde, il redoute qu'elle lui demande quels sont ses combats à lui, mais elle se contente de lui tendre la tasse :

— Alors, tu veux un bon café non équitable ?

Il boit debout. Elle va s'asseoir avec sa propre tasse et lui demande :

— Tu ne t'assois pas ?

— Si on veut être au poste à neuf heures pour revoir notre stratégie avant de rencontrer le procureur,

faut que j'aille prendre ma douche, changer de vêtements…

En avalant une gorgée, elle ajoute d'un air entendu :

— Ç'a été agréable, non ?

Se rappelant ce qu'elle lui a répliqué elle-même
la dernière fois, il se dit que l'occasion est trop belle
et répond d'un air faussement désinvolte :

— Pas pire…

— Menteur ! rétorque-t-elle en s'esclaffant, et son
rire se mêle si bien aux couleurs vives de la cuisine
et aux rayons de soleil qui entrent par la fenêtre que
Pierre lui-même rit de bon cœur, redécouvrant tout à
coup la volupté de cet acte si simple qu'il accomplit
trop rarement.

— Ç'a été parfait, dit-il en souriant.

Et puis, ne luttant plus contre son envie, il s'approche d'elle et l'embrasse, un baiser rapide, un peu
maladroit mais sincère, reconnaissant. Elle se laisse
faire, sans le quitter des yeux.

Est-ce vraiment impensable ?

— À tantôt, balbutie-t-il.

Il s'empresse alors de mettre ses souliers et, les
joues rouges, sort de la maison. Dans sa voiture, il
se sent tout à coup empli d'optimisme, à un point
tel qu'il prend son cellulaire et appelle l'hôpital, convaincu qu'on lui donnera de bonnes nouvelles. Mais
on lui dit qu'il n'y a aucun changement chez Karine.

En prenant la route, Pierre sent sa bonne humeur
entachée, comme une flaque d'huile qui persisterait
au centre d'un lac limpide.

◆

L'après-midi, les deux détectives rencontrent le
procureur pour demander officiellement l'autorisation

de procéder à une accusation et, par le fait même, à une arrestation en bonne et due forme. Ils déposent le dossier et, à sa grande surprise, le procureur constate qu'il concerne la super-vedette Maxime Lavoie. Pierre explique qu'ils désirent l'arrêter pour deux chefs d'accusation. Le premier et le plus important : Lavoie a incité des centaines de gens au suicide. Et le second : Diane Nadeau, qui est une des victimes de Lavoie, a été éliminée sous les ordres de ce dernier, car elle était sur le point de révéler des faits importants à Pierre. Le procureur demande s'ils ont des preuves formelles. Les deux policiers admettent que non, mais ils ont un dossier qui expose des coïncidences et des faits plus que troublants. Le procureur, qui les écoute pendant plus d'une heure en feuilletant le dossier, demande finalement si on a interrogé Lavoie. Le détective répond que oui, mais que l'animateur nie toute implication dans ces sui-cides et dans le meurtre de Nadeau (il indique au procureur une copie de la transcription de l'interro-gatoire). Le procureur demande ensuite si une seule fois, parmi les onze témoignages des gens interrogés, le nom de Maxime Lavoie a été évoqué. Pierre admet que non.

Le procureur reconnaît que le dossier est troublant (il semble entre autres impressionné par le fait que onze personnes, éparpillées dans le Québec, ont livré le même témoignage, et par ces suicidés dont les rapports sont marqués d'un X), mais ajoute que cette histoire est la plus incroyable qu'il ait jamais entendue au cours de sa carrière pourtant bien entamée. Il étudiera donc le dossier attentivement et donnera sa réponse vendredi après-midi. Pierre et Chloé quittent le bureau, confiants.

◆

Ce mercredi soir, à vingt-trois heures cinquante, Maxime Lavoie dort paisiblement dans son lit.

Frédéric Ferland, couché dans le sien, fixe le plafond, déçu de constater que Sauvé ne l'a pas rappelé.

Chloé Dagenais, assise sur son divan, soupire en regardant la porte d'entrée et se décide enfin à aller se coucher.

Pierre Sauvé, face à sa fille toujours dans le coma, s'est endormi sur sa chaise.

◆

Jeudi matin, Pierre se réveille en sursaut, comme si un flash le tirait carrément du sommeil : il comprend tout à coup pourquoi le coup de téléphone de Ferland, mardi matin, l'intriguait tant. Il décide de vérifier cela plus tard au poste.

En fin de matinée, les deux détectives et Bernier ont une réunion dans le bureau de Pierre et en arrivent à la conclusion que jusqu'à ce que le procureur donne sa réponse demain après-midi, il n'y a plus grand-chose à faire, sinon attendre.

— Il y a encore un point qui me chicote, fait Pierre, assis derrière son bureau. C'est ce maudit mot, « déluge »…

— Peut-être que ce code désignait les personnes les plus potentiellement dangereuses et que Lavoie se servait d'eux pour faire de la sale besogne, comme l'élimination de Nadeau, propose Bernier.

— Mais Nadeau elle-même avait les lettres DEL dans son rapport, rappelle Pierre.

Bernier a une mimique indécise.

— Tu penses toujours qu'il existe un dossier Déluge que Lavoie ne nous a pas donné ? demande Chloé. Un dossier qui contiendrait d'autres rapports ?

— Peut-être. On va tirer ça au clair quand on va arrêter Lavoie.

— Si on l'arrête, précise Chloé.

— Je suis sûr que le procureur va nous donner le feu vert ! rétorque le capitaine, confiant. On a pas de preuves formelles, c'est vrai, mais il y a assez d'affaires troublantes dans ce dossier-là pour procéder à une arrestation, je peux pas croire !

Il ajoute :

— Prenez donc congé jusqu'à demain après-midi. Vous l'avez ben mérité. Surtout toi, Pierre, t'as l'air d'un mort-vivant !

Pierre le remercie sur un ton ironique. Tandis que Bernier sort, le détective ne peut s'empêcher de se demander, mal à l'aise, si son capitaine, après le boulot, se met à la recherche d'un jeune Noir avec qui il pourrait enfin se libérer de son lourd secret...

— C'est vrai, fait Chloé.

— Hein ? s'étonne Pierre, convaincu que la jeune femme vient de lire dans ses pensées.

— T'as vraiment pas l'air en forme.

— Je dors pas beaucoup. Hier, je me suis endormi sur une chaise, à l'hôpital. Quand j'ai ouvert les yeux, il était une heure du matin. Les infirmières osaient pas me réveiller.

Comme pour répondre à une question muette de sa collègue, il ajoute :

— À cette heure-là, j'ai préféré rentrer directement chez moi.

Elle hoche la tête, puis rit franchement.

— On ressemble à deux adolescents, avec ces phrases pleines de sous-entendus !

— Ouais… C'est un peu con, hein ?

Le sourire de Chloé s'attendrit :

— Non… Pourquoi ?

Pierre ne répond rien. Il regarde sa montre : onze heures trente.

— Je vais retourner à l'hôpital cet après-midi, mais en attendant, je t'invite à dîner ?

Sa collègue accepte avec une joie non dissimulée.

— Mais je veux régler une chose avant, précise Pierre en ouvrant un tiroir de son bureau. C'est à propos de cet appel anonyme qui m'a sauvé la vie.

— Tu as trouvé qui c'est ? s'exclame la policière en s'approchant.

Pierre sort son agenda du tiroir.

— Non, mais mon psychologue m'a appelé mardi. Ce matin, en me réveillant, je me suis dit qu'il est une des rares personnes à avoir mon numéro personnel.

— Tu ne penses quand même pas que c'est lui !

— Non, évidemment, mais je veux lui parler (il feuillette son agenda). Peut-être qu'il a donné mon numéro à quelqu'un ou qu'il l'a laissé traîner quelque part… Je sais pas trop, mais bon, ça me coûte rien de l'appeler.

Le policier trouve le numéro et le compose, mais raccroche après cinq coups : Ferland n'est pas à son bureau. Pierre se souvient alors que le psychologue lui a laissé son numéro personnel lors de leur dernière rencontre. Il se met à la recherche du bout de papier remis par Ferland, ne se souvient plus où il l'a mis, et Chloé, narquoise, suggère :

— Regarde dans ton veston. Tu l'as toujours sur le dos.

— Ça veut dire quoi ? demande Pierre, piqué, tout en marchant vers la patère. Tu l'aimes pas, mon veston ?

Il fouille dans la poche et trouve la feuille de papier pliée en quatre. Il la déplie, est sur le point de composer le numéro… quand, tout à coup, Chloé lui enlève la feuille des mains.

— Qu'est-ce qui te prend ? demande Pierre.

La policière étudie le papier un moment, puis le redonne à son collègue :

— Ça ne te rappelle rien, une feuille comme ça ?

Lorsque Ferland la lui avait donnée, Pierre l'avait rangée dans son veston sans faire attention. Il l'examine donc attentivement : feuille arrachée d'un cahier de notes… bleu ciel… des lignes espacées… avec le mot « Notes » écrit en haut… D'un seul coup, ça lui revient. Il se met à fouiller dans son bureau.

— On l'a pas jointe au dossier pour le procureur ? demande Chloé.

— Je pense pas, répond Pierre qui explore le troisième tiroir. Ça apportait rien au dossier.

Enfin, il *la* trouve. Il prend la feuille, comme s'il découvrait un parchemin précieux, et l'approche de son visage. Il s'agit de la lettre qu'a reçue Diane Nadeau après sa mort, envoyée par son amant globe-trotter qui signait «Gros Loup».

La feuille de papier est identique à celle sur laquelle Ferland a écrit son numéro de téléphone. Pierre relit rapidement la lettre de Gros Loup.

« *Au fait, tu as réussi à être qualifiée pour cette émission, comment ça s'appelle… Vivre au Max ?* »

— C'est cette lettre qui a tout déclenché, se souvient Pierre à haute voix. Sans elle, on se serait jamais rendus jusqu'à Lavoie.

Il lève la tête vers sa collègue.

— Une lettre qui est tombée du ciel au bon moment…

— Comme ton coup de téléphone anonyme, ajoute Chloé.

Pierre hoche la tête et caresse sa moustache. Effectivement, il y a eu dans cette enquête quelques coups de théâtre qui les ont drôlement aidés…

— Comme aussi cet autre appel anonyme, qui nous a dit que Louis Robitaille avait auditionné pour *Vivre au Max*, tu te souviens ? marmonne Pierre.

Chloé croise les bras :

— Je pense qu'on va oublier notre journée de congé.

◆

Maxime ne se sent pas nerveux. Fébrile, certes, mais pas nerveux. Et, évidemment, il y a la tristesse. Toujours. Qui ne l'a jamais vraiment lâché durant toute sa vie. Qui a empiré avec le temps.

Il prend la chemise « Déluge » qui se trouve sur son bureau, va ouvrir la porte de son *walk-in* et contemple l'intérieur avec gravité et mélancolie. Ses yeux se posent sur chacun des objets se trouvant sur les tablettes, sur chacun des jalons de sa vie d'abord naïve, puis désillusionnée, et finalement active. La photo de Nadine, le livre de Baudelaire, les papiers de Lavoie inc., l'article de journal relatant la mort de Francis, la chaîne que portait Gabriel à la cheville en Gaspésie, le contrat pour *Vivre au Max,* et bien d'autres choses encore. Sur la dernière rangée, il dépose le dossier Déluge, point d'orgue de sa vie. Il a un pincement au cœur en constatant que les autres dossiers sont absents, de même que les boîtes de rapports d'auditions rejetées. Tant pis. L'essentiel est là. En tout cas, il y a suffisamment d'éléments pour reconstruire la vie de Maxime… et tout comprendre.

« Orgueil », avait dit Ferland. Maxime n'est pas convaincu que c'est aussi simple. Certes, il y a sans doute un peu de vanité dans ce garde-robe, mais surtout la volonté qu'on saisisse *pourquoi* il s'est rendu jusque-là, qu'on sache qu'avant d'en arriver à de telles extrémités, il a tenté autre chose… en vain.

Mais les générations futures te maudiront.

Peu importe. Au moins, les clés seront là pour qu'à défaut d'approuver, on comprenne. Il referme la porte du placard sans la verrouiller et sort de la pièce.

Deux minutes plus tard, assis dans sa limousine qui s'éloigne, il regarde vers sa maison et, à l'idée qu'il ne reviendra plus dans cette immense baraque qu'il n'a jamais aimée, il éprouve un réel allégement.

◆

Frédéric regarde sa montre : quinze heures cinquante-cinq. Il est arrivé à son bureau trente minutes à l'avance, trop énervé pour attendre chez lui à ne rien faire.

Sauvé l'a appelé en début d'après-midi : le policier a besoin de parler et veut le rencontrer ! À la dernière minute, comme ça, c'est inespéré ! Frédéric a tout de même réussi à conserver une voix posée et lui a donné rendez-vous pour seize heures. Cette rencontre sera la dernière occasion pour le psychologue de « dynamiser » son flambeau. Un flambeau qu'il a mis du temps à trouver. Mais lorsque Sauvé est devenu son patient, il s'est dit que cela ne pouvait être un simple hasard. Lui qui a toujours envié les détectives, voilà qu'il pouvait participer lui-même à une enquête par l'entremise de son patient. Mieux encore : comme il était intimement lié aux agissements de Lavoie, il pouvait *aussi* être du côté des criminels ! Jouer avec les « gentils » et les « méchants » en même temps ! Suivre l'enquête et, lorsqu'elle piétinait, donner de petits indices pour la relancer ! Pas tout dire, pas tout révéler, non ! Ce serait trop facile et, surtout, trop bref ! Juste… *s'amuser !* S'amuser vraiment ! Être une sorte de maître de jeu qui en sait plus que tout le monde parce qu'il est des deux côtés à fois ! C'est le trip ultime : savoir qu'au fond, tout dépend de soi ! Un mot de trop, et Ferland détruit le grand projet de Lavoie. Un mot de moins, et l'enquête aboutit à un cul-de-sac. Quelle omnipotence ! Quel plaisir ! Quelle *excitation* !

Et surtout, surtout, ne *rien décider !* Le psychologue ne saurait dire s'il espère que Sauvé arrête Lavoie à temps ou non. Au fond, cela lui est égal. Le mystère du dénouement fait partie du plaisir. Si Lavoie réussit, l'événement sera intéressant en soi. Et si c'est Sauvé qui l'emporte, alors Ferland aura la satisfaction d'avoir participé à cette réussite. Bref, à la toute fin, il connaîtra l'exaltation de toute façon, que ce soit celle du criminel ou celle du policier. Voilà en quoi réside l'extraordinaire : dans l'impossibilité d'être déçu ! Rien à voir avec les sports extrêmes, les partouzes ou les quêtes philosophiques ! Icare a cessé de voler le plus haut possible : il a compris qu'il ne devait pas chercher à dépasser le soleil mais, au contraire, foncer droit vers lui. Et, oui, il se consumera les ailes ! C'est ce qu'il a toujours voulu éviter, mais il se trompait ! Il a maintenant compris que lorsqu'on allume son flambeau, on ne peut faire autrement que se brûler.

Toutefois, lorsque Sauvé lui a annoncé la semaine dernière qu'il ne voulait plus le voir, Ferland a senti une partie de son flambeau lui échapper. Il se retrouvait condamné à ne plus être au courant des développements de l'enquête et, donc, à ne plus pouvoir intervenir dans celle-ci. Heureusement, il a eu l'occasion de sauver la vie du détective. En effet, si Sauvé était mort, ce n'aurait plus été intéressant, car le dénouement n'aurait plus fait de doute. Ferland a ressenti beaucoup d'excitation à donner ce coup de fil anonyme... mais ensuite, que faire jusqu'au dénouement final s'il ne revoit pas Sauvé? Rien, sinon attendre. Sa brève discussion téléphonique de mardi avec le policier a été une ultime tentative pour le revoir, pour en apprendre un peu plus sur l'enquête, mais cela s'est révélé vain. Le psychologue s'est donc résigné à être passif jusqu'à la conclusion qui se dessinait avec de plus en plus de netteté: Lavoie avait été interrogé, puis relâché, ce qui laissait croire que Sauvé n'avait rien de concret encore pour l'arrêter. Donc, manifestement, Lavoie allait réussir. Le résultat serait intéressant, certes, mais le fait qu'il était maintenant prévisible lui enlevait un certain attrait. Avec amertume, Ferland, depuis deux jours, s'attendait donc à ce que son flambeau, après avoir brûlé avec éclat pendant quelques semaines, s'éteigne sans surprise ce soir.

Mais coup de théâtre: Sauvé veut finalement le revoir! Ferland a une dernière chance de lui donner un petit coup de pouce, subtilement, juste assez pour rétablir les chances entre lui et Lavoie, pour relancer le suspense, pour que la finale, à nouveau, redevienne imprévisible et, donc, parfaitement intense. Pour que le flambeau reprenne tout son éclat, jusqu'à la fin.

On frappe à la porte. Frédéric se lève. Prudence. Doigté, subtilité, finesse... Il doit jouer comme un

maître… Il ouvre la porte. Pierre Sauvé est là, toujours habillé comme si on était en automne.

— Bonjour, Pierre. Entrez, je vous en prie.

Sauvé remercie et s'exécute.

— Alors, vous avez encore vécu des événements
difficiles dernièrement ? demande le psychologue en
allant s'asseoir.

Le policier, d'un naturel sévère, affiche tout de
même un air plus grave qu'à son habitude. Indé-
terminé, il s'assoit et commence :

— Écoutez, monsieur Ferland…

— Oh ! *Monsieur Ferland !* On est bien officiel,
aujourd'hui !

— Frédéric, je vous avoue que je suis pas venu
pour vous parler de moi. En fait, je voudrais vous
poser quelques questions qui ont un rapport avec mon
enquête. Est-ce que vous accepteriez d'y répondre ?

Tout à coup, Frédéric comprend que Sauvé a découvert des choses compromettantes sur lui, sur son
implication dans toute l'affaire, et cette révélation,
loin de l'alarmer, le stimule davantage. Désormais,
lui-même est menacé, lui-même peut être démasqué !
Il ne devra que mieux jouer, qu'être plus habile que
jamais.

*Il n'a pas de mandat, donc il n'a rien de solide
contre toi. Alors, tout est parfait. Tu as encore le
contrôle… et tu peux le garder !*

Son flambeau brûle avec une telle force qu'il sent
carrément une onde de chaleur passer sur son corps.

— Je ne vois pas en quoi je pourrais vous aider,
mais allez-y, répond le psychologue en feignant
l'étonnement.

Sauvé, installé au fond de son fauteuil, les mains
posées sur les accoudoirs, garde le silence un moment,
puis, d'une voix neutre, lui résume son coup de téléphone anonyme.

— Très peu de gens ont mon numéro, conclut-il. Ma famille, quelques collègues, ma compagnie d'assurances, ma banque… pis vous.

Ferland ouvre de grands yeux.

— Est-ce que… est-ce que vous pensez que c'est moi qui…

— Je le sais que ç'a l'air complètement…

— Pourquoi est-ce que ce serait plus plausible que ce soit moi qui vous aie prévenu que… que votre banquier, disons ?

— Je vous avais parlé de mon enquête, du moins au début. Vous auriez pu, de votre côté, apprendre des choses. En plus, l'appel venait de Montréal. De tous les gens qui ont mon numéro, c'est vous qui habitez le plus près de cette ville.

— Il y a sûrement plus de gens que vous le croyez qui possèdent votre numéro, Pierre. Et puis, avec Internet, on peut trouver tous les numéros qu'on veut.

— Je sais, pis s'il y avait eu juste ça, je serais sûrement pas venu vous voir, mais il y a autre chose…

Cette fois, il lui parle du coup de téléphone anonyme au sujet de Louis Robitaille.

— Je me suis rappelé que, quelques jours avant de recevoir ce providentiel coup de téléphone, je vous avais confié que Robitaille, en apparence du moins, avait pas auditionné et que, donc, notre piste menait à un cul-de-sac…

Frédéric mime l'incompréhension, mais intérieurement, il analyse avec jubilation ses «petits indices» à la lumière de ce que lui explique Sauvé. Bon, donner les deux coups de fil du même endroit, Montréal, n'était sans doute pas très avisé. Tout de même, il a eu la présence d'esprit de ne pas appeler de Saint-Bruno ! Pas mal, pour un détective-criminel en herbe, non ?

— Pierre, franchement, je trouve tout ça plutôt…

— Attendez, c'est pas tout…

Il sort de sa poche une feuille de papier et la brandit de la main droite.

— C'est le papier sur lequel vous avez inscrit votre numéro de téléphone personnel.

Il sort une autre feuille et la brandit de l'autre main, plaçant ainsi les deux papiers côte à côte.

— C'est une lettre que Nadeau a reçue, après sa mort.

Il explique comment cette lettre a démarré l'enquête, puis :

— Elle est aussi arrivée au moment où on piétinait. Piétinement dont je vous avais encore une fois parlé juste un peu avant.

— Est-ce que chaque fois que vous…

— Comparez les deux feuilles de papier, Frédéric.

Le psychologue a déjà compris : toutes deux proviennent évidemment du même cahier. Autre imprudence de sa part. C'est tout de même fascinant de voir à quel point les plus petits détails peuvent révéler plein de choses ! Oui, vraiment fascinant ! Il a lu assez de romans policiers pour le savoir, bien sûr, mais de le vivre dans la réalité, c'est autre chose ! Il jubile intérieurement. Jamais il n'aurait rêvé d'être dans une telle situation, une situation qu'il peut encore parfaitement maîtriser. Car, bien sûr, rien de tout cela ne peut servir de preuve, et Sauvé le sait. Mais cela crée une tension parfaitement jouissive. Une sensation qu'aucun orgasme, qu'aucun saut en parachute, qu'aucun meurtre de sans-abri ne peut procurer. Frédéric croise la jambe.

— Vous croyez que je suis le seul à acheter ce genre de cahier ?

Sauvé remet les deux feuilles dans ses poches et explique prudemment :

— Je sais que je n'ai aucune preuve, que je n'ai que trois événements qui sont peut-être juste des hasards, mais...

Son regard plonge dans celui du psychologue.

— ... je vous le demande, Frédéric : est-ce que c'est vous qui m'avez aidé de manière anonyme dans ces trois occasions ?

— Enfin, comment aurais-je pu en savoir autant ?

— C'est pas ça que je vous demande ! rétorque Sauvé qui, pour la première fois depuis son arrivée, démontre de l'impatience. Est-ce vous, oui ou non ?

Frédéric réfléchit à toute vitesse. Le plus simple serait de mentir, bien sûr, et Sauvé ne pourrait le prouver. Mais mentir est trop facile, une manière trop simple de s'en sortir. C'est beaucoup plus intéressant de rester sur la corde raide, toujours sur le point de perdre l'équilibre sans jamais tomber. Tout en soutenant le regard du policier, le psychologue articule avec détachement :

— Prouvez-le, détective Sauvé.

Sauvé avance le torse, sidéré, et le fauteuil émet un long craquement.

— Qu... qu'est-ce que vous dites ?

— Vous croyez que c'est moi qui vous ai aidé, alors prouvez-le, c'est votre boulot, non ?

Le policier se lève d'un bond, à la fois égaré et offusqué.

— Criss ! Ferland, à quoi vous jouez, là ?

Toujours confortablement assis, le psychologue observe la réaction de son ex-client avec intérêt. Si, en arrivant, le détective nourrissait toujours des réserves sur son implication dans toute cette affaire, il

est clair qu'elles ont maintenant complètement disparu.

— Vous êtes bien agité, tout à coup.

— Frédéric, c'est pas… Y a rien de drôle dans…

Sauvé se passe une main dans les cheveux puis,
retrouvant un semblant de calme, prononce d'une
voix lente mais alarmée :

— Si vous savez des choses, vous devez me les
dire, pis vite !

La tête relevée pour bien voir son visiteur, Frédéric affiche un visage candide.

— Même si c'était le cas, je sais quoi, au juste ?
Et comment je l'aurais su ? Et jusqu'à quel point
suis-je impliqué ? C'est le genre de questions qu'un
détective doit se poser, je crois…

Il se lève et, face au policier, ose un sourire, non
pas moqueur, seulement ludique.

— Si le suspect révèle tout lui-même, où est l'intérêt ?

Sauvé affiche maintenant un air si hagard que
Frédéric sent un délicieux frisson de plaisir lui parcourir tout le corps. C'est encore plus distrayant qu'il
ne l'aurait espéré. Le policier se frotte la bouche,
cherchant un moyen de comprendre le comportement
inconcevable du psychologue, puis finit par demander
sur un ton presque désespéré :

— Si vous… Si c'est vous qui m'avez aidé les trois
fois, pourquoi vous… vous refusez de me parler
maintenant ? Vous voulez m'aider, oui ou non ?

— Si ça peut vous rassurer, ce que je fais n'est ni
pour vous ni pour personne. Uniquement pour moi.
Alors ne prenez pas ça personnel.

Sauvé serre les lèvres, le visage dur.

— Suivez-moi au poste…

— Pas question. Et vous n'avez aucun mandat pour m'y obliger.

Le policier le saisit alors par le collet, cramoisi de rage :

— Je vous emmène quand même !

— Parfait. Je vais tout nier, absolument tout, et vous serez obligé de me relâcher au bout de dix minutes.

L'emprise du policier se relâche graduellement, tandis que son visage se tord d'incompréhension, comme s'il avait devant lui une aberration impossible à saisir. Il lâche enfin son ex-psychologue et recule de quelques pas. L'assurance et la menace qu'il tente de dégager sont court-circuitées par l'effarement qui balaie toute autre émotion.

— Mais pourquoi vous agissez comme ça ? Qu'est-ce que vous cherchez, au juste ? Arrêtez de me niaiser pis *parlez-moi* !

— Je crois que notre séance est terminée, Pierre.

Sauvé est si désemparé qu'il oublie tout discernement :

— Dites-moi ce que vous savez ! Est-ce que c'est Lavoie qui organise les réunions pro-suicidaires ? Est-ce que vous savez pourquoi il fait ça ? Est-ce que vous savez au moins ce qu'est le déluge ?

Frédéric sent l'adrénaline envahir chaque millimètre de son organisme.

Tu voulais lui donner un dernier petit coup de pouce, pour rendre la finale encore plus imprévisible, pour relancer le suspense… Alors, c'est le moment ! Vas-y !

— Le déluge ? susurre-t-il. Vous parlez de cette grosse vague spectaculaire, *right ?*

— Vous vous foutez de ma gueule en plus ! grogne le détective en marchant à nouveau sur lui.

— Vous êtes trop énervé, Pierre, rétorque doucement le psychologue, sans l'ombre d'un sourire.

Sauvé se retient, se masse le front d'impuissance, puis pointe un doigt menaçant vers Frédéric :

— Demain ou lundi au plus tard, on va arrêter Lavoie ! Pis si vous êtes impliqué, il va nous le dire !

Il ajoute avec un air écœuré :

— Je sais pas pourquoi vous faites ça… Je sais pas…

Et il sort rapidement, claquant la porte derrière lui. Frédéric va à la fenêtre et observe le policier monter dans sa voiture. Il croit voir une silhouette assise sur le siège du passager, mais il n'en est pas sûr. Puis, après avoir vu la Suzuki disparaître au loin, il se claque dans les mains en poussant un sifflement réjoui. Et voilà, il vient d'insuffler une nouvelle vigueur à son flambeau ! Sauvé a-t-il compris ce que le psychologue lui a dit, à la fin ? A-t-il *vraiment* saisi ? Sur le moment, sans doute que non : il était si confus. Mais le détective a encore quelques heures devant lui… On verra bien. Ça va être captivant ! Ferland en trépigne d'avance.

Mais maintenant, il doit retourner chez lui manger un morceau : il a confirmé à Lavoie qu'il serait au studio vers dix-huit heures trente. Il s'allume une cigarette et quitte son bureau en chantonnant, le pas léger.

◆

— Seulement deux invités, ce soir. Ça va faire drôle…

C'est Bédard, le régisseur, qui émet la remarque. Il est dix-sept heures dix et, pour la dernière de la saison, Maxime a convoqué une réunion juste avant le souper.

— Oui, et ils vont passer tous les deux dans le premier quinze minutes de l'émission, précise Maxime assis au bout de la table. Après, il y aura une pub, et durant le dernier segment, je ferai mes adieux aux auditeurs.

— Sauf que tu nous dis pas ce qui va se passer exactement durant ce dernier quart d'heure, rétorque Chapdelaine, le réalisateur.

— Eh non ! Parce que je veux que ce soit une surprise non seulement pour les auditeurs, mais pour vous aussi.

Les autres personnes autour de la table semblent trouver l'idée fort originale, mais Chapdelaine, un vétéran qui a toujours eu sa méthode de travail et qui n'aime pas tellement qu'on vienne la bousculer, maugrée tout de même :

— Faire du direct sans que personne sache ce qui va se passer dans les quinze dernières minutes, c'est pas très pro !

— *Moi,* je le sais ce qui va se passer, et c'est suffisant, réplique l'animateur avec une pointe d'humeur. Et j'ai le feu vert de Langlois en personne.

— *Come on !* lance Alexandra, la recherchiste. T'aimes pas ça, les surprises ?

Chapdelaine croise les bras, grognon.

— J'espère que tu vas être plus souriant ce soir, ajoute Maxime, parce que j'ai invité un de mes cousins à venir observer ton travail. C'est un jeune qui a étudié en technologie des médias et qui aimerait être réalisateur un jour.

— Ah ! Max ! Tu sais que j'aime pas ça quand des stagiaires me…

— Je me suis dit que ce serait très formateur pour lui de voir le roi des réalisateurs en pleine action, le coupe l'ex-milliardaire d'un air taquin.

Chapdelaine, plus renfrogné que jamais, décide de ne plus rien dire. Maxime se frotte les mains.

— Bon. Je crois qu'on va battre des records d'audience ce soir, non ?

— C'est ce qu'on pense, oui, répond Lisette Boudreault, qui a encore une certaine difficulté à adapter son élocution à ses lèvres récemment gonflées au collagène. On a mis le paquet sur la promo ! C'est pas impossible qu'on pète les trois millions ce soir.

Rumeur impressionnée et enthousiaste autour de la table. Robert Sanschagrin, toujours impeccable dans son complet-cravate, ajoute en consultant ses papiers :

— On a reçu des tonnes d'appels, de lettres et de courriels de gens qui nous implorent de poursuivre l'émission l'année prochaine. La plupart disent que leur vie ne sera plus pareille sans *Vivre au Max,* vous imaginez ?

Maxime considère le producteur délégué. Manifestement, Sanschagrin a su, en deux ans, découvrir les bienfaits de la relaxation. Lui qui, au début, avait des palpitations cardiaques à la fin de chaque émission en songeant aux plaintes qui allaient déferler à la station, sourcille à peine quand on lui annonce qu'une centaine de personnes ont appelé pour hurler leur indignation.

— Il n'y a vraiment aucun moyen que l'émission revienne l'été prochain, Max ? demande Mike, le coanimateur, qui rêve déjà à son propre show.

Maxime, désolé, fait signe que non.

— Même dans une version plus économique ? insiste Bédard.

L'animateur regarde un à un tous ces gens autour de lui qui attendent une réponse. Il sent un flux de bile lui remonter dans la gorge, qu'il s'empresse de ravaler en grimaçant, puis :

— Non, c'est impossible.

Une sonnerie se fait entendre : le cellulaire de Maxime. Ce dernier répond.

— Allô ?

— *Hola*, Max ! *Como esta, compañero ?*

L'animateur met sa main sur son cellulaire et, tout en se levant, fait signe aux autres qu'il revient dans deux minutes. Il marche vers la porte et, une fois dans le couloir principal du studio parfaitement désert, il ramène son cellulaire à l'oreille.

— Salvador, le moment est plutôt mal choisi.

Maxime a encore en tête leur dernière discussion, qui n'a pas été des plus chaleureuses.

— Oui, c'est la dernière de ton show ce soir, tu dois être ben occupé, fait l'Espagnol. Mais je pense que ce que j'ai à t'annoncer vaut la peine de te déranger un peu… On a retrouvé Joan.

— Qui ?

— Joan. Tu sais, celui des deux tueurs qui a réussi à échapper à ton flic. Il se préparait à quitter le sol québécois. On s'est arrangé pour qu'il reste *sous* le sol.

Il pouffe, fier de sa blague. Maxime attend la suite avec impatience.

— Mais avant de pousser son dernier souffle, il nous a dit que c'était pas de sa faute si l'opération avait foiré, que le flic les attendait dehors, caché de l'autre côté de la rue.

Courte pause, puis :

— Comme s'il était au courant qu'on venait lui rendre visite pis qu'il voulait surprendre ses visiteurs…

— Ce qui veut dire ?

— Ce qui veut dire que tu as un *traidor* dans ton entourage, *muchacho*…

— Impossible. Personne ne savait que je voulais éliminer ce flic.

— T'es sûr de ça?

Tout à coup, Maxime sent un terrible vertige le secouer, comme si on venait de le lâcher dans le vide. Pourtant, il demeure immobile et droit comme un i. Seule sa respiration devient un peu plus forte.

Il ne peut y croire. Il *n'arrive pas* à y croire.

— Max?

— Merci de ton appel, Salvador, articule l'animateur d'une voix absente. Je te revaudrai ça.

— Justement, justement… Ça devient de plus en plus risqué de travailler pour toi, mon cher Max. Pis là, on dirait que certains membres de ton entourage sont pas fiables. Pas bon, ça. Ni pour toi… ni pour moi.

Sa voix est ironique, mais on y sent vibrer une note plus sérieuse.

— Va falloir que tu m'expliques à quoi tu joues exactement.

— L'entente a toujours…

— L'entente va changer.

Maxime, maintenant, marche de long en large dans le couloir.

— Pas question, l'entente ne change pas, je te l'ai déjà dit.

Un soupir désolé se fait entendre à l'autre bout du fil et Salvador réplique d'une voix faussement triste:

— Alors, tu vas devoir moins compter sur mon aide, *hombre*…

Maxime se gratte la joue d'un mouvement convulsif.

— Écoute, on en reparle plus tard, d'accord ?

Et, sans attendre de réponse, il raccroche. Rien à foutre, des menaces de Salvador ! De toute façon, il n'a plus besoin de lui, maintenant…

« … *un* traidor *dans ton entourage…* »

Il se passe une main sur les yeux, nauséeux, puis secoue violemment la tête. Non. Tout ne sera pas gâché.

Pas si près du but…

◆

La voiture termine sa traversée du pont Jacques-Cartier en même temps que Pierre conclut le résumé de son étrange rencontre avec le psychologue. Lorsque, plus tôt, le détective a obtenu un rendez-vous avec Ferland pour seize heures, Chloé a insisté pour y aller avec lui. « Ce serait mieux que je sois seul, pour ne pas l'effaroucher », a expliqué Pierre. Chloé était d'accord, mais a proposé de l'attendre dans la voiture. Comme ça, s'il y avait du grabuge ou quoi que ce soit d'imprévu, elle pourrait intervenir.

— C'est que… Après, je voudrais retourner à l'hôpital…

— Je pourrais y aller avec toi ? Tu n'auras plus d'excuses pour ne pas venir me voir le soir.

Pierre a pensé à ses longues heures seul dans la chambre de sa fille à broyer du noir… et il a rapidement accepté l'offre de sa collègue.

Maintenant, en entendant la fin du récit de Pierre, Chloé secoue la tête, complètement décontenancée.

— C'est… c'est totalement incompréhensible, finit-elle par dire.

— En tout cas, pour moi, c'est clair que c'est lui qui nous a aidés les trois fois.

— Mais s'il voulait nous aider, pourquoi ne pas nous avoir parlé directement ? Et pourquoi, aujourd'hui, jouer au chat et à la souris avec nous ?

— Je te jure, Chloé : on aurait vraiment dit qu'il s'amusait !

— Mais comment… comment peut-il être impliqué dans cette histoire ?

— Je sais que ç'a l'air impossible, mais… Écoute, je suis pas sûr qu'il soit directement complice de Lavoie, mais, en tout cas, il sait des choses pis il s'est amusé à nous laisser des indices, sans trop en révéler non plus.

— Mais *pourquoi* ? insiste Chloé. À quoi il joue ?

Un ange passe. La voiture tourne dans la rue Sherbrooke.

— Tu n'as pas menacé de l'arrêter ?

— Il est pas con. Il sait qu'on a rien contre lui. Si on l'amenait au poste, il nierait tout pis on devrait le relâcher.

— Comme Lavoie…

Pierre se tait, morose. Chloé propose :

— On fera analyser son écriture et on la comparera à la lettre qu'a reçue Nadeau. Si nos spécialistes affirment que c'est la même écriture, il est cuit.

— Oui. De toute façon, quand on arrêtera Lavoie, on les confrontera tous les deux.

La voiture entre dans le stationnement de l'hôpital Notre-Dame.

◆

Maxime observe la voiture de Ferland se stationner tout près, entre les autres véhicules, et se répète qu'il doit rester pondéré. Rien n'est encore certain. Car enfin, pourquoi Ferland lui aurait-il joué dans le dos, lui qui a pourtant montré un réel intérêt depuis le début ? Tout simplement parce qu'il ne voulait pas avoir le meurtre d'un flic sur la conscience ? Ridicule ! Comparée au reste, la mort du policier n'aurait été qu'une pacotille. Pourtant, qui d'autre a pu prévenir Sauvé ? Peut-être que ce Joan a menti. Peut-être a-t-il inventé cette histoire juste pour sauver sa peau… Jamais Maxime ne s'est senti si éperdu. Et ce, quelques heures avant la dernière émission !

Garder le contrôle… Ne rien gâcher… Vérifier…

Ferland s'approche, observant avec intérêt Maxime et Gabriel. Ce dernier se tient aux côtés de son tuteur, l'air presque nu sans boîte de céréales entre les mains.

— J'ai droit à un comité d'accueil, maintenant ?

Il ne tend pas la main, car il connaît la répugnance de son complice pour cette convention sociale.

— Je veux qu'on aille faire un tour pour jaser un peu, annonce Maxime.

— Tu as l'air bizarre.

— Allez, viens.

Il marche vers sa limousine. Ferland le suit, intrigué. Luis tient grande ouverte la portière arrière. Ferland s'assoit sur une banquette, Maxime et Gabriel sur l'autre en face. Luis s'installe derrière le volant et, sans attendre d'indication, se met en route.

— Tu n'aurais pas pu me parler dans ton bureau ? demande Ferland, de fort bonne humeur.

Maxime appuie sur un bouton et, derrière lui, un panneau s'élève lentement, faisant disparaître Luis et tout l'avant de la voiture. Le psychologue jette un coup d'œil goguenard aux vitres teintées qui l'entourent.

— Ça fait sérieux, tout ça, non ?

— Ce l'est.

Gabriel ne quitte pas le psychologue des yeux. Maxime se tord les mains, irrésolu quant à l'approche à adopter. Il décide d'y aller directement. De toute façon, il n'a pas le temps de tergiverser. Immobilisant ses mains sur ses cuisses, le corps droit et raide, il demande d'une voix qu'il veut neutre :

— Frédéric, as-tu prévenu Pierre Sauvé qu'il allait être éliminé ?

Le psychologue éclate de rire, ce qui décontracte l'ex-milliardaire pendant quelques secondes, mais le doute revient l'assaillir lorsqu'il entend Ferland marmonner d'un air enchanté :

— Eh bien ! C'est vraiment la journée des révélations !

— De quoi tu parles ?

Ferland remonte ses lunettes sur son nez en secouant la tête, éberlué et jubilant :

— Seigneur ! c'est encore plus palpitant que j'aurais pu le souhaiter !

— Frédéric, merde ! as-tu, oui ou non, prévenu Sauvé ?

Ferland le considère un moment, comme s'il se demandait quoi répondre, puis admet tout naturellement :

— Oui, je l'ai prévenu.

Maxime en reste sans voix. À ses côtés, Gabriel est toujours de marbre, mais un éclair de colère traverse ses yeux noirs.

— Mais… mais pourquoi ? souffle enfin l'animateur.

— Parce qu'il fait partie de mon flambeau.

— Ton flambeau ! explose Maxime en entrant ses ongles dans le cuir de la banquette. Je comprends, maintenant, pourquoi t'as jamais voulu m'en parler ! Tu veux tout saboter ! C'est ça, hein ? ton ostie de flambeau ?

— C'est plus compliqué que ça.

— Comment, plus compliqué ?

Maxime suffoque de rage et se demande par quel miracle il ne s'est pas encore jeté à la gorge de ce sale traître. Pendant une seconde, il se dit qu'il donnerait son âme pour revenir en arrière, au moment où Ferland entrait chez lui pour la première fois. S'il pouvait revivre cette minute, il lui tirerait une balle dans la tête avant même que le psychologue n'ait le temps de s'asseoir.

— Maxime, explique patiemment Ferland, si mon but était vraiment de tout saboter, tu serais déjà sous les verrous, et ce, depuis plusieurs semaines, tu ne penses pas ?

L'animateur grince des dents, incapable de remettre de l'ordre dans ses pensées chaotiques.

— D'ailleurs, poursuit Ferland, cet après-midi même, j'aurais pu tout foutre en l'air, et je ne l'ai pas fait.

— Cet après-midi ?

— Oui, Sauvé est venu me rendre visite.

Nouveau coup à l'estomac pour Maxime.

— Quoi ? Comment ça ?

— Parce que lui aussi a découvert que c'est moi qui l'ai sauvé. D'ailleurs, je ne l'ai pas trouvé très reconnaissant…

— Et… et qu'est-ce que tu lui as dit ?

— Je ne lui ai pas menti, cela aurait été trop facile. Comme tu as remarqué, je ne t'ai pas menti non plus. Mais je ne lui ai pas révélé exactement que c'était moi.

— Tu lui as dit quoi, alors ?

— Presque rien.

— Criss, Ferland, arrête de me niaiser ! crache Lavoie en agrippant le bras de son interlocuteur.

— Presque rien, je te dis ! répond le psychologue dont la sérénité demeure inébranlable. Je lui ai dit que c'était lui le détective, donc que c'était à lui de trouver.

— À lui de trouver ?

Enfin, Maxime comprend. Et cette révélation l'assomme avec une telle force qu'il lâche le bras de Ferland pour se laisser retomber au fond de sa banquette, sonné.

— Dieu du ciel, c'est donc ça, ton flambeau : jouer des deux côtés à la fois !

Ferland, en replaçant sa chemise, prend un air énigmatique. Maxime grimace de dégoût. Le jeu, encore ! Tout le monde joue, partout, tout le temps, toujours ! Lui-même avait dû « jouer » pour arriver à ses fins. Mais le jeu de Ferland était le pire de tous.

La limousine roule toujours dans le quartier industriel, recommençant le même trajet pour la troisième fois.

— C'est ça, hein ? insiste Maxime.

— Je t'ai déjà dit que je ne veux pas parler de mon flambeau.

— Tu m'as aussi dit que mentir était trop facile !

— Je refuse de répondre, c'est différent.

— Mais tu m'as déjà menti : quand tu as prétendu que tu étais comme moi !

— Je ne t'ai jamais dit que j'étais comme toi, nuance Ferland d'un ton tout à coup plus posé. Tu as toujours été convaincu que je l'étais, parce que je te suivais, parce que je t'écoutais… et, surtout, parce que ça t'arrangeait bien.

— C'est vrai. Je croyais que tu approuvais le fait que je pousse des gens au suicide, je croyais que tu approuvais mon projet Déluge… En fait, tu n'approuvais pas. Tu t'en moquais, tout simplement. Tu n'y voyais qu'un moyen pour arriver à ton propre but, ta propre excitation.

— C'est aussi ton cas.

— Non ! rétorque Maxime d'une voix acerbe. Moi, j'agis par conviction ! Je fais ce que je fais parce que je crois *vraiment* que c'est la solution, parce que j'espère que ça servira d'exemple et que d'autres suivront mes pas ! Je ne suis pas indifférent à l'être humain ! Je le hais trop !

Il tend un doigt dédaigneux vers Ferland et poursuit :

— Mais toi... toi, tu es indifférent à l'Homme. Tu n'éprouves ni amour, ni haine, ni quoi que ce soit pour lui. L'être humain t'intéresse seulement s'il peut satisfaire tes besoins personnels. Et c'est ce que tu as vu dans mon projet. Pas un engagement, non ! Seulement un moyen de t'amuser comme jamais tu ne t'es amusé !

Maxime avance le torse, le visage tordu par une immense souffrance intérieure et, la voix brisée, il poursuit :

— Mais je ne m'amuse pas, moi ! Pas du tout ! Quand je vais brûler mon flambeau, ce soir, ce sera l'excitation ultime, oui, mais ce sera surtout la confirmation de ma tragédie, de *notre* tragédie à tous ! Ce soir sera non seulement le plus grand moment de ma vie, mais aussi le plus affligeant !

Ferland ne réplique rien, tout de même impressionné par la virulence de l'animateur. Gabriel regarde à travers la vitre teintée, l'air songeur. Maxime retourne au fond de sa banquette, épuisé, puis donne trois petits coups secs sur le panneau derrière lui. Aussitôt, la voiture effectue un demi-tour. Ferland, qui saisit ce qui se prépare, se met à parler rapidement :

— Écoute, Maxime, je comprends ce que tu ressens en ce moment pour moi, mais je te demande tout de même de me laisser assister à ton émission.

Le visage maintenant calme mais exsangue, Maxime marmonne :

— Comment ai-je pu croire que tu étais comme moi ?

— Si tu n'as pas confiance, enferme-moi à double tour dans ton bureau, sans téléphone, je m'en moque ! Je regarderai l'émission sur ta télé, c'est tout ce que je veux !

La voiture s'immobilise à quelques mètres du studio. Maxime ouvre la portière et Ferland, qui ne s'égaye plus du tout, le retient par le bras :

— Maxime, laisse-moi brûler mon flambeau jusqu'au bout !

L'animateur se dégage brutalement, puis sort, suivi de Gabriel. Le psychologue ne tente même pas de les suivre. Pourtant, il ne semble pas terrifié. Juste déçu. Maxime se penche vers l'intérieur et lance :

— C'est moi qui passerai pour le monstre… et pourtant, tu es bien pire que moi.

Il referme la portière. Ses deux mains lissent ses cheveux lentement, puis il s'approche de la porte avant. La vitre s'abaisse et le visage serein de Luis apparaît.

— Fais ça discrètement, lui dit Maxime. Je ne veux pas qu'on retrouve le corps avant deux ou trois jours.

— Et après ?

— Tu reviens ici. Il pourrait y avoir des problèmes imprévus, ce soir.

— Ah oui ? Comme quoi, *jefe* ? Un troupeau de fans déçus que votre émission soit terminée ?

Il rigole, puis démarre. Maxime prend une grande respiration, le ventre douloureux.

Une trahison. Une de plus.

Il se tourne vers Gabriel, désolé, et lui ébouriffe les cheveux.

— J'aurais dû comprendre que tu es le seul en qui je peux vraiment avoir confiance…

L'adolescent se laisse faire en le fixant dans les yeux.

— Et pour récompense, ce soir, toi aussi tu brûleras ton flambeau.

Mais il ajoute, plus anxieux :

— Si tout va bien…

Car Ferland vient de changer la donne.

◆

Ils se tiennent de chaque côté du lit de Karine depuis une quinzaine de minutes, silencieux. Puis, Pierre finit par parler, sans quitter sa fille des yeux, la voix presque basse :

— Quand elle était petite, elle adorait *La Belle au bois dormant*. Pour elle, dormir cent ans pis se faire réveiller par un baiser était le comble du romantisme.

Il lui caresse la joue, perdu dans ses souvenirs.

— Qu'est-ce qu'elle aimait d'autre ? demande Chloé, les mains entre les cuisses, la tête penchée sur le côté.

Pierre réfléchit.

— Le sirop d'érable… Elle voulait en mettre partout. Dessiner… Si un morceau de papier traînait, elle le couvrait de gribouillis. J'avais laissé traîner un rapport, une fois, pis elle l'avait barbouillé de la première à la dernière page !

Un mince sourire retrousse sa moustache.

— J'étais dans une colère bleue…

Ses lèvres s'avancent maintenant en une lippe de regret.

— Elle adorait aussi qu'on lui chante des chansons. Sa préférée était *Let it Be*. Tous les enfants de son âge trippaient sur des comptines, mais elle, elle aimait les Beatles.

— Pourquoi tu ne la lui chanterais pas maintenant?

Pierre relève la tête. Chloé ajoute:

— Certains croient que les gens dans le coma sentent les choses autour d'eux.

Pierre revient à sa fille, incertain. Sa collègue, dans un chuchotement, insiste:

— Vas-y…

— Ça fait tellement longtemps…

Il continue à caresser la joue de Karine. Puis, la voix basse, il commence à chanter:

— *When I find myself in times of trouble…*

Il chante le premier couplet, puis le refrain, les yeux rivés au visage angélique endormi. Ses doigts quittent la joue, rejoignent les cheveux. Quand il commence le second couplet, il s'arrête, ne se rappelant plus les paroles. Alors, Chloé prend le relais, la voix aussi basse que celle de Pierre. Ce dernier lève les yeux vers elle et l'accompagne.

À la fin de la chanson, les deux gardent le silence un long moment.

◆

Dans son bureau, Maxime marche de long en large. Gabriel, assis, ne fait rien, comme s'il attendait.

Ferland a dit qu'il n'avait presque rien dit à Sauvé cet après-midi et c'est sans doute vrai. Sinon, la police serait déjà là. Mais inutile de courir des risques. Tout gâcher si près du but, ce serait… ce serait épouvantable. Maxime prend son cellulaire, compose un numéro. À l'autre bout, une voix demande en espagnol de qui il s'agit.

— C'est Max.

Après un court silence, Salvador répond avec son enthousiasme habituel :

— Eh, Max ! Deux conversations dans la même journée !

Mais sa bonne humeur est différente. Plus frondeuse.

— J'ai besoin de ton aide, Salvador.

— Tiens, tiens ! Pourtant, je t'ai annoncé tout à l'heure que tu devrais moins compter sur moi, maintenant... à moins que tu m'informes un peu plus de ce qui se passe.

— Je t'expliquerai tout demain, Salvador, promis. Mais j'aimerais que tu m'envoies une dizaine de tes hommes.

— Pour quoi faire ?

— Il est possible qu'il y ait du grabuge au studio, ce soir. Ce serait étonnant, mais comme je ne veux courir aucun risque...

— Du grabuge ? La police, par exemple ?

— Je n'ai jamais dit que ce serait la police.

— Arrête de me prendre pour un cave, *muchacho*. L'ironie, maintenant, devient grinçante.

— Pendant presque deux ans, je t'ai posé aucune question sur tes petites affaires parce que tout avait l'air cool. Mais depuis quelque temps, ç'a l'air d'aller moins bien, surtout depuis que tu m'as demandé d'éliminer un flic. Je suis désolé pour toi si tout s'écroule, mais je veux pas être là quand ça va arriver, surtout si la police est invitée.

— Salvador, je te donne deux millions de dollars dès demain si tu m'envoies ces...

— C'est pas une question d'argent, Max. T'es dans la marde... alors, moi, je me retire, c'est tout.

— Tu n'as pas le droit !

— T'as juste à me dire ce qui se passe *vraiment* !

Max réfléchit à toute vitesse, veut inventer une raison, mais ne trouve qu'à ajouter, suppliant :

— Cinq millions, Salvador !

— Plus tu montes ton prix, plus tu me fais peur. Tellement qu'on arrête tout, mon ami. Ç'a été un plaisir pendant deux ans, mais à partir de cette seconde, ne compte plus sur moi, ni sur *aucun* de mes hommes.

— Salvador…

— Évidemment, si tu donnes mon nom à la police, tu te doutes ben qu'aucune prison sera assez sécuritaire pour toi…

— Va chier, sale minable ! C'est moi qui décide, c'est moi qui ai raison, *toujours !*

— *Adios, hombre…*

Salvador coupe la communication. Maxime lance son cellulaire sur un fauteuil en jurant.

◆

Ça ne prend pas du tout la tournure prévue.

Frédéric se sent si démoralisé qu'il ne songe même pas à regarder par les vitres de la limousine pour savoir où on l'amène exactement. Quelle importance, de toute façon ? Bien sûr, l'aventure elle-même a été fascinante, mais à quoi bon s'il ne peut assister à la conclusion ? s'il ne peut voir si ses modestes interventions auront ou non un impact ? Icare va tomber avant même d'avoir atteint le soleil. Une journée qui a si bien commencé ! Peut-être a-t-il été trop ambitieux…

La voiture s'arrête et le psychologue sursaute, tiré de ses amères pensées. La portière s'ouvre et Luis, toujours affublé de son costard trois pièces (est-ce toujours le même ou sa garde-robe en est-elle remplie ?), lui lance avec entrain :

— Terminus, *señor* Ferland.

À l'extérieur, Frédéric regarde autour de lui. Terrain vague, herbes jaunes et folles, plusieurs blocs de pierre fissurés. Très loin, les gratte-ciel de Montréal. Dans l'autre direction, des échangeurs et des viaducs se découpent sur l'horizon. Le psychologue se tourne de l'autre côté : il croit deviner le fleuve, là-bas. Des grillons forment une symphonie monocorde.

— Avancez, fait Luis.

Frédéric n'est pas du tout surpris de voir le pistolet qu'il tient à la main. Il se met en marche, tandis que derrière lui le chauffeur chantonne une ballade espagnole, ce qui provoque le silence des grillons. Frédéric lève la tête vers le ciel : température douce, peu d'humidité, quelques nuages mais plutôt découvert. Temps superbe pour un vol. Dommage…

— Arrêtez-vous.

Frédéric obéit et se retourne. L'Espagnol, immobile aussi, prend un air désolé :

— Je sais pas ce que vous avez fait pour tout gâcher, *señor,* mais c'est dommage : vous et Max, vous aviez l'air de bien vous entendre.

Il lève son arme. Les grillons se remettent à chanter.

Tout ça pour en finir ainsi bêtement. S'il avait su, Frédéric n'aurait pas interrompu son suicide, huit mois plus tôt. Il pousse un long soupir et, les mains croisées devant lui, attend la balle, espérant que Luis soit un bon tireur.

Un son plus aigu, plus saccadé se fait tout à coup entendre à travers le bourdonnement des insectes. Frédéric reconnaît le son d'un cellulaire. L'Espagnol

lance un coup d'œil vers son veston et, pendant un
moment, hésite entre terminer ce qu'il a commencé
ou répondre, adoptant ainsi une attitude embarrassée
qui, dans d'autres circonstances, aurait été du plus
haut comique. Il baisse enfin son arme et porte le
cellulaire à son oreille.

— Oui…

Son visage devient grave et il se met à parler dans
sa langue maternelle. Ce n'est donc pas Lavoie. Intrigué, Frédéric, qui se débrouille en espagnol, écoute
attentivement.

— Maintenant?… Ah bon?… D'accord… Et le
gars que Lavoie m'a demandé d'éliminer?… Oui,
j'allais le… Ah… Ah bon… D'accord… Parfait,
j'arrive.

Il referme son cellulaire et le range dans son
veston. Il se met en marche vers Frédéric.

— Qu'est-ce qui se passe? demande ce dernier.

Pour toute réponse, il reçoit la crosse du pistolet
en plein visage, qui lui fend la lèvre supérieure, puis
un autre coup qui lui casse les lunettes et le nez.
Suivent trois coups de poing à l'estomac qui le font
choir au sol. Il n'a pas le temps de reprendre son
souffle que le pied de Luis l'atteint deux fois au
visage, la première fois près de l'œil, la seconde en
pleine bouche, lui déchaussant une dent. À moitié
assommé, il se dit qu'il va mourir ainsi, battu à mort,
et se résigne à souffrir durant de longues minutes…
mais après un autre coup de pied dans le ventre,
tout cesse. Douloureux, le visage en sang, Frédéric
a la force de relever la tête pour voir Luis qui, tout en
rangeant son arme et en ajustant sa cravate, explique,
de bonne humeur:

— Vous avez de la chance, *señor*. Un simple avertissement sera suffisant pour cette fois. Je vous tra-

duis : si vous parlez de ça à qui que ce soit, on vous
retrouvera et vous souffrirez beaucoup, beaucoup
plus.

Il marche vers la limousine en reprenant sa chan-
sonnette. Le psychologue veut se relever mais, une
fois à quatre pattes, sent une épouvantable nausée
lui enfler la poitrine et la gorge. Il se détourne et
vomit, entendant à peine la voiture s'éloigner sur la
longue route déserte. Toujours sur les genoux, il
reprend son souffle, cherche à recouvrer ses esprits.

Quelqu'un a annulé l'ordre… Quelqu'un de plus
haut que Maxime… Sûrement ce type, comment il
s'appelle, déjà ? Salvador… Oui, sûrement… Un
coup de chance incroyable, inexplicable…

Frédéric réussit enfin à se relever. Son œil droit
est aveugle, trop enflé. Il ramasse ses lunettes, mais,
en constatant qu'elles sont fichues, les laisse choir
au sol. Il crache de la bile et du sang, tâte son nez
cassé en grimaçant de douleur et essuie tant bien
que mal l'hémoglobine sur son visage. La vue embrouillée, il décode l'heure sur sa montre : dix-huit
heures vingt. Il n'est pas trop tard pour terminer
son vol.

D'une démarche chancelante, il se met en marche
sur la route, vers les échangeurs routiers très, très
loin.

◆

Assis sur son bureau, Maxime réfléchit toujours.
Au moins, ce soir, Luis sera là, si jamais…

Il a tout à coup un pressentiment. En vitesse, il
retourne chercher son cellulaire sur le fauteuil et
compose un numéro. Luis répond.

— Tu es en route pour le studio ?

— Désolé, *señor* Lavoie, fait l'Espagnol. Salvador vient de m'apprendre que je ne travaille plus pour vous.

— Je te paierai le triple de ce qu'il te paie !

— Hé ! C'est généreux, merci ! Mais, non, désolé. Je suis trop loyal, vous comprenez ? Bonne chance, *señor* !

Il raccroche.

Maxime est maintenant seul ! Luis a-t-il au moins éliminé Ferland ? L'animateur recompose le numéro, mais son ex-chauffeur ne répond pas. Le cellulaire retourne rapidement s'enfoncer dans le fauteuil. Maxime s'oblige au calme. Si Ferland est encore vivant, il ira sûrement écouter l'émission quelque part. C'est ce qu'il voulait, non ? De toute façon, qu'est-ce que Maxime peut faire de plus ? En réalité, il ne peut faire qu'une chose : continuer comme prévu. Et espérer que tout aille bien. Il se tourne vers Gabriel, assis dans un fauteuil. La vue de l'adolescent lui redonne confiance.

Tout ira bien…

Le téléphone sur son bureau sonne et il répond. C'est la réceptionniste :

— Un certain Mario Hétu est là, Max. Il dit que vous l'attendez.

En entendant ces paroles, l'animateur oublie presque tous ses soucis. Il dit qu'il arrive, puis raccroche. Avant de sortir, il se tourne vers Gabriel :

— Je viens te chercher tout à l'heure.

Gabriel lui adresse un petit signe d'assentiment. Un brin de nervosité semble poindre sous son masque impassible.

À la réception, un jeune homme est assis et attend, posé mais le regard allumé. Dans la vingtaine, cheveux longs attachés en queue de cheval, vieux veston sur le dos, peau ravagée par l'acné, il se lève à l'arrivée de Maxime, qui s'exclame avec un large sourire :

— Ah, Mario ! Parfait ! Ponctuel, à ce que je vois !

Il remercie la réceptionniste, qui rougit (elle est follement amoureuse de lui, Maxime le sait), et les deux hommes s'éloignent dans le couloir. Une fois qu'ils sont seuls, l'animateur demande à voix basse :

— Désolé, mais je ne dois pas prendre de risque : mot de passe ?

— Déluge, articule Hétu d'une voix un rien tremblante.

— Bien. Par ici, je vais te présenter l'équipe…

◆

Frédéric arrive chez lui à vingt heures vingt. Après avoir marché une demi-heure, il a fini par atteindre un boulevard achalandé. Les deux premiers taxis, en lui voyant l'allure, ont refusé de le prendre. Le troisième n'a accepté qu'après une promesse d'un généreux pourboire. En route, le psychologue a songé un moment à aller récupérer sa voiture au studio, mais s'est dit qu'il était préférable qu'il ne se montre pas trop dans ce coin. Le taxi a donc pris trente-cinq minutes pour se rendre à Saint-Bruno et Frédéric lui a laissé tout ce qu'il avait sur lui, soit quatre-vingt-trois dollars.

Entré dans sa maison, il claudique jusqu'à la salle de bain où il s'examine : visage tuméfié et recouvert de sang séché, œil droit enflé, chemise tachée… Vraiment une sale gueule. Rapidement, il se lave le visage, enlève sa chemise et tâte ses côtes douloureuses. Il enfile une autre chemise, puis va au salon ouvrir la télé. Il tombe sur la fin d'un quiz et, tandis que les concurrents agitent bêtement la main à la caméra aux côtés de l'animateur qui sourit de ses trois mille dents, une voix dynamique annonce :

— Ne manquez pas, dans trente minutes, la toute dernière de *Vivre au Max !* Max Lavoie vous promet tout un show !

Parfait. Il a amplement le temps de se préparer. De nouveau, l'adrénaline se propage en lui. Frédéric lève les yeux au plafond, examine le luminaire suspendu à un crochet.

Il va au sous-sol et remonte avec un escabeau.

◆

— Alors, vous êtes prêts, ici ? On commence dans vingt minutes.

Dans le petit *booth* de la régie technique, Maxime se frotte les mains avec enthousiasme. Chapdelaine, installé devant la console avec son technicien, ronchonne :

— Ouais, ouais, prêts…

Il lance un œil peu avenant vers Mario Hétu, qui se tient debout près de lui, le regard rivé sur les moniteurs de la console.

— Mais c'est clair, hein ? Ton cousin peut regarder, mais il me parle pas pendant l'émission, ça peut me déconcentrer !

— Pas de problème, l'assure Maxime. Mario est déjà tellement content de voir un vrai réalisateur au travail pendant un show *live*, il ne t'emmerdera pas, tu peux en être certain ! Pas vrai, Mario ?

— C'est sûr, répond le stagiaire d'une voix singulièrement décalée.

Steve, le technicien, qui se veut un peu plus amical, sourit à Hétu en disant :

— Tu vas voir, y a de l'action, à la régie de *Vivre au Max* !

Hétu hoche la tête, l'air visiblement ailleurs.

— Bien ! lance Maxime. Alors, bonne émission !

Après un regard entendu vers Hétu, il sort de la pièce et se retrouve dans les coulisses, où tout le monde s'affaire aux derniers préparatifs de l'émission. Il prend le temps de répondre à quelques questions de certains techniciens, puis se dirige vers le côté cour où Gabriel, assis sur une chaise de plateau, attend patiemment en contemplant d'un œil morne l'agitation qui règne autour de lui.

— Alors, fait Maxime d'un air grave, prêt ?

Gabriel regarde vers le sol : à ses pieds gît un grand sac de toile noir. Il relève la tête et fait un imperceptible hochement. Maxime, après s'être assuré qu'on ne s'occupe pas d'eux, marmonne au garçon :

— Ton flambeau, Gabriel... Enfin...

Les lèvres du jeune adolescent tressaillent, se relèvent aux coins, et un sourire discret apparaît sur son visage, triomphant et triste à la fois, exactement comme celui que Maxime affiche si souvent lorsqu'il est seul avec lui. L'animateur s'approche encore plus, pose sa main sur l'épaule de son protégé et la serre avec force et tendresse en même temps. La voix basse mais vibrante, il souffle :

— Depuis la mort de Francis, tu es le seul être humain qui a compté dans ma vie...

Gabriel ne sourit déjà plus, mais il soutient le regard de son tuteur durant de longues secondes.

Maxime s'éloigne enfin, puis un homme s'approche de lui : Jack Langlois. Le directeur de la programmation s'est mis sur son trente-six et son immense bedaine semble sur le point de faire éclater sa chemise d'une seconde à l'autre.

— Jack ! Heureux que tu aies accepté de venir !

— Penses-tu que j'allais regarder ta dernière chez nous dans mon salon ? *No fuckin' way !* Je veux voir ça en direct !

Il devient plus sérieux.

— Ça me fend le cœur qu'on refasse pas l'émission l'année prochaine... Le plus gros succès de la télé québécoise, t'imagines ?

— Trop cher, Jack, on en a parlé cent fois. En plus, le CRTC aurait sûrement eu notre peau... De toute façon, le monde aurait fini par se lasser.

— *Are you kidding ?* Ça fait trente ans que les téléromans racontent les mêmes niaiseries, pis le monde les écoute pareil !

Il pointe un doigt vers Maxime.

— Promets-moi qu'on va retravailler ensemble, *you little genius !*

— On verra bien...

Langlois donne un petit coup sur l'épaule de l'animateur, lui promet le *party* du siècle après l'émission, puis s'éloigne. Maxime frotte son épaule, comme pour enlever une fiente d'oiseau. Il se remet en marche et s'approche des deux participants de l'émission de ce soir, assis dans un coin. En voyant la star, ils se lèvent, impressionnés : une fille dans la trentaine avancée et un homme plus jeune d'une dizaine d'années.

— Ah ! s'exclame Maxime avec emphase, les bras levés. Les deux chanceux qui vont clore la saison, *right ?*

Ils discutent ensemble durant une dizaine de minutes, puis le régisseur vient chercher Maxime et lui dit qu'on est en ondes dans cinq minutes.

La frénésie, déjà palpable, atteint maintenant des sommets. On installe le micro-casque à Maxime puis ce dernier va se placer à son poste habituel, côté jardin, tout près de la scène. Tous les membres de l'équipe, en passant devant lui, lèvent le pouce en signe d'encouragement et Maxime leur répond de la même manière.

C'est ça, levez votre pouce, souriez… Soyez fiers de participer à la dernière de la pire émission de toute l'histoire de la télévision…

Il entend les bruits de la foule dans les gradins. Plus de quatre cents personnes. Le cœur de Maxime cogne si fort qu'il en a mal à la poitrine.

— Une minute, lui crie le régisseur.

Maxime songe tout à coup à Ferland et l'angoisse, qu'il avait réussi à éloigner temporairement, revient en force. Est-il mort ? En a-t-il révélé assez au flic pour tout gâcher à la dernière minute ?

— Vingt secondes !

Maxime secoue la tête. Au diable ce salaud de Ferland ! Tout va bien aller !

— En ondes !

La musique, la voix virile de l'annonceur, l'orgie de lumières, les cris de la foule, puis, plaquant une expression hilare sur son visage, Maxime bondit sur la scène, gesticule, salue, fait le pitre ; tandis que la foule continue de hurler de joie, l'animateur tonne dans son micro, sa voix giclant littéralement des haut-parleurs :

— Salut, la gang ! Êtes-vous de bonne humeur ?

Un « OUI ! » unanime, extatique, fou, rebondit sur les parois de l'immense studio.

— J'espère ! continue Maxime en se frappant dans les mains. Parce qu'à soir, c'est la toute dernière de *Vivre au Max !* Pis vous allez voir, ça va être vraiment, vraiment spectaculaire !

◆

Le bar ne compte qu'une dizaine de clients, en général dans la trentaine. Il y a une télé au-dessus du comptoir, mais le son est fermé et une musique des années soixante-dix tient lieu d'ambiance sonore. Les deux détectives se dirigent vers une petite table au milieu de la salle et s'y assoient. Quand ils sont sortis de l'hôpital à vingt heures trente, et pendant qu'ils marchaient dans le stationnement vers la voiture de Pierre, Chloé a proposé d'aller prendre un verre dans la rue Saint-Denis, qui était à une dizaine de minutes à pied.

— Tant qu'à être à Montréal, on pourrait en profiter.

Le policier a accepté. Quinze minutes plus tard, ils commandent donc chacun une bière, et Pierre, après sa première gorgée, marmonne :

— Des fois, j'ai l'impression qu'elle se réveillera jamais…

— Tu dois avoir confiance.

Elle pose sa main sur son poignet. Il ne le retire pas.

— Karine va finir par se réveiller, Pierre, c'est presque sûr. Le plus important, c'est ce que tu vas faire *après*.

Elle prend une gorgée de sa bière. Le détective demeure songeur un moment, puis change de sujet :

— Quand je pense à Ferland, j'arrive toujours pas à… à comprendre son attitude.

Il ajoute avec un rictus cynique :

— Il a même eu l'audace d'imiter Lavoie !

— Comment ça ?

— Je l'ai supplié de me dire ce qu'il savait, n'importe quoi. Je lui ai demandé si au moins il savait ce qu'était le déluge. Il s'est foutu de ma gueule en me répondant : « C'est une grosse vague spectaculaire, *right ?* » Il a ajouté un « *right* » comme Lavoie ! Comme pour vraiment me faire comprendre qu'il est de connivence avec lui !

Il secoue la tête en prenant une gorgée de son verre. Maintenant, il se rappelle aussi ce qu'a dit le psychologue tout de suite après, une phrase du genre : « Vous êtes trop énervé, détective », comme s'il insinuait que Pierre devait mieux écouter… Mais écouter quoi ?

— On est pas mal sûrs que le mot déluge désignait le commando qui a tué Nadeau, lui rappelle Chloé.

— Sauf que le rapport de Nadeau aussi comportait les lettres DEL…

Il se masse le visage, épuisé.

— Après ce verre, on retourne à Drummond, sinon je vais m'endormir sur la route.

Tandis qu'il prend une autre gorgée, Chloé propose sans le regarder :

— Tu peux venir chez moi, si tu veux…

— Non…

Chloé hoche la tête, cachant mal sa déception. Pierre ajoute :

— J'aimerais que *tu* viennes chez moi.

Et il sourit. Chloé n'a pas le temps de répondre qu'une voix près du comptoir s'exclame :

— Hé, monte le son, ça commence !

C'est un des consommateurs assis au bar qui vient de lancer cet ordre au barman. Ce dernier éteint la musique, va à la télé et met le son. Sur l'écran, on voit Max Lavoie courir sur la scène de son studio, radieux, tandis qu'en montage alterné on montre la foule debout hurler littéralement de joie. Tous les clients du bar fixent le téléviseur avec intérêt.

— C'est vrai, c'est sa dernière ce soir, marmonne Chloé.

— Oui, pis si tout va bien, sa dernière à vie, ajoute Pierre d'un air entendu.

— Salut, la gang ! lance Lavoie sur l'écran. Êtes-vous de bonne humeur ?

Pierre a peine à croire qu'il y a deux mois, il écoutait cette émission avec plaisir, qu'il était lui-même un admirateur de Maxime Lavoie. Son mal de tête prend maintenant de l'ampleur. Allez, une dernière gorgée, et après ils filent.

— J'espère ! poursuit l'animateur sur l'écran. Parce qu'à soir, c'est la toute dernière de *Vivre au Max !* Pis vous allez voir, ça va être vraiment, vraiment spectaculaire !

Encore ce mot, « spectaculaire » ! Décidément !

Tout à coup, le verre se fige sur les lèvres du détective, tandis que ses yeux, rivés à l'écran, se froncent lentement.

— J'imagine que vous vous attendez à tout un show, *right ?* ajoute Lavoie en claquant dans ses mains.

Le verre redescend lentement, comme au ralenti, découvrant le visage médusé de Pierre.

Le déluge ? Vous parlez de cette grosse vague spectaculaire… right ?

— Je vous ai préparé tout un punch pour la fin ! fait Lavoie avec un drôle de sourire, ce sourire étrange que Karine avait souvent remarqué. Parce qu'en tant que public fidèle, vous le méritez ben !

— *Fuck !* souffle Pierre.

Il se lève brusquement, tandis que Chloé lui demande ce qu'il y a.

— Viens-t'en, vite ! répond-il en se dirigeant vers la sortie.

Poursuivi par les paroles de Lavoie à la télé (« Et voici maintenant notre première participante... »), Pierre se retrouve rue Saint-Denis et, presque au pas de course, se dirige vers Sherbrooke en bousculant les quelques piétons sur son chemin.

— Pierre, qu'est-ce qui se passe ? demande Chloé sur ses talons.

— Le déluge, j'ai peur que... J'ai peur que ça ait un lien avec ce soir... durant son émission ! répond Pierre sans se retourner. Lavoie a parlé d'un show *spectaculaire*, tu l'as entendu ?

Chloé ne répond rien, mais son visage a blêmi.

— Faut aller au studio, pis vite ! ajoute le détective.

En arrivant rue Sherbrooke, ils se mettent littéralement à courir.

CHAPITRE 19

Frédéric, debout au milieu de la salle, regardait autour de lui en songeant aux vingt-cinq misérables qui se trouvaient là le 11 mars précédent, seize jours plus tôt. Est-ce que certains d'entre eux avaient déjà commencé à se suicider ? Si l'on se fiait aux résultats obtenus l'année d'avant, on pouvait croire que oui… Mais le psychologue se rappelait surtout la dernière partie de cette réunion, alors que Lavoie rencontrait les participants un par un, les poussant à allumer leur flambeau. Deux d'entre eux, un dénommé Jutras et une certaine Nadeau, s'étaient révélés plus inquiétants que les autres. Et Lavoie les avait tous deux convoqués pour ce soir-là, en leur donnant un mot de passe : déluge.

— Vous croyez qu'ils vont venir ? demanda-t-il.

Lavoie, en train d'étendre sur le sol en ciment une grande bâche grise d'environ deux mètres sur trois, répondit sans cesser de travailler.

— Absolument. L'année dernière, j'ai convoqué en tout quarante personnes pour une quatrième réunion, soit une moyenne de deux personnes et demie par région. Elles sont toutes venues.

Il alla chercher une chaise, qu'il ramena vers la bâche.

— Cette année, pour la quatrième réunion, j'ai convoqué trente-huit personnes à travers les seize régions. Jusqu'à maintenant, elles sont aussi toutes venues. J'imagine qu'il en sera de même ce soir.

Il plaça la chaise au centre de la bâche, puis désigna à Frédéric une table sur laquelle se trouvait un dossier.

— Ça fait un total de soixante-dix-huit personnes en deux ans.

Le psychologue alla chercher le dossier, sur lequel il était inscrit « Déluge ». Il le feuilleta : encore des rapports d'auditions pour l'émission *Vivre au Max*, provenant des quatre coins du Québec. Sur chacun d'eux, on avait inscrit au feutre noir les lettres «DEL».

— Si pour certaines régions, comme ici, les Cantons-de-l'Est ou les Laurentides, je n'ai trouvé que quatre personnes pouvant figurer dans ce dossier, d'autres en comptent six, comme la Côte-Nord et l'Abitibi, expliqua l'animateur.

Frédéric, sans cesser de feuilleter les rapports, demanda :

— Pourquoi convoquer ces gens pour une quatrième réunion ?

— Patience, Frédéric, patience…

Il indiqua la scène à l'avant de la salle, devant laquelle les rideaux étaient tirés.

— Cette fois, vous ne pouvez pas participer à la réunion. Je vous suggère de vous placer derrière ces rideaux et de jeter un œil discret par la mince ouverture.

Des pas se firent entendre : Gabriel entra dans la salle et Lavoie comprit aussitôt.

— Ah, Luis est revenu, dit-il en marchant vers la porte. Allons voir ça.

Frédéric regarda sa montre : dix-neuf heures quinze. On lui avait expliqué, à son arrivée, que l'Espagnol était parti en « mission ». Le psychologue était bien curieux de voir de quoi il s'agissait. D'ailleurs, depuis quelque temps, il se sentait curieux de bien des choses. Et n'était-ce que pour ressentir à nouveau cette sensation qu'il avait cru ne plus jamais éprouver, il était prêt à suivre Lavoie jusqu'au bout de sa folie.

Dehors, c'était déjà la nuit. Malgré la fine neige qui tombait du ciel, la température était douillette, rappelant que le printemps était officiellement commencé depuis peu. La jeep, avec la roulotte attachée à l'arrière, était garée dans le stationnement vide et Luis en descendait.

— Pas de problèmes ? demanda Lavoie.

— *No problemo*.

L'Espagnol s'assura qu'il n'y avait personne d'autre dans le stationnement, puis il disparut dans la roulotte. Il en sortit quelques secondes plus tard en poussant devant lui un individu, manifestement un homme, dont la tête était recouverte d'un sac de toile. Aveuglé, les mains attachées dans le dos, le prisonnier marchait avec prudence et Luis le guidait sans ménagement. L'homme n'avait pas de manteau, était habillé d'une combinaison bleue de travail et s'il se tenait silencieux, on percevait sa respiration rapide et égarée.

— Tout à l'heure, il a essayé de se sauver avec son sac sur la tête ! raconta Luis en riant. Vous auriez dû le voir rentrer dans un arbre ! Ça l'a calmé assez vite !

— La chaise est prête, dit Lavoie, qui considéra le prisonnier avec une absence totale d'intérêt.

Luis poussa l'homme vers l'entrée de la salle. Frédéric, bien sûr, demanda des explications.

— Pour chacune des réunions du déluge, Luis doit dénicher un individu comme celui-ci. Homme, femme, peu importe. J'imagine qu'il les trouve dans des endroits discrets, retirés de la foule.

— À quoi sert cet invité-surprise ?

Il n'eut évidemment pas de réponse, mais il se doutait bien que l'invité en question ne devait pas beaucoup se divertir durant la réunion. Et pourtant, encore une fois, la curiosité l'emporta sur l'indignation. Frédéric se contenta donc de hocher la tête.

— Bon, fit le milliardaire en entrant dans la roulotte. Je vais aller me maquiller.

◆

À vingt et une heures cinq, les quatre personnes convoquées étaient arrivées. À l'entrée, Luis leur demandait le mot de passe et elles répondaient « déluge », tout simplement. Lorsque la quatrième personne fut entrée, Luis retourna dans la jeep et Gabriel vint monter la garde devant la porte de la salle.

L'intérieur était, comme la fois précédente, plongée dans une semi-pénombre intimiste. Lavoie, métamorphosé en « monsieur Charles », était planté près d'une table sur laquelle se trouvaient un dossier et un magnétophone, et ne bougeait pas, fixant les quatre invités assis devant lui, silencieux. Deux d'entre eux, les « anciens », affichaient un air funeste. Les deux autres, les « nouveaux », réussissaient à demeurer dociles malgré une certaine anxiété. Un peu à l'écart, dans l'obscurité, on devinait une forme sur une chaise.

Lavoie consulta enfin son dossier « Déluge » et lut rapidement les rapports des deux nouvelles recrues: Diane Nadeau et Léo Jutras. Puis, il remit la chemise sur la table et appela :

— Diane… Léo… Venez ici.

Les deux interpellés, après une brève hésitation, se levèrent et s'approchèrent de leur gourou. Maxime leur parla d'un ton à la fois intime et impersonnel.

— Pour vous deux, c'est votre première réunion du Déluge. L'année dernière, Grégoire et Yannick (il indiqua les deux autres invités) ont eu aussi leur première réunion et ont dû attendre un an pour pouvoir enfin assister, ce soir, à leur seconde. Ils ont fait preuve d'une grande patience, et je les en remercie.

Nadeau et Jutras demeurèrent silencieux. Ils écoutaient attentivement, les traits tendus.

— Vous vous demandez pourquoi *vous* avez été choisis... Vous vous rappelez il y a deux semaines, lorsque je vous ai tous rencontrés individuellement pour vous engager à allumer votre flambeau ? Ces courtes rencontres individuelles ont été enregistrées.

Il étira la main vers le magnétophone.

— On va se rafraîchir la mémoire. Voici notre discussion, Diane.

Lavoie appuya sur *play* et du magnétophone surgirent les voix de l'animateur et de Diane Nadeau.

LAVOIE — *Je vois que vous travaillez aux ressources humaines du cégep de Drummondville... Vous aimez ce travail ?*

NADEAU — *Non.*

LAVOIE — *Votre flambeau serait-il lié à votre travail ?*

NADEAU — *Non.*

LAVOIE — *Je vois aussi que votre conjoint vous a quittée il y a vingt mois... Pour une autre femme ?*

NADEAU (hésitation) — *Oui.*

LAVOIE — *Vous lui en voulez ?*

NADEAU — *Oui.*

LAVOIE — *Il était tout pour vous, c'est ça ?*

NADEAU — *Oui.*

LAVOIE — *Et avec l'autre femme, il semble heureux ?*

NADEAU — *Il...* (voix cassée) *Il vient d'avoir des jumeaux avec elle...*

La voix enregistrée de la femme est d'une froideur implacable. Nadeau, debout, écoute cette conversation qu'elle a eue deux semaines plus tôt, le visage maintenant triste.

LAVOIE — *Votre flambeau concernerait votre ex, c'est ça?*

NADEAU — *Oui.*

LAVOIE — *Qu'est-ce que vous souhaiteriez?*

Silence.

LAVOIE — *Vous n'avez rien à cacher, ici, Diane... Il n'y a plus de règles à respecter, ou de convenances, ou de retenue. Allez au bout de vos désirs.*

NADEAU (la respiration plus rapide) — *Je veux qu'il meure...*

LAVOIE — *Je crois que ce que vous souhaitez est plus précis que cela...*

NADEAU (haletante) — *Je veux le tuer... Je veux les tuer, lui pis l'autre salope, pis même...*

La voix se brisa en un sanglot rauque. Dans la salle, les auditeurs se taisaient. Les traits de Nadeau se convulsèrent, comme sur le point de craquer, mais elle se retint pour ne pas pleurer.

LAVOIE — *Seriez-vous prête à le faire, Diane?*

NADEAU — *Je... je... je...*

LAVOIE — *Sachant que votre vie est finie, que pour vous tout est terminé de toute façon, seriez-vous prête à le faire, pour une dernière satisfaction, pour un ultime moment de bonheur? Le feriez-vous?*

Sur l'enregistrement, les sanglots de Nadeau s'arrêtèrent net. Sa voix, quoique encore tremblante, redevint plus glaciale que tout à l'heure.

NADEAU — *Je crois... je crois que oui.*

Diane Nadeau, qui écoutait sa propre voix, ne réagit pas, mais la tristesse sur son visage se figea soudain.

LAVOIE — *Votre flambeau est légitime, Diane, mais pas comme celui des autres, plus excessif. Écoutez-moi : vous êtes différente. Je vous suggère une quatrième réunion. Ici même. Dans seize jours. Le 27 mars, à vingt et une heures.*

NADEAU — *Mais… mais pourquoi ? Je…*

LAVOIE — *Il y aura d'autres gens mais beaucoup, beaucoup moins que ce soir. Seulement quelques personnes. Qui sont comme vous, Diane. Qui sont des privilégiées.* (Pause) *Ne faites rien d'irrémédiable d'ici là. Attendez. Et venez le 27 mars prochain. Vous ne le regretterez pas. Promettez-moi que vous allez venir.*

NADEAU — *Je le promets.*

LAVOIE — *Comme c'est une réunion spéciale, vous devrez utiliser un mot de passe : déluge. Répétez-le.*

NADEAU — *Déluge.*

LAVOIE — *Bien.*

Courte pause, puis :

LAVOIE — *Votre flambeau sera magnifique, Diane.*

Lavoie appuya sur *stop* et regarda la femme droit dans les yeux.

— Vous pensez toujours la même chose, Diane ? Vous n'avez pas changé d'avis ?

Nadeau vacillait, ne savait plus. Lavoie fit un petit signe vers Grégoire et Yannick, les deux « anciens » qui étaient toujours assis.

— Grégoire, Yannick… Dites à Diane ce que sera votre flambeau.

— Je veux tuer mon père, affirma Grégoire d'une voix neutre, sans réticence.

— Je veux tuer mes collègues au bureau, fit Yannick sur le même ton. N'importe lesquels.

Diane les dévisageait et, malgré sa nervosité, on sentait que ces deux affirmations la confortaient.

— Alors ? répéta Lavoie à l'intention de Nadeau. Vous pensez toujours la même chose ?

— Je crois que oui.

À l'écart, dans la pénombre, la silhouette assise sur une chaise émit quelques sons étouffés. Nadeau regarda dans cette direction avec suspicion, mais Lavoie lui dit :

— Ne vous occupez pas de *ça* pour l'instant.

Le milliardaire se tourna vers Léo Jutras. Le colosse quinquagénaire n'avait pas bronché depuis qu'il s'était approché.

— Et vous, Léo, vous souvenez-vous de notre petite rencontre ?

Lavoie appuya sur *play* et une nouvelle discussion se fit entendre :

LAVOIE — *Vous avez cinquante-deux ans, êtes concierge dans un hôpital depuis trente ans, n'avez ni conjointe ni enfant. Exact, Léo ?*

JUTRAS — *C'est ça.*

LAVOIE — *Vous n'êtes pas content de votre vie, n'est-ce pas ?*

JUTRAS — *Non.*

LAVOIE — *Pourquoi ?*

JUTRAS — *On se moque de moi. On s'est toujours moqué de moi. Toujours.*

LAVOIE — *Pourquoi ?*

JUTRAS — *Je sais pas.*

LAVOIE — *Quel serait votre flambeau ?*

JUTRAS — *Il faut que quelqu'un paie. Sinon, c'est pas juste.*

La voix était sèche, rapide, butée.

LAVOIE — *Comment cette personne paierait-elle, Léo?*

Silence.

LAVOIE — *Qui aimeriez-vous faire payer?*

JUTRAS — *N'importe qui. N'importe quel salaud ou salope qui a eu une belle vie.*

LAVOIE — *Et vous lui feriez quoi?*

Silence.

LAVOIE — *Vous ne le savez pas?*

JUTRAS — *Oui. Mais je sais pas si je devrais le dire.*

LAVOIE — *Pourquoi?*

JUTRAS — *Parce que.*

LAVOIE — *Rien de ce qui est dit ici ne sortira de cette pièce, Léo. Croyez-vous que j'ai intérêt moi-même à aller tout raconter?*

Silence, puis la voix égale et sèche répondit enfin.

JUTRAS — *Je le tuerais.*

Léo Jutras, debout devant le magnétophone, n'eut aucune réaction.

Sur le ruban, Lavoie fit la même invitation qu'à Diane Nadeau, les mêmes recommandations, donna le même mot de passe. Puis, le doigt du milliardaire appuya sur *stop*.

— Alors, Léo, pensez-vous la même chose aujourd'hui?

— Oui, répondit l'homme sans aucune émotion.

Lavoie croisa ses mains devant lui, tandis qu'on percevait les marmonnements assourdis de la silhouette sur la chaise à l'écart.

— Alors tel sera votre flambeau. Votre ultime jouissance avant que vous vous retiriez.

Jutras ne réagit pas, mais Nadeau eut une petite moue dubitative.

— Je… je sais pas si je serais capable…

Lavoie hocha la tête, comme s'il avait prévu cette réaction, et marcha rapidement vers le mur. Il actionna un commutateur et un second néon s'alluma, juste au-dessus de la chaise à l'écart, sur laquelle on put enfin voir clairement un individu en combinaison bleue, un sac de toile sur la tête, les mains attachées derrière le dos et les pieds liés. Le milliardaire s'approcha de celui-ci en faisant signe avec sa main droite :

— Approchez, Diane. Approchez, Léo.

Tous deux obéirent. Sur la chaise, l'homme demeurait silencieux mais respirait rapidement. À la fois solennel et passionné, Lavoie expliqua :

— Qu'est-ce que la vie de quelqu'un lorsque la Vie en soi est si merdique ? Vous-mêmes trouvez l'existence si inutile que non seulement vous souhaitez vous enlever la vie, mais vous souhaitez même l'enlever à quelqu'un d'autre. Ce sera votre ultime plaisir : vous venger de l'humanité en l'amputant de plusieurs de ses membres. Et à partir du moment où la Vie est insignifiante, alors toutes les existences se valent et, donc, ne valent rien.

D'un mouvement brusque, il retira le sac de la tête de l'individu. L'homme devait être dans la trentaine, ses cheveux roux frisés collaient sur son front humide de sueur. Il cligna ses petits yeux plusieurs fois, mais ne pouvait parler car sa bouche était recouverte d'un large ruban adhésif noir. Lavoie fit quelques pas de côté et désigna le prisonnier d'un geste théâtral.

— Qui est cet homme ? Aucune idée. Et, surtout, aucune importance. Car il est comme tout le monde :

il croit vivre parce qu'il bouge, mange et parle. Mais tout ce qu'il fait, c'est se débattre dans le vide. Seulement, il ne l'a pas encore compris. Peut-être, parfois, a-t-il des éclairs de lucidité… Peut-être. Comme tout le monde.

Lavoie se pencha vers une petite valise posée sur la bâche grise, l'ouvrit et en sortit deux revolvers. Il les tendit à Nadeau et à Jutras.

— Prenez-les. Allez, prenez-les.

Jutras s'exécuta sans hésitation, Nadeau mit quelques secondes à obéir. Tandis qu'ils examinaient leur arme, Lavoie s'écarta de quelques pas :

— Ils sont prêts à être utilisés. Vous n'avez qu'à viser et tirer.

Il pointa son index vers l'homme attaché et articula froidement :

— Tuez-le.

Le prisonnier écarquilla les yeux. Nadeau et Jutras levèrent un regard stupéfait vers Lavoie. Ce dernier poursuivit avec hargne :

— Eh bien, quoi ? Vous avez admis vous-mêmes que votre flambeau serait de tuer ! Alors prouvez-moi que vous en êtes capables, prouvez-le à vous-mêmes ! Déversez votre frustration, votre aversion et votre désillusion sur un individu qui, par le simple fait de vivre, est une insulte en soi ! Allez, visez !

Les deux revolvers s'élevaient lentement vers l'homme attaché qui, à moins de trois mètres, se débattait en poussant de véritables cris que le ruban étouffait. Toujours assis à l'écart, Grégoire et Yannick observaient la scène sans broncher, avec l'air de ceux qui avaient déjà passé ce test. Jutras était impassible, mais l'excitation brillait dans son regard tandis qu'il pointait l'arme vers l'homme. Quant à Nadeau, elle se mordillait les lèvres, tourmentée, le revolver tremblant au bout de ses mains, mais on devinait la même lueur dans ses yeux. Et Lavoie continuait, de plus en plus fort, de plus en plus enflammé :

— Vous en rêvez depuis des mois ! Vous rêvez de vous retirer, mais vous voulez crier « *Fuck you* » à tout l'Univers en le faisant ! Alors, criez-le ! Criez-le par le canon de cette arme ! Détruisez ce qui vous a tant trompés, ce qui vous a tant déçus, détruisez ce qui est si futile et inutile, donnez-vous droit à cette dernière revanche avant de vous retirer, et *tuez la Vie ! Maintenant !*

Et ils tirèrent, Jutras froidement, Nadeau avec une sorte de rictus incrédule. Les deux détonations simultanées furent assourdissantes, et l'écho résonna quelques secondes, englouti peu à peu par le total silence qui régnait maintenant dans la salle.

Sur sa chaise, l'homme bâillonné, indemne, roulait des yeux, tellement haletant que sa respiration en était rauque. Jutras, confondu, examinait son arme, tandis que Nadeau semblait frappée autant par l'incompréhension que par une soudaine révélation. Le milliardaire s'approcha et reprit les deux revolvers en murmurant :

— Ils étaient chargés à blanc.

Il rangea les armes dans la valise alors que le prisonnier fermait les yeux et sanglotait. Des gouttes d'urine dégoulinaient de son pantalon jusque sur la bâche.

— Cette mise en scène avait deux buts, expliqua Lavoie en se redressant. Premièrement, il s'agit d'une police d'assurance. Voyez-vous, cette fausse exécution a été filmée.

Il indiqua une petite caméra vidéo montée sur un trépied dans un coin, presque invisible dans l'obscurité.

— S'il vous prenait l'envie de me mettre des bâtons dans les roues, cette vidéo vous mettrait aussi dans de beaux draps.

Il indiqua du menton les deux autres invités de la soirée, toujours assis à l'écart.

— Grégoire et Yannick ont également eu droit à cette mise en scène, l'an dernier.

Les deux interpellés hochèrent la tête. Jutras et Nadeau ne semblaient pas du tout incommodés à l'idée d'avoir été filmés. Lavoie s'approcha d'eux.

— L'autre raison, la plus importante, est que je ne veux pas que vous libériez votre haine tout de suite. Vous devez la garder pour votre flambeau. Je voulais seulement que vous vous rendiez compte que c'est *possible*... que vous êtes capables de le faire.

Tout à coup, il marcha rapidement vers la chaise sur laquelle haletait toujours le prisonnier et, tout en glissant une main sous son veston, articula avec une douceur qui contrastait avec la rapidité de ses mouvements :

— Et je peux vous assurer que c'est aussi simple que satisfaisant.

Sur quoi, il sortit un pistolet et le pointa vers l'homme qui eut à peine le temps d'écarquiller les yeux avant de recevoir la balle en pleine tête. Le sang gicla par la tempe opposée et arrosa la bâche sous la chaise. La victime s'amollit aussitôt et ne bougea plus, les yeux figés pour l'éternité. Nadeau et Jutras fixaient le cadavre comme s'ils étaient envoûtés. Lavoie, sans un regard pour le mort, glissa son arme sous son veston en marmonnant :

— Je suis convaincu qu'en ce moment, vous êtes quelque peu frustrés... n'est-ce pas ?

Court silence, puis Nadeau bredouilla :

— Je peux le faire… Et je veux le faire rapidement !

Elle s'emportait tout à coup, comme en transe.

— Je veux le faire *maintenant* ! Ce soir !

— Pas si vite, la coupa Lavoie tranquillement. Pas ce soir, non. Mais bientôt. Cet été.

— C'est trop loin, rétorqua Jutras d'une voix glaciale.

Lavoie désigna à nouveau Grégoire et Yannick :

— Si eux attendent depuis un an, vous pouvez attendre cinq mois, non ?

Les deux « anciens » n'eurent aucune réaction. Lavoie se planta devant les deux « nouveaux ».

— Si vous agissiez maintenant, vous le feriez comment ? Où ? Avec quelle arme ? À quel moment précis ? Et en agissant de manière isolée et éparpillée, vous croyez que ça aurait autant d'impact sur vous ? Ne voulez-vous pas que votre flambeau brille avec le maximum d'intensité ?

Nadeau et Jutras ne savaient que répondre. Une certaine ardeur émanait d'eux, mais c'était surtout en étudiant leur regard malsain qu'on comprenait qu'ils étaient désormais *ailleurs*. Lavoie posa ses mains sur les épaules de ses deux disciples et, d'un air encourageant, susurra :

— Écoutez-moi. Écoutez-moi attentivement, et votre flambeau brillera avec autant d'éclat que le soleil…

◆

Aussitôt les quatre « élus » sortis, Frédéric surgit de derrière le rideau de la scène, complètement chamboulé. Le visage absent, il marcha tel un somnambule vers Lavoie, qui fouillait parmi les rapports du dossier « Déluge ». Il trouva ceux de Nadeau et de Jutras et, à l'aide d'un crayon-feutre noir, il inscrivit les lettres «DEL» sur les deux feuilles de papier.

— Et voilà, deux de plus ! soupira-t-il d'une voix
lasse.

Il referma le dossier et se tourna vers Ferland,
qui examinait le cadavre sur la chaise avec curiosité.

— Je sais ce que vous allez me demander, déclara
Lavoie. Voici la réponse : deux participants seulement ont refusé de tirer, lors du petit test que je leur
ai fait passer. Un homme l'année dernière dans le
Bas-du-Fleuve. Et une femme, il y a deux jours, à
Laval. Tous deux ont immédiatement quitté la salle…
et ont été accueillis par Luis, à l'extérieur.

À ce moment précis, une ritournelle espagnole
se fit entendre. Luis passa à côté de Frédéric et alla
détacher le cadavre. Cette fois, un début de fatigue
se lisait sur son visage, mais il n'en chantonnait pas
moins en jetant le corps sur son épaule et en marchant vers la sortie. Une partie du psychologue ne
cessait de se répéter qu'il rêvait. Et, pourtant, il ne
souhaitait pas vraiment se réveiller.

— Ah, merde, lâcha Lavoie.

Il était penché près de la chaise, au-dessus de la
bâche.

— Du sang a giclé hors de la toile, sur le plancher.
Va falloir que Luis nettoie ça.

Lavoie fit quelques pas, les mains dans le dos,
puis demanda tout simplement :

— Alors ?

Dans la tête de Frédéric, tout allait vite. Il repensait
surtout à la fin de la séance, lorsque Lavoie avait
expliqué son grand plan final aux deux nouveaux
disciples.

— C'est donc ça, votre ultime flambeau, n'est-ce
pas ? demanda-t-il enfin, plus sur le ton de la constatation que de l'interrogation.

— Exactement. L'émission *Vivre au Max* est, comme je vous l'ai déjà dit, un alibi et une confirmation. Les quelque six cents désespérés qui, au cours des deux dernières années, se seront suicidés en allumant leur petit flambeau insignifiant sont une confirmation supplémentaire que le vide est omniprésent. Il redressa la tête, fier mais, comme cela lui arrivait souvent, avec un fond de tristesse.

— Mais mon vrai flambeau, ce sera le Déluge.

Le psychologue repensa à ce qu'avait proposé Lavoie à Nadeau et à Jutras, et un vertige se saisit de lui. Il fit quelques pas dans la salle en se mettant les deux mains sur le crâne. Le milliardaire pencha la tête sur le côté puis demanda :

— Qu'avez-vous ressenti, lorsque j'ai tué l'homme sur la chaise ?

Ferland s'arrêta et se tourna vers le milliardaire.

— Je ne sais pas. De l'étonnement, sans doute.

— De l'horreur ?

— Non.

— Étiez-vous choqué ?

Frédéric balança une seconde, puis avoua d'un ton neutre :

— J'ai déjà tué moi-même. Deux fois. Des sans-abri.

Lavoie haussa les sourcils.

— Vraiment ? Et qu'avez-vous ressenti ?

Le psychologue était sur le point de dire : « Une grande excitation, courte mais réelle », mais s'abstint. Ce n'était sûrement pas le genre de réponse que voulait entendre Lavoie. Ce dernier tuait par haine pure, et non pas pour se procurer de l'excitation.

— Comme vous l'avez dit, répondit enfin Frédéric. C'est facile et satisfaisant.

Une réponse qui le dispensait de mentir tout en demeurant parcimonieux. Lavoie hocha la tête puis ajouta avec amertume :

— Mais c'est aussi tellement dommage... Vous ne trouvez pas ?

Frédéric ne sut que dire, lui qui ne trouvait rien de dommage dans la mort de gens dont il ne se souciait pas le moins du monde, mais il n'eut pas à répondre car l'animateur, tout en rangeant le magnétophone, poursuivait :

— Vous avez vu à quel point ils étaient prêts ? Il y a des gens si accablés, si frustrés, si dégoûtés de leur vie et de la vie en général qu'ils sont prêts à tuer pour faire gicler le pus qui s'accumule en eux depuis tant d'années. Nous en côtoyons tous les jours sans le savoir. Les journaux nous rappellent sans cesse que certains d'entre eux finissent par craquer, incapables d'en supporter davantage, incapables de ravaler encore et encore le poison que sécrète leur âme. Mais la plupart d'entre eux n'auront jamais le courage de passer à l'acte, se sentant trop isolés pour agir, convaincus qu'ils sont les seuls à se sentir ainsi et, donc, qu'ils ont tort.

La mâchoire de Lavoie se contracta.

— Moi, j'en ai déniché soixante-dix-huit. Et je leur ai montré qu'ils avaient raison.

— Vous croyez qu'ils seront tous là, le 15 août prochain, à cette dernière réunion ?

— J'en suis à peu près sûr. S'ils veulent vraiment savoir comment s'y prendre... et s'ils veulent le *matériel* nécessaire à la réussite de leur flambeau, ils devront y être.

Le psychologue passa une main dans ses cheveux poivre et sel.

— Je ne sais pas quoi vous dire...

— Ne dites rien pour l'instant. Il me reste encore une dizaine de jours pour achever ma « tournée ». Après quoi, je retourne à Montréal où un travail tout aussi colossal m'attend : préparer la seconde saison de *Vivre au Max*. Mais je trouverai bien un moment pour vous rencontrer. D'ici là, réfléchissez à tout ça. Demandez-vous si vous voulez me suivre… si vous voulez trouver votre propre flambeau… Qu'en dites-vous ? Je pourrais vous contacter dans deux semaines.

Voilà, ce n'était pas plus compliqué. Aussi simple qu'un coach de baseball qui laisse quelques jours de réflexion à sa recrue potentielle. Lavoie ne prit même pas la peine de prévenir Frédéric de ce qu'il adviendrait de lui s'il allait tout raconter à la police. Il l'avait déjà menacé deux fois, c'était suffisant.

Et il sait que je n'irai pas le dénoncer. Il le sait très bien…

— OK, deux semaines, c'est parfait, marmonna-t-il.

Lavoie se désintéressa alors du psychologue pour aller démonter la caméra vidéo. Luis revenait dans la salle et le milliardaire lui expliqua qu'il y avait du sang à nettoyer sur le plancher. Frédéric marcha vers la sortie en remontant la fermeture éclair de son manteau, ayant peine à croire qu'une telle soirée pouvait se terminer de manière si banale.

Dehors, la neige tombait toujours. Frédéric aperçut Gabriel, appuyé sur le capot de la jeep, en train de manger ses Froot Loops. Les cheveux couverts de flocons blancs, il observait le psychologue en mâchant ses céréales, et Frédéric, mal à l'aise, lui tourna le dos pour marcher vers sa voiture.

Tandis qu'il roulait dans les rues de Victoriaville, il repassa les quatre séances dans sa tête, se concentrant sur les détails les plus violents, les plus dingues, les plus amoraux, comme s'il espérait y dénicher une cause d'indignation, ou du moins une raison de se dissocier de ce projet démentiel. En vain. Au contraire, il ne trouvait que des sources d'enfièvrement. Une fièvre qui, proportionnellement à l'éblouissement, avait grandi à chaque séance. Ce qui lui arrivait maintenant n'était-il pas l'aboutissement logique de sa propre quête ?

Trouver son flambeau...

Le pourrait-il ? Que s'était-il toujours empêché de faire à cause des conséquences fâcheuses qui auraient suivi ? Que pouvait-il se permettre d'accomplir, maintenant qu'il savait qu'il n'y aurait pas de *après* ?

Il stoppa à un feu rouge et observa les deux autres voitures arrêtées de chaque côté de la sienne, les chauffeurs amorphes derrière leur volant... Il examina les quelques piétons qui déambulaient sur les trottoirs enneigés... Peut-être y en avait-il parmi eux qui, si on leur en donnait l'occasion...

Le feu devint vert et Frédéric repartit.

Deux semaines de réflexion. Mais Frédéric aurait beau réfléchir durant tout ce temps, il n'était pas dupe. Il savait qu'Icare avait déjà pris sa décision.

FOCALISATION ZÉRO

Ce jeudi soir, à vingt et une heures moins cinq,
dans tout le Québec, trois millions deux cent mille
personnes se trouvent près d'une télévision, attendant
avec impatience la diffusion de la dernière de *Vivre
au Max*. La grande majorité d'entre elles se trouvent
à la maison ; d'autres sont chez des amis et quelques
milliers dans des bars où l'on diffuse l'émission. On
discute ferme en attendant vingt et une heures : quels
seront les derniers participants ? Quelle surprise (qui,
d'après les nombreuses pubs, sera de taille) réserve
Max à ses fans fidèles ? Et surtout, on regrette à haute
voix que l'émission ne revienne pas l'été prochain.
Certains avouent sans retenue avoir auditionné,
d'autres s'amusent à se demander quel aurait été
leur rêve s'ils avaient pu le réaliser, avec un accent
de regret et de mélancolie dans la voix.

Parmi ces trois millions de personnes, il y en a
près de soixante-dix qui sont discrètes et taciturnes.
Qu'elles soient avec leur famille à la maison, chez
un ami ou dans un bar, elles ne participent pas à
l'ambiance générale, conservant un silence en parfait
contraste avec la frénésie qui les entoure, demeurant
assises dans leur fauteuil et ne répondant aux questions

que par des « oui » ou des « non » laconiques. Mais lorsque les premières notes du générique d'ouverture se font entendre, une flamme s'allume dans leur regard, une réelle tension fige leur visage et elles ne quittent plus l'écran des yeux.

À vingt et une heures précises, la moitié de la population du Québec regarde la dernière émission de *Vivre au Max*.

Chapitre 38

Le réceptionniste de la station de télévision examine le laissez-passer avec attention, puis lève les
yeux vers le dénommé Breton. Le gars, dans la quarantaine, la barbe noire bien fournie, habillé de la
combinaison verte réglementaire, mâche une gomme
et attend avec indifférence.

— Je vous ai jamais vu, me semble…

— Je suis nouveau. Ils m'ont appelé tantôt.

Le réceptionniste lève la tête, redonne le laissez-
passer à Breton et dit :

— OK, allez-y. On vous a dit où se trouve le centre
de l'entretien ?

Breton dit que oui, puis marche vers le couloir
derrière la réception. Une fois seul, son air nonchalant
se dissipe et la nervosité apparaît sur ses traits. Il
sort un plan de sous sa combinaison, le consulte un
moment puis, en regardant autour de lui, se remet
en marche. Il tourne dans plusieurs couloirs, consulte
son plan à l'occasion, croise un autre employé de
l'entretien habillé comme lui, qui le dévisage avec
curiosité, mais Breton n'y prête aucune attention.
Enfin, il s'arrête devant une porte sur laquelle est
inscrit « Régie centrale ». Il regarde sa montre : vingt

et une heures cinq. Il a encore dix minutes devant lui.

Il s'appuie contre le mur, les mains dans le dos, et attend.

◆

La voiture roule à toute allure. Sur le capot, le gyrophare lacère la nuit de ses éclats écarlates. Pierre a même actionné la sirène. Il a demandé à Chloé de conduire, tandis que lui, sur le siège du passager, compose le 9-1-1 sur son cellulaire.

— On n'est même pas sûrs qu'il va se passer quelque chose ! fait remarquer la jeune femme en descendant la rue Sherbrooke à vive allure. On se fait peut-être des idées !

— Y a pas de risque à prendre ! Pis si je me trompe, tant pis, j'en assumerai la responsabilité !

Il se met à parler rapidement dans le cellulaire :

— Ici le sergent-détective Pierre Sauvé, de Drummondville. J'ai besoin de renforts urgents ! Transférez-moi à la centrale de Montréal.

Sa main libre tambourine sur sa cuisse. Chloé contourne brusquement une voiture qui, manifestement, se moque du hululement de la sirène. Au téléphone, Pierre répète son identité, puis explique rapidement la situation :

— J'aurais besoin de renforts au studio de Max Lavoie... Je crois que... oui, Max Lavoie, la star ! Écoutez, j'enquête sur lui en ce moment pis j'ai des bonnes raisons de croire qu'un drame risque d'éclater durant son émission... Oui... Pierre Sauvé de Drummondville, criss ! vous vérifierez, vous allez ben voir que je niaise pas !... Oui... Envoyez des renforts làbas pis je vous rejoins !... Vous savez où c'est ?... Parfait !

Il coupe.

— Tu vas être dans la merde si on fait tout ça pour rien, Pierre.

Le détective ne répond pas. Sa main s'active toujours sur sa cuisse tandis que la voiture tourne dans Pie-IX en faisant crisser ses pneus sur l'asphalte.

◆

Sur l'écran de la télévision, on voit le second invité de *Vivre au Max* se lancer dans une piscine emplie de coquerelles, blattes et autres insectes du même acabit. Le participant a expliqué son geste par son désir de démontrer à tous qu'il est un vrai homme et qu'il est prêt à tout pour le prouver. Debout sur une chaise, un nœud coulant autour du cou, Frédéric se demande quel est le lien entre être un homme et plonger dans un tas de cancrelats. Il tire sur la corde pour s'assurer qu'elle est fixée solidement : l'autre extrémité est attachée au crochet du plafond, où se trouvait suspendu le luminaire quelques minutes plus tôt.

Immobile et droit comme un i, le psychologue attend. Comme il reste moins de vingt minutes à l'émission, il ne croit plus tellement à un éventuel coup de théâtre… mais sait-on jamais ? De toute façon, il ne sera pas déçu, puisque la fin, peu importe sa nature, sera spectaculaire, et donc fascinante.

Icare est maintenant tout près du soleil. Avec délectation, il attend que ses ailes se consument.

◆

Tandis que les gens applaudissent, le second participant, en maillot de bain, le corps marqué de quelques plaques rouges, se tient fièrement aux côtés de Maxime. L'animateur lance à la caméra :

— On revient après la pause, pis restez avec nous : un gros *punch* vous attend !

Nouveaux applaudissements, puis, quand Maxime est assuré qu'ils ne sont plus en ondes, il se met rapidement en marche vers les coulisses. On vient le voir de toutes parts pour lui demander la suite des choses, puisque personne ne sait quelle est la fameuse surprise. Maxime demande donc le silence et tous se taisent, attentifs.

— Écoutez-moi bien. Vous ne vous occupez plus de rien et vous allez tous vous asseoir dans la salle. Les deux premières rangées sont libres exprès pour vous. S'il manque de bancs, restez debout. Mais je veux tout le monde dans la salle ! Je veux que vous profitiez tous de ma surprise !

Intrigué, tout le monde se dirige donc vers les gradins. L'animateur va voir le régisseur.

— Envoie tout de suite sur la scène l'éclairage habituel. Ensuite, fais le tour des bureaux pour t'assurer qu'il n'y a plus personne.

Bédard fait signe que c'est compris et s'éloigne. Le chef-cameraman s'approche alors de Maxime.

— Les cameramen aussi, Max ?

— Oui ! Mais avant, dirige la caméra un vers moi et la deux vers les gradins. Laisse-les rouler et va rejoindre les autres dans la salle.

Décontenancé, le chef-cameraman se dirige vers ses appareils. Toute l'équipe descend vers les gradins, sous l'œil de l'assistance qui se demande bien ce qui se passe. Mike, le coanimateur, est plus paquet de nerfs que jamais, même Robert Sanschagrin ressemble à un gamin qui attend le père Noël. Quant à Langlois, pour être certain d'avoir une vue parfaite sur son décolleté, il s'assoit à côté de Lisette Boudreault, qui est tout émoustillée d'être le centre d'intérêt du directeur de la programmation.

Maxime va à la console de son et ordonne aux deux techniciens d'aller rejoindre les autres : il n'y aura aucune musique, aucun effet sonore d'ici la fin de l'émission. Puis, l'animateur se rend dans la régie et donne la même consigne au réalisateur et au technicien.

— Ah oui ? réplique Chapdelaine, plus grognon que jamais. Et qui va réaliser le reste de l'émission ?

— Mario peut très bien le faire, répond l'animateur en désignant Hétu, qui se tient toujours debout à l'écart, très discret. Il est encore étudiant, mais tout ce qu'il aura à faire sera de passer de la caméra un à la caméra deux.

Chapdelaine répond qu'il n'est pas question qu'il se prête à ce genre d'improvisation puérile. D'ailleurs, c'est trop risqué. Et puis, a-t-on déjà vu tout un segment d'émission dirigé par un simple étudiant ? Maxime a beau insister, Chapdelaine refuse de quitter son poste. Steve, par solidarité, dit qu'il reste aussi.

— Bon, d'accord, fait Maxime. Tant pis pour vous autres, vous n'aurez pas la surprise de la même manière que les autres !

Il vient pour sortir quand le réalisateur pointe le menton vers Hétu.

— Pis lui ?

— Il reste avec vous deux. Je lui ai promis qu'il t'observerait durant toute l'émission.

Puis l'animateur s'adresse à Steve :

— Même si Bédard est dans la salle, il garde son casque d'écoute. Quand on sera en ondes, tu le lui diras et il me fera signe.

Steve approuve. Après avoir jeté un regard entendu à Hétu, Maxime sort rapidement. Justement, Bédard l'attrape au passage :

— J'ai fait le tour. Il n'y a plus personne dans les bureaux. Tout le monde est dans la salle.

— Parfait. Va les rejoindre, vite, on rentre en ondes dans trente secondes.

Bédard court vers les gradins. Maxime se dirige vers le centre de la scène et s'immobilise. Les deux caméras sont en marche, l'une tournée vers lui, l'autre vers la foule. Il contemple les quatre cents personnes assises devant lui, y compris toute son équipe technique dans les deux premières rangées, qui attendent avec impatience la suite. Tout le monde sourit, tout le monde est émoustillé, tout le monde adresse des signes à Maxime en levant le pouce. L'ex-milliardaire leur sourit à tous.

On y est, enfin. Il arrive à peine à y croire. Malgré Ferland qui a presque tout gâché, il va réussir.

Ça ne peut plus rater, maintenant. Tout va fonctionner. Tous les flambeaux brûleront.

Le mélange d'élévation et d'amertume qui monte en Maxime est si fort qu'un puissant étourdissement se saisit de lui. Il ferme les yeux un moment et prend trois grandes respirations. Derrière ses paupières closes, Francis apparaît, le visage abattu, le regard désapprobateur.

Désolé, Francis... J'ai vraiment tout essayé, tu le sais bien...

Il ouvre les yeux. Dans la première rangée, Bédard lève sa main puis, lentement, referme un doigt à la fois. Maxime, d'une main tremblante, ouvre son

micro-casque. Le dernier doigt du régisseur se referme. L'émission est en ondes. Maxime, sans aucune
musique ni effet sonore pour l'accompagner, se frappe
dans les mains et s'exclame avec enthousiasme :

— OK, tout le monde ! On est de retour pour la
grande finale ! J'imagine que vous êtes tous prêts,
right ?

— *Right !* rugissent quatre cents bouches ravies.

◆

— Pour toutes ces raisons, je crois qu'on ne
devrait pas accepter l'offre de Diamonds.

Autour de la grande table de la salle à manger,
les dix membres du conseil d'administration de
Lavoie inc. réfléchissent un moment en silence.
Masina regarde autour de lui, découragé. Ridicule,
cette idée de tenir la réunion chez Dumont ! Mais ce
dernier a appelé ce matin pour dire qu'il n'allait
vraiment pas bien et qu'il se sentait incapable de
quitter la maison. Par contre, si la réunion avait lieu
chez lui, il ferait un effort. Les voilà donc réunis dans
une salle à manger ! Masina jette un regard noir vers
Dumont. Assis à l'extrémité gauche de la table, il
n'a effectivement pas l'air très en forme, avec ses
cheveux gris en désordre et son teint verdâtre. Il est
vrai qu'il affiche une mine de déterré depuis quelques
années déjà, mais ces derniers mois, il a vraiment
empiré. L'Italien est convaincu que Dumont est en
pleine dépression. Ce ne serait pas étonnant qu'on
lui indique la sortie du CA bientôt.

— Moi, dit enfin un autre membre du Conseil, je
crois au contraire que l'offre est intéressante…

Dumont regarde sa montre, au grand agacement
de Masina. Ça fait au moins cinq fois qu'il la consulte depuis dix minutes ! S'il se sent malade au point

de ne pouvoir terminer la réunion, qu'il le dise tout
de suite ! Comme s'il avait lu dans les pensées du
vieil homme, Dumont se lève et bredouille :

— Excusez-moi…

Il marche vers la télévision tout près et l'allume.
Masina, offusqué, se lève.

— Jean-Claude, bon Dieu ! Qu'est-ce que tu fais ?

— Je suis désolé mais… ce sera vraiment pas
long, s'excuse le quinquagénaire.

Tout le monde proteste, mais Dumont demeure
impassible, debout, les yeux rivés sur la télé. Masina
reconnaît alors l'émission en cours : c'est l'insipidité
qu'anime Maxime. En reconnaissant son ex-président
à l'écran, l'Italien sent une immense déception l'envahir, comme chaque fois qu'il songe à Maxime.
Mais qu'est-ce qui lui a pris, *porca miseria,* de dé-
penser tout son argent pour une émission aussi stupide
et décadente !

Maintenant, tous les membres du Conseil sont
debout, furieux, et demandent des explications à
Dumont, exigent qu'il éteigne cette stupide télévision,
mais le principal concerné ne semble même pas les
entendre. Se tordant lentement les mains, il écoute
attentivement la superstar qui clame :

— OK, tout le monde ! On est de retour pour la
grande finale ! J'imagine que vous êtes tous prêts,
right ?

◆

Breton regarde sa montre : c'est le moment. Il sort
de la poche de son pantalon un grand sac-poubelle,
se place devant la porte « Régie centrale » et frappe.
Après quelques secondes, un homme dans la trentaine
vient ouvrir.

— Je viens vider les poubelles, fait Breton d'une voix amorphe.

— À cette heure ?

— J'suis nouveau, on m'a juste dit de venir vider vos poubelles.

Le technicien laisse entrer Breton. Ce dernier se retrouve dans une vaste pièce dont les murs sont recouverts de bidules électroniques auxquels Breton ne comprend rien. Mais il voit nettement l'écran du moniteur, sur le mur du fond, qui diffuse *Vivre au Max*. Un second technicien est assis devant le moniteur et écoute l'émission avec intérêt, ne prêtant aucune attention au nouveau venu.

— Y a une poubelle ici, proche du moniteur, et une autre derrière, là-bas, explique le premier technicien.

Breton approuve et marche vers un mur qu'il contourne. Une fois de l'autre côté, hors de vue des deux techniciens, il dresse l'oreille et entend Max Lavoie clamer à la télé :

— OK, tout le monde ! On est de retour pour la grande finale ! J'imagine que vous êtes tous prêts, *right ?*

— J'ai hâte de voir ça ! fait l'un des deux techniciens.

Breton vide la petite poubelle dans le sac, la respiration un peu plus rapide.

◆

La voiture de Pierre arrive au Studio Max à vingt et une heures dix-neuf et, contournant le stationnement rempli de voitures et d'autobus, se dirige vers l'entrée principale, celle du public. Il y a déjà deux voitures de patrouille qui sont arrivées et quatre agents, immobiles près de leurs véhicules, suivent des yeux le nouvel arrivant. La Suzuki se stationne près d'eux et, tandis que la plainte de la sirène agonise, le détective prend son Glock dans la boîte à gants et le range sous sa ceinture. Bon Dieu ! en deux mois il a pris son arme plus souvent que dans tout le reste de sa carrière !

— On leur demandera une arme pour toi, lance-t-il à Chloé en ouvrant la portière.

Tous deux se dirigent vers leurs collègues mont-réalais.

— Sergent-détective Pierre Sauvé. Ma partenaire, la détective Chloé Dagenais.

— Sergent Alain Parenteau, fait l'un des quatre policiers qui s'avance. Je peux voir votre plaque ?

Les deux Drummondvillois s'exécutent. Tandis que Parenteau examine les pièces d'identité, Pierre explique d'une voix modérée mais rapide :

— Il faut qu'on entre là-d'dans pis qu'on arrête l'émission.

— Pourquoi ? demande Parenteau en remettant les plaques à leurs propriétaires. Qu'est-ce qui se passe ?

— Pour l'instant, je le sais pas, mais il va peut-être se produire quelque chose… quelque chose de grave.

— Peut-être ? demande un autre policier.

— Je suis pas sûr, mais disons que ça me sur-prendrait pas. Allons-y ! Est-ce que l'un de vous a, dans sa voiture, un pistolet pour ma collègue ?

Tout en parlant, il se met en marche vers les grandes portes vitrées du studio. Tout le monde le suit, indécis.

— Mais… vous pensez qu'il va se passer quoi, exactement ? demande Parenteau.

— On sait pas vraiment, répond Chloé d'une voix plus aiguë qu'à l'accoutumée, mais ça risque d'être très…

Elle cherche ses mots. Pierre, qui secoue les portes récalcitrantes, se tourne vers les policiers, le visage maintenant plus crispé.

— C'est barré.

— Il doit y avoir une autre entrée.

— Oui, à l'arrière, mais perdons pas de temps pis défonçons ces portes tout de suite.

— Défoncer les portes ?

— Oui, défoncer ! Est-ce que ma collègue pourrait avoir une arme, s'il vous plaît ?

L'impatience lui fait maintenant hausser le ton et une fine pellicule de sueur mouille son front. Merde ! C'est vraiment pas le temps de discuter ! Et s'il se trompe, eh bien ! toute la province le lynchera, il n'en a rien à foutre ! Un policier se dirige enfin vers son véhicule pour aller chercher une arme.

— Pis appelez d'autres voitures ! lui lance Pierre.

Le regard anxieux, il appuie son visage sur l'une des portes vitrées : il voit un immense hall d'entrée désert, des kiosques de vente de produits dérivés de l'émission et, tout au fond, deux portes à une cinquantaine de mètres l'une de l'autre, qui doivent mener au studio proprement dit.

— On y va ? demande-t-il à Parenteau.

— Écoutez, détective Sauvé, si on crée un scandale inutilement, ce sera pas…

— J'en prends l'entière responsabilité, d'accord ? le coupe Pierre avec humeur.

— Alors, ou vous nous aidez, ou on y va tout seuls ! ajoute Chloé.

Parenteau soupire en remontant sa casquette, résigné, puis marche vers les portes en faisant signe aux autres de le suivre…

… quand tout à coup, en provenance de l'intérieur du studio, retentit une série de sons que Pierre reconnaît immédiatement.

◆

— OK, tout le monde ! On est de retour pour la grande finale ! J'imagine que vous êtes tous prêts, *right ?*

— *Right !* rugit la foule.

Maxime se tait, regarde en souriant l'assistance devant lui, puis commence, la voix enjouée :

— Après deux ans, *Vivre au Max* tire à sa fin. Une émission qui aura fait date ! Le plus grand succès de la télévision québécoise !

Applaudissements et cris de joie. Maxime lève les mains et, une fois le silence revenu, il continue, la voix plus grave :

— Trois millions de spectateurs et des milliers d'auditions pour participer à l'émission ! Des milliers de gens prêts à montrer à la face du monde l'insignifiance de leurs rêves ! Et des millions d'autres prêts à regarder ces insignifiances !

Plusieurs rires éclatent dans la salle, mais la plupart des gens affichent des expressions interloquées. Dans les deux premières rangées, les membres de l'équipe de Maxime se jettent des regards interdits. Langlois en détourne même son regard du décolleté de Boudreault.

— Ça aurait pu être différent, poursuit Maxime, le visage tout à coup tordu de colère. Vous auriez pu profiter de cette émission pour grandir, pour utiliser ce qu'il y a de plus noble dans l'être humain ! Vous auriez pu utiliser cette émission pour le *mieux* !

Tandis qu'il parle, Gabriel apparaît sur la scène, transportant son grand sac de toile, le visage impas-

sible mais le regard vif. Il s'arrête à quelques mètres
de son mentor et dépose le sac sur le plancher. Les
regards de la foule désorientée vont de l'adolescent
à l'animateur et ce dernier, qui n'a pas accordé la
moindre attention à Gabriel, pointe soudain un doigt
accusateur vers l'assistance en criant :

— Mais non ! Vous avez choisi de l'utiliser pour
le *pire* ! Parce que c'est ce qui vous a toujours le
plus attirés, et c'est ce qui vous attirera toujours : le
pire !

La foule commence à marmonner. Bédard et
Boudreault affichent des visages catastrophés, tandis
que Sanschagrin et Langlois, l'un blanc comme neige
et l'autre écarlate comme s'il allait exploser, discutent avec animation. Maxime se tourne alors vers
la caméra un et crache vers la lentille :

— Et le plus bas vous pourrez aller, le plus bas
vous descendrez !

Il revient alors à la foule devant lui. Toute son
amertume, tout son mépris, toute sa détresse ne
forment plus qu'une seule émotion, émiettée, cru-
cifiée, qu'il s'arrache de l'âme par sa voix tout à
coup tragique :

— J'ai voulu croire en vous ! J'ai tellement voulu !
Avez-vous idée à quel point vous m'avez déçu ? à
quel point vous êtes décevants ? J'aurais tellement
aimé que ce soit différent ! J'aurais tellement aimé
que vous *en valiez la peine* !

Des gens maintenant se lèvent et marchent vers les
deux portes de sortie en haut des gradins de chaque
côté, tandis que la foule s'agite de plus en plus,
outrée. Pendant une seconde, Maxime imagine ce qui
doit se passer en ce moment même dans le *booth*
technique : Chapdelaine sur le point d'interrompre

la diffusion… puis, au même moment, Hétu qui intervient pour prendre le contrôle de la console…

Langlois envoie un signe à Bédard, qui se lève et commence à marcher vers la scène, comme pour faire taire l'animateur, mais au même moment, Gabriel, qui fouille depuis quelques secondes dans son sac de toile, se redresse en brandissant un AK-47, le visage incroyablement dur pour un enfant de treize ans. À la vue de l'arme, Bédard se fige aussitôt, éberlué. Boudreault pousse un véritable cri de stupeur, suivi de dizaines d'autres en provenance de la foule. Si quelques-uns continuent d'afficher des airs sceptiques, comme s'ils croyaient encore à une bonne blague de la star, presque tout le monde est maintenant debout, manifestant les premiers signes de l'effroi. Ceux qui se sont rendus aux portes tentent en vain de les ouvrir.

— Mais comme vous avez choisi le vide, alors créons le vide ! s'écrie Maxime.

Il sort alors de la poche de son pantalon un couteau à cran d'arrêt dont il fait jaillir la lame. Dans la salle, la débâcle est à son comble et maintenant tous se dirigent vers les deux portes. Dans le brouhaha de plus en plus égaré, des voix se font entendre, plus fortes :

— Elles sont barrées ! On peut pas les ouvrir !

Gabriel, qui a maintenant un hideux rictus aux lèvres, pointe toujours son arme vers la foule en mouvement. Dans la première rangée, Sanschagrin est paralysé. Bédard, discrètement, a recommencé à avancer vers la scène, sans quitter la mitraillette des yeux. Langlois, qui s'est levé, crie vers l'animateur :

— Criss, Max, qu'est-ce que tu fais là ?

Mais Maxime, le regard soudain lointain, se met à réciter :

> — *Certes, je sortirai, quant à moi, satisfait*
> *D'un monde où l'action n'est pas la sœur du*
> *rêve ;*
> *Puissé-je user du glaive et périr par le glaive !*

Il lève alors ses deux bras au-dessus de sa tête, applique la lame de son couteau contre son poignet gauche et, tournant un regard épouvantablement fataliste vers la caméra, clame d'une voix forte :

— Allumez vos flambeaux !

Et il entaille profondément son poignet, tandis que Gabriel commence à tirer.

FOCALISATION ZÉRO

Trois millions deux cent mille auditeurs un peu partout dans le Québec fixent, atterrés, l'écran de télévision où Max Lavoie insulte tout le monde depuis une bonne minute. Au moment où l'animateur prononce la phrase *Allumez vos flambeaux!*, soixante-huit de ces téléspectateurs sortent une arme à feu soit de leur manteau, soit d'un sac, soit de sous leur fauteuil, et, avec un sang-froid teinté d'exaltation, se mettent à tirer.

Trente-neuf d'entre eux, assis dans leur salon, tirent sur les gens installés à leurs côtés. Parmi eux, Tim, trente-six ans, de la Côte-Nord, qui se lève de son fauteuil et, pistolet à la main, exécute sa femme avant même qu'elle ne comprenne ce qui lui arrive. Ou Franco, quarante-sept ans, de Chaudière-Appalaches, qui sort une carabine de sous son divan et abat à bout portant sa conjointe, sa fille de neuf ans et son adolescent de quinze ans qui, la bouche pleine de croustilles, a juste le temps de lancer un regard tétanisé vers son père avant de recevoir la balle en pleine tête. Ou Linda, trente-sept ans, de Charlevoix, qui vide son arme sur son mari en songeant à toutes les fois où il l'a battue, mais qui n'arrive pas à trouver

la force de tirer sur sa fille de onze ans recroquevillée dans un coin du salon. Ou Édith, trente-trois
ans, de Montréal, une célibataire sans enfants qui a
invité quatre de ses voisines d'immeuble à venir
écouter l'émission chez elle et qui réussit à en tuer
trois à coups de revolver avant que la quatrième
réussisse à se sauver en hurlant, l'oreille gauche
arrachée par une balle. Ou Denis, dix-neuf ans, de
Lanaudière, qui fait cracher deux fois sa carabine
sur ses parents et qui fixe d'un air hébété son père
qui râle en tenant son ventre en bouillie.

Seize autres, qui étaient invités à écouter l'émission chez des amis, sortent simultanément un pistolet
de sous leur ceinture et abattent les gens autour
d'eux. Comme James, trente-six ans, à Québec, qui
assassine le couple qui l'a invité. Ou Pierrette, cinquante-quatre ans, en Montérégie, qui tire sur son
frère et son propre conjoint et qui, en voyant sa
belle-sœur revenir des toilettes pour constater le
carnage, la tue à son tour. Ou Maurice, cinquante-
quatre ans, du Bas-du-Fleuve, qui n'abat qu'une seule
des onze personnes présentes, son salaud de patron
qui l'exploite depuis quinze ans, laissant les dix
autres fuir la maison. Ou Marie-Claude, vingt-deux
ans, dans les Cantons-de-l'Est, invitée chez son
amante qu'elle doit voir en cachette et à qui elle loge
une balle en pleine tête en pleurant. Ou Jacques,
vingt-huit ans, dans les Laurentides, invité par des
collègues de travail, qui élimine cinq des six personnes rassemblées autour de la télévision tandis
que la survivante, une gamine de dix ans, rampe
vers la cuisine, le bras droit désarticulé, en appelant
sa mère pourtant morte.

Deux prostituées, une à Québec et l'autre à Chi-
coutimi, font une fellation à leur client tout en jetant

un œil vers la télévision ouverte. Discrètement, sans cesser leur travail, elles glissent la main sous le lit et en sortent un revolver. L'une tire directement dans la tête de l'homme sur le point de jouir ; l'autre vise l'entrejambe de son client et, le visage éclaboussé de sang, l'observe pendant quelques instants se tordre de douleur avant de l'achever.

Dumont, en pleine réunion du conseil d'administration de Lavoie inc., sort un pistolet de son pantalon et se met à tirer sur tous ceux qui lui ordonnaient de fermer cette télévision deux secondes plus tôt. Lorsqu'il ne lui reste qu'une seule balle, il arrête de tirer. Tous les membres du Conseil sont morts, sauf Masina, miraculeusement épargné, plaqué contre le mur, paralysé de terreur.

Audrey, quarante et un ans, de Gaspésie, espionne ses voisins par la fenêtre ouverte de leur maison. Le couple écoute *Vivre au Max* et, au moment où Lavoie prononce sa phrase-signal à la caméra, Audrey lève sa carabine mais ne trouve pas le courage de tirer à travers la moustiquaire. Elle entend alors un grognement, se retourne et voit le chien de ses voisins qui la fixe d'un air menaçant. Elle dirige l'arme vers l'animal et, par dépit, appuie sur la détente.

Enrico, quarante-deux ans, en Outaouais, se tient devant la vitrine d'un magasin d'électronique derrière laquelle dix téléviseurs, comme tous les jeudis soirs, diffusent l'émission. Même s'il n'y a pas de son, Enrico parvient à lire clairement sur les lèvres de Lavoie et, au moment où l'animateur prononce sa phrase-signal, le quadragénaire sort une carabine de sous son imperméable (alors qu'il ne pleut pas) et se met à arroser les piétons, réussissant à en atteindre quatre avant que les autres s'éparpillent à toute vitesse.

L'une des victimes, un homme atteint au ventre, réussit à se cacher dans une ruelle et va se terrer tout au bout, entre deux poubelles. Lorsqu'il tente de se relever dix minutes plus tard, il n'y arrive pas, trop souffrant. Incapable d'appeler à l'aide, il râle pendant plus d'une heure avant de rendre l'âme.

Bruno, cinquante et un ans, de Lanaudière, qui n'a ni conjointe ni ami, a kidnappé une jeune fille de dix-sept ans le matin même. Maintenant, elle est attachée et bâillonnée devant la télé de Bruno, qui l'oblige à regarder l'émission. Lorsque Lavoie lance sa phrase, l'homme sort une carabine de son placard et tire une balle dans la cuisse de l'adolescente. Après quelques secondes, il lui loge une autre balle dans le bras et l'observe avec intérêt. Un troisième projectile traverse le sein droit de la fille et, finalement, l'air déçu, Bruno l'achève en lui faisant éclater la tête.

Émilie, dix-huit ans, en camping dans les Cantons-de-l'Est, installée avec le reste de sa famille devant la télé qu'on a sortie de la roulotte pour l'occasion, déplie son corps filiforme, lève un pistolet que ses muscles d'anorexique trouvent bien lourd et tire sur son père, sa mère, son frère de quinze ans et sur deux amis rencontrés la journée même. Elle aperçoit, à sa gauche, le campeur voisin qui, penché vers un tas de bois, la fixe avec épouvante. Elle lève son arme et appuie sur la détente. Elle le manque et l'homme se sauve à toutes jambes. Émilie tire à nouveau. La balle rate encore sa cible, mais se fiche dans la gorge d'une autre femme qui passait par là. Émilie contemple les corps de sa famille à ses pieds et remarque à peine les autres campeurs qui approchent en courant.

Parmi les soixante-huit membres du Déluge, six ont en leur possession des Kalachnikov. L'un d'entre eux, Louis, trente-quatre ans, de Québec, participe à un immense *party* gai organisé dans une maison privée. En sourdine, la télévision diffuse la dernière de *Vivre au Max,* écoutée par quelques personnes dont Louis qui, depuis son arrivée il y a quinze minutes, porte un immense sac de toile en bandoulière. Au moment prévu, il l'ouvre et en sort le AK-47. Au départ, il avait l'intention de ne tuer que ses trois anciens amants mais, emporté par l'action, il se met rapidement à viser tout ce qui bouge et tue les huit personnes se trouvant dans le salon, dont deux de ses ex. Ensuite, il sort de la pièce, entre dans la cuisine et tire sur les six hommes présents. Il fait le tour des autres pièces, à la recherche de son troisième ancien petit ami qu'il n'a pas encore vu, mais tous les autres participants du *party* se sont sauvés. Il finit tout de même par dénicher celui qu'il cherchait dans une chambre à l'étage, au lit avec un autre homme, tous deux morts de peur, et il les élimine d'une simple pression de la détente.

Il y a aussi deux barmen, Pete et Serge, l'un qui travaille dans un bar de Laval, l'autre dans un bar de la Mauricie. Au-dessus du comptoir, la télévision diffuse l'émission et personne ne remarque le moment où les deux barmen disparaissent sous le bar, pour en ressurgir avec chacun un AK-47. Pete réussit à tuer les douze clients dans le bar, dont cet imbécile de Fern qui se fout de sa gueule depuis des lustres à cause de son problème d'élocution. Serge, plus émotif, n'en élimine que sept, laissant fuir les quatre autres.

Les quatre derniers, qui portent de longs manteaux malgré la chaleur estivale, sont allés seuls dans quatre bars qui diffusent l'émission. Martine, vingt-quatre ans, dans un bar de Québec, fait cracher l'arme automatique durant de longues secondes et réussit à abattre neuf individus avant que l'endroit ne se vide complètement. Léo, cinquante-deux ans, dans un club du Centre-du-Québec, abat rapidement les six seuls clients sur place, sous l'œil affolé de la barmaid. Quant à Jerry, vingt-sept ans, à Montréal, et Sylvain, trente et un ans, au Saguenay, ils se trouvent dans des bars tellement pleins que lorsqu'ils commencent à tirer, les gens trébuchent les uns sur les autres en tentant de se sauver. Les deux tireurs n'ont aucune difficulté à cribler de balles les dizaines de corps qui se massent en vain devant les deux sorties et prennent même le temps de recharger leur mitraillette. Certains clients réussissent à fuir, essentiellement par les grandes fenêtres pulvérisées, mais deux d'entre eux se tranchent la gorge en voulant traverser les morceaux de vitre effilés et s'écroulent sur le trottoir, tressautant dans leur propre sang. Quatre autres traversent la rue en hurlant et se font frapper par des voitures. À eux deux, Jerry et Sylvain tuent quarante-six personnes. Jerry, sans bouger du bar, fauche même trois curieux qui s'étaient approchés de la vitrine fracassée.

En moins de trois minutes, deux cent quarante-sept personnes meurent par balles aux quatre coins du Québec. Une fois leur œuvre de destruction terminée, les soixante-huit tueurs sentent l'extraordinaire excitation qui les habitait une minute plus tôt s'effilocher, comme si elle s'était usée en quelques secondes. Leur flambeau s'éteint et, une fois les cendres éparpillées, ils constatent avec une terrible acuité l'immense vide de leur vie, qu'ils ont réussi à combler un court moment par le sang, les cris et la haine, mais qui maintenant, dans le silence de la mort, leur apparaît plus abyssal que jamais.

Et ils se disent que Lavoie avait raison.

Malheureux mais rassurés, ils enfouissent le canon de leur arme dans leur bouche et, avec au maximum une minute de décalage entre le premier et le dernier, ils appuient sur la détente.

CHAPITRE 39

La première personne à recevoir la rafale de balles est Bédard, qui a presque réussi à atteindre la scène. Puis Gabriel se met à tirer au hasard dans la salle, fauchant au passage Langlois et Sanschagrin, ainsi que trois membres de l'équipe technique de l'émission.

Tout en tranchant les veines de son second poignet, Maxime contemple la cohue qui se déclenche sous ses yeux. Tout le monde se précipite en hurlant vers les deux portes qui refusent toujours de s'ouvrir, tandis que Gabriel, la bouche crispée en une grimace mi-jouissive, mi-tragique, tire sur tous ces corps grouillants et hystériques en émettant des petits sons qui peuvent s'apparenter autant au ricanement qu'au gémissement. Et les morts commencent à tomber : sept, puis onze… Maxime lâche son couteau. Les deux bras écartés au-dessus de sa tête, les poignets dégoulinant de sang, il se met à hurler :

— Mourez ! Mourez tous !

Les larmes se mettent à couler de ses yeux fous. Parmi la foule en pleine panique, il les aperçoit soudain : pas seulement Nadine, mais tous les autres étudiants insignifiants de son adolescence ; pas seulement son père, mais la maîtresse de ce dernier et

tous les journalistes complaisants ; pas seulement
Masina, mais tous les autres membres insensibles
du conseil d'administration ; pas seulement le propriétaire du *sweatshop* des Philippines, mais tous
les consommateurs qui n'en ont rien à foutre ; pas
seulement les Rousseau, mais Simon Plourde et
tous les villageois complices par leur silence ; pas
seulement les quatre cents personnes dans la salle,
mais les trois millions de spectateurs lobotomisés…
Il les voit *tous !* Les sanglots le font littéralement
hoqueter, mais tourné maintenant vers la caméra, il
continue à cracher d'une voix brisée par la haine et
le désespoir :

— Mourez, puisque vous vivez si mal !

L'épouvantable pétarade cesse enfin : la mitraillette est vide. Gabriel, la respiration sifflante et le
visage couvert de sueur, se penche rapidement vers
son sac pour recharger son arme. Pendant deux secondes, on n'entend que les cris et les lamentations
de la foule qui s'empile littéralement devant les
sorties verrouillées, quand tout à coup quatre coups
de feu résonnent du fond de la salle. Stupéfait,
Maxime cherche des yeux la provenance de ces
détonations, la vision affaiblie par le sang qu'il
perd. Puis les deux portes de sortie s'ouvrent toutes
grandes et la marée humaine est aspirée par les
deux ouvertures.

Qui a ouvert les portes ?

Gabriel, d'un mouvement vif, insère un nouveau
chargeur plein dans sa Kalachnikov. Maxime, maintenant chancelant, distingue par chacune des ouvertures des policiers qui réussissent péniblement à
entrer en se faufilant parmi la cohue trop hallucinée
pour se rendre compte qu'il s'agit de flics. Il reconnaît
ceux de gauche : Sauvé et Dagenais ! Il cligne des

yeux, incrédule… et tout à coup, une rage pure, totale, lui parcourt tout le corps tel un courant électrique. Il tourne son visage convulsé vers la lentille et, malgré la faiblesse qui le gagne de plus en plus, ouvre démesurément la bouche pour crier un seul mot :

— *FERLAND !!!*

◆

En voyant Lavoie hurler vers la caméra « Allumez vos flambeaux », Frédéric, toujours debout face à la télé, corde autour du cou, comprend que Sauvé n'a pas décodé à temps l'ultime indice qu'il lui a laissé cet après-midi. Ébloui, il observe Gabriel tirer sur l'assistance, le montage faisant alterner avec efficacité les plans de la scène avec ceux de la foule livrée au chaos. Eh bien ! Frédéric aura été meilleur criminel que détective, pourquoi pas ? L'aventure a vraiment été passionnante… Mais, tout à coup, on voit les deux portes de la salle s'ouvrir… et le psychologue distingue des policiers qui entrent ! Et il reconnaît Sauvé ! Il sera arrivé trop tard pour le déluge, mais à temps pour éviter le pire dans le studio ! Et ce, grâce à lui, Frédéric Ferland ! L'enquête policière aura donc partiellement réussi !

Moitié-moitié, songe Ferland avec enchantement. Voilà une fin tout à fait gratifiante ! Comme s'il avait été tout aussi bon criminel que policier ! Dieu du ciel ! qu'aurait-il pu demander de *mieux* ?

Le flambeau achève de se consumer. Icare a maintenant atteint le soleil et ses ailes brûlent rapidement. Ferland n'a jamais éprouvé une telle euphorie et il sait très bien qu'il ne sentira plus jamais rien de tel. Ému, il commence à osciller sur sa chaise, dans l'intention de la faire basculer, et voit au même moment le visage de Lavoie apparaître à l'écran, congestionné de rage, et qui hurle vers la lentille : « FERLAND ! »

— Merci, Maxime, marmonne le psychologue avec une sincère reconnaissance. Merci mille fois.

La chaise bascule et Icare, dépouillé de ses ailes, se laisse enfin tomber.

◆

Dumont, qui vient tout juste de se suicider, gît sur le sol parmi les huit autres cadavres. Masina, toujours contre le mur, respire à toute vitesse, le cœur battant à tout rompre, à tel point qu'il est convaincu, pendant un moment, qu'il va se claquer une crise cardiaque. Mais peu à peu, il comprend que c'est terminé, qu'il a échappé à la mort, et son cœur finit par reprendre un rythme normal. Incapable de réfléchir, de comprendre même ce qui s'est passé, il fait quelques pas puis, avisant la télé toujours ouverte, découvre l'autre scène d'horreur.

Il voit Gabriel, le visage étonnamment expressif, tirer sur l'assistance avec une mitraillette… Il voit la foule hurlante se précipiter vers les sorties, les corps tomber… Et surtout, surtout, il voit Maxime, les bras levés, les poignets dégoulinants, le visage couvert de larmes et de sang, aussi triomphant que vaincu, lancer des anathèmes vers la foule et la caméra…

Les traits du vieil homme d'affaires s'effondrent, comme si son grand âge venait de le rattraper en une seule seconde.

— Oh, Max, Max ! articule-t-il en italien, dans un croassement pathétique. Qu'est-ce que tu as fait !…

Il se laisse tomber dans un fauteuil. Seul, entouré des cadavres de ses collègues, il regarde Maxime hurler « FERLAND ! » vers la caméra, les yeux embrouillés par les larmes.

◆

Au moment où Maxime se met à insulter le public, l'un des deux techniciens du centre de diffusion de la station de télévision s'exclame :

— Incroyable, ça ! T'entends-tu ça ? Il niaise ou quoi ?

Le second technicien a aussi les yeux rivés sur le moniteur. Tous deux ont complètement oublié la présence de Breton qui s'approche lentement derrière eux.

— Étonnant que le réalisateur arrête pas l'émission ! fait remarquer le premier technicien.

Mais lorsque lui et son collègue voient Gabriel commencer à tirer sur la foule, ils réagissent enfin. Jamais, depuis qu'ils travaillent à la station, ils n'ont eu à interrompre une diffusion mais là, ils sont persuadés que c'est le moment de le faire.

— On attend pas que les boss nous appellent ? fait l'un d'eux, incapable de détacher son regard épouvanté du moniteur.

— D'la marde ! Moi, je coupe tout de suite !

Il allonge la main vers la commande d'interruption mais n'a pas le temps de l'atteindre : une balle, tirée d'un pistolet muni d'un silencieux, lui perfore l'arrière du crâne et ressort par la joue droite. Le second technicien, en recevant une éclaboussure d'hémoglobine, pousse un cri en se tournant vers son collègue. En voyant sa tête en bouillie, il se demande stupidement si l'adolescent fou, à la télé, a pu l'atteindre à travers l'écran lorsqu'il reçoit deux balles dans le dos. Il meurt avant même d'avoir touché le plancher.

Maintenant qu'il a tiré trois fois, Breton se sent plus détendu, agréablement surpris du pouvoir qu'il a ressenti en tuant ces inconnus. En fait, c'est la première fois de sa vie qu'il a l'impression de se sentir le moindrement puissant, le moindrement fort, le moindrement en contrôle de quelque chose, et il se dit qu'il y a bien droit. Il observe un court moment l'hécatombe qui se déroule sur le moniteur, puis lance un regard neutre au téléphone qui n'arrête pas de sonner. Il marche vers la porte, l'ouvre et, pistolet en main, appuyé au chambranle, attend patiemment sans quitter le couloir vide des yeux.

Deux minutes plus tard, deux individus débouchent au loin et s'approchent en courant : l'un d'eux est un gardien de sécurité et l'autre une femme habillée d'un tailleur chic. Celle-ci crie déjà vers Breton :

— Mais qu'est-ce que vous faites ? Il faut arrêter la diffusion tout de suite, c'est...

Deux balles lui traversent la poitrine. Le gardien se fige net, la bouche comiquement ouverte en un cercle parfait, et il meurt dans cette attitude grotesque, la gorge transpercée. Breton, toujours dans le cadre de la porte, abaisse son arme. C'était bien de les tuer, ceux-là aussi, mais déjà moins intéressant. Lavoie les avait prévenus, d'ailleurs... Quel homme sage !

Durant les deux minutes suivantes, il tue trois autres personnes, cette fois avec une parfaite indifférence. Il tourne ensuite la tête vers le moniteur et voit les policiers entrer dans la salle. Ce n'était pas prévu, ça. Devrait-il se retirer maintenant ? Aussi bien attendre encore un peu... Lorsqu'il entend, une minute plus tard, des dizaines de pas s'approcher, il se dit que c'est sans doute la police qui arrive. Il ne pourra pas leur résister bien longtemps. Il tourne à nouveau la tête vers le moniteur et, constatant ce qui s'y passe, se dit que son travail est terminé. De toute façon, il n'a plus du tout envie de tuer, l'excitation est passée et il se sent plus vide que jamais. Oui, vraiment, Lavoie a eu raison sur toute la ligne.

Breton introduit le canon du pistolet dans sa bouche. La détonation se mêle aux cris des policiers qui apparaissent enfin.

◆

En ouvrant la porte dont il vient de faire sauter la serrure à coups de revolver, Pierre a l'impression qu'un raz-de-marée fonce sur lui. En constatant qu'il s'agit de dizaines d'individus hurlants et terrorisés, il comprend qu'il a eu raison. Tant bien que mal, il s'avance, se fait repousser, puis finit par entrer, suivi de Chloé et d'un autre flic. Presque tout le monde est sorti, mais il y a encore suffisamment de fuyards pour rendre la vision difficile. Néanmoins, Pierre aperçoit Maxime au milieu de la scène, les mains levées au-dessus de lui, arrosé par son propre sang qui coule de ses poignets. Pendant une fraction de seconde, le détective est convaincu que Maxime le voit aussi… et tout à coup, l'animateur se tourne vers la caméra pour hurler quelque chose. Pierre se fait bousculer, tombe presque, reprend son équilibre et regarde à nouveau vers la scène. Il y a quelqu'un d'autre… On dirait… Oui, c'est Gabriel. Et il tient… On dirait un…

Seigneur Dieu !

— Couchez-vous ! crie le détective de sa voix la plus forte.

Il se jette au sol, imité par Chloé et l'autre flic, mais les fuyards poursuivent leur course et piétinent les trois policiers. Au même moment, une déflagration de mitraillette recouvre les cris et trois autres spectateurs s'effondrent. Pierre, malgré les gens qui lui passent dessus, réussit à se relever, le corps douloureux, et, rapidement, lève son pistolet vers Gabriel qui vise dans une autre direction. Le détective appuie sur la détente deux fois. La première balle rate sa cible, la seconde se loge dans la jambe droite de l'adolescent. Gabriel pousse un cri aigu de douleur et, chancelant, cesse de tirer. Il réussit tout de même à redresser son AK-47, sur le point de rouvrir le feu, mais trois autres détonations éclatent en provenance de la seconde porte, produites par Parenteau et un de ses hommes. Deux des balles atteignent l'adolescent à la poitrine et au ventre. Cette fois, Gabriel lâche son arme et s'écroule.

— Non! hurle Lavoie en se précipitant vers son protégé.

Il n'y a maintenant presque plus personne dans la salle et Pierre peut courir vers la scène. Confusément, il entend Parenteau ordonner à l'un de ses hommes d'appeler des ambulances au plus vite.

Lavoie, défaillant, affaibli par le sang qu'il a perdu, est penché sur Gabriel et lui soutient la tête. Ce dernier hoquette douloureusement, pris de convulsions, et fixe son mentor avec un regard totalement hagard, comme s'il se réveillait d'un long cauchemar.

— Ça ne devait pas finir comme ça, Gabriel, déplore l'animateur. Je suis désolé, ça ne devait pas finir comme ça!

Gabriel, qui a enfin le regard d'un enfant de treize ans, lève une main tremblante vers Lavoie, en un geste impossible à interpréter, bouge les lèvres et une voix aiguë, presque enfantine, se fait entendre:

— Tu… tu… tu as…

Un jet de sang fuse de sa bouche, puis il meurt en fermant les yeux.

Lavoie se redresse péniblement, se tourne vers Pierre qui s'est approché et crie d'une voix anémique mais encore véhémente :

— Il devait se retirer après avoir brûlé son flambeau au complet ! Vous avez ruiné le seul moment de lumière de sa chienne de vie ! Vous...

Ses reproches sont interrompus par le poing de Pierre qui l'atteint en plein visage. Il se retrouve étendu sur le dos et n'a plus la force de se relever. Le détective, debout au-dessus de lui, le visage rendu méconnaissable par la haine, pointe son Glock vers l'animateur. Même s'il n'y a plus aucun spectateur dans la salle, le policier entend toujours les cris dans sa tête, qui gonflent et gonflent toujours, des cris qu'il réussira à faire taire seulement en éliminant le responsable, en faisant disparaître celui qui a provoqué tant de souffrance...

— Allez-y, croasse Lavoie avec un rictus arrogant. Tirez ! Vous en avez tellement envie, et moi aussi !

Pierre halète. Son doigt tremble sur la détente. Oui, pourquoi pas ? *Pourquoi pas ?*

— Tirez ! crache Lavoie.

— Pierre, non !

Le détective sursaute et se retourne. Chloé, à deux mètres de lui, l'implore du regard.

— Pierre, non, pour l'amour du ciel, ne fais pas ça !

Éperdu, Pierre serre les dents, revient à Lavoie qui le défie toujours. Son pistolet lui semble soudain brûlant. Alors, il le range sous sa ceinture, se penche vers l'animateur et le soulève par le col en éructant d'une voix basse :

— Tu vas vivre, Lavoie !

L'animateur paraît tout à coup consterné. Pierre le lâche et regarde autour de lui, étourdi. Il remarque

que certains policiers aident une femme blessée à
se relever dans la première rangée. C'est Lisette
Boudreault, qui pleure en poussant de petits cris. Le
détective voit alors les deux caméras et un affreux
pressentiment s'empare de lui. Avec des gestes ra-
geurs, il renverse la première caméra, puis la seconde
et, en vitesse, se dirige vers le fond des coulisses ; il
trouve rapidement la régie et y entre.

Chapdelaine et Steve sont étendus sur le sol, le
crâne éclaté. Hétu, assis dans le fauteuil du réalisateur,
est renversé vers l'arrière, mort. Il a encore le canon
de son silencieux enfoncé dans la bouche. Le corps
voûté, Pierre retourne sur la scène, se répétant mentalement que la chaîne de télévision a sûrement eu
l'intelligence d'interrompre la diffusion.

Tout lui semble lent tout à coup, comme s'il se
déplaçait dans un rêve qui aurait volontairement
ralenti le temps afin que le policier vive ce délire le
plus longtemps possible. Dans sa tête, les cris ont
diminué d'intensité mais continuent tout de même à
planer, comme un écho persistant. Dans la salle,
d'autres policiers sont arrivés. Certains ont évacué
les blessés, d'autres errent entre les cadavres, complètement dépassés. Parenteau et un autre flic, avec
du tissu arraché, confectionnent des bandages de
fortune aux poignets de Lavoie, toujours couché sur
le sol. Chloé, qui s'est approchée de son collègue,
marmonne :

— Il y a une trentaine de morts…

Elle n'en mène pas large elle non plus, mais elle
réussit tout de même à faire percer une note de soulagement dans sa voix lorsqu'elle ajoute :

— C'est horrible, je le sais. Mais on a tout de
même évité le pire.

— Ici, peut-être…

C'est Lavoie qui prononce ces mots, tandis qu'on le relève et qu'une paire de menottes se referme sur ses bandages. Le visage sombre, tenant à peine debout tant il est affaibli, il ajoute :

— Mais à l'extérieur, le Déluge a bel et bien eu lieu...

Tétanisé, Pierre est incapable de répliquer quoi que ce soit tandis qu'on amène l'animateur vers la sortie.

— Il bluffe ! souffle enfin le détective à sa collègue.

Au même moment, une voix surgit du walkie-talkie de l'un des policiers dans la salle :

— Appel d'urgence, on a besoin de renforts, dans un immeuble à appartements coin Sainte-Catherine et Saint-Hubert. On a signalé des coups de feu. Confirmez, à vous.

Le policier prend son walkie-talkie pour répondre, mais au même moment, un autre agent, sur le point de sortir, reçoit aussi un appel :

— Y a eu une fusillade dans un bar de la rue Crescent, c'est le bordel total ! Besoin du maximum de voitures ! À vous !

Les policiers dans les gradins se jettent des regards effarés, l'un d'eux marmonne même : « Mais qu'est-ce qui se passe, ce soir ? »

Chloé se met lentement la main devant la bouche. Pierre sent un vent glacial lui mordre le ventre et dirige automatiquement son regard vers Lavoie, au fond de la salle, escorté par deux agents. Au moment de franchir la porte, la star tourne mollement la tête vers Pierre et esquisse un sourire, parfaitement victorieux et infiniment triste.

Dans la tête de Pierre, les cris redoublent d'ardeur, gonflent et se multiplient, comme si dans son âme hurlait la totalité du genre humain.

CHAPITRE QUARANTE

Vendredi.

Le gardien ouvre la porte de la cellule. Pierre fait quelques pas, suivi de Chloé qui tient un sac en plastique dans ses mains. Maxime Lavoie, étendu sur sa couchette, fixe le plafond. En reconnaissant ses visiteurs, il se redresse, le visage impassible. Pierre garde le silence un moment puis articule :

— Trois cent cinquante-sept. Ça inclut tes tueurs qui se sont suicidés ensuite. Ça inclut les trente-deux personnes tuées dans le studio. Ça inclut même Ferland. Si on ajoute les quelque six cents personnes qui ont assisté à tes réunions aux cours des deux dernières années pis qui se sont suicidées par la suite, ça fait environ mille morts.

Lavoie penche la tête sur le côté.

— Pourquoi vous me dites ça ? Vous espérez me donner des remords ?

Les deux détectives ne disent rien. L'assassin se lève de sa couchette, s'approche du policier.

— C'est pour ça que vous vouliez que je vive, n'est-ce pas ? Vous espérez que je réalise la monstruosité de mes actes ?

Pierre respire un peu plus vite, dégoûté par la proximité de la star déchue. Chloé, qui tient son sac, n'a aucune réaction.

— Vous avez raison sur un point : continuer à vivre m'est absolument intolérable. Mais pas pour les raisons que vous croyez.

Ses traits se crispent.

— Ça m'est intolérable parce que pendant encore longtemps, je vais être obligé de constater ce que j'avais déjà compris…

Le détective arque un sourcil incertain.

— Plus de trois millions de spectateurs ont assisté à la fusillade du studio, poursuit Lavoie d'une voix hargneuse.

Il sourit. Mais cette fois, aucune victoire ne teinte son sourire. Seulement de l'amertume.

— Et vous croyez que ça va changer quelque chose ? ajoute-t-il dans un souffle.

Pendant un moment, Pierre ne réagit pas ; il retrousse les lèvres avec dédain puis sort de la cellule. Chloé, par contre, ne le suit pas tout de suite. Elle fait un pas vers Lavoie en disant d'une voix neutre :

— C'est pour vous.

De son sac, elle sort un grand *scrapbook* et le tend à l'ex-milliardaire. L'air interrogatif, Lavoie le prend et la policière, le regard triste, ajoute dans un souffle :

— Vous en avez plus besoin que moi.

Tandis que Lavoie feuillette avec perplexité les pages recouvertes d'articles de journaux, Chloé sort enfin de la cellule.

◆

Samedi.

Pierre a quarante ans. Une petite fête devait avoir lieu pour lui au poste, mais il a prévenu ses collègues qu'il ne s'y rendrait pas. De toute façon, personne n'avait la tête à fêter.

Il passe la matinée et une partie de l'après-midi dans la chambre de sa fille, avec Chloé. À l'hôpital, dans les rues, partout, il n'entend parler que du Déluge (les médias ayant mis la main sur les papiers et les archives de Lavoie, tout le monde sait maintenant en quoi consistait son ignoble dessein).

Pierre demeure de longues heures à observer sa fille endormie.

Plus tard, en marchant dans les rues de Montréal, les deux détectives croisent des jeunes qui discutent entre eux :

— Crime, on voyait le monde recevoir les balles pis mourir, as-tu vu ça ?

— Ouais, mets-en !

Mélange d'aversion et d'excitation dans leur voix. Pierre frissonne.

Dans la voiture, de retour vers Drummondville, ils écoutent la radio. On y parle bien sûr du massacre. Un psychologue tente de dresser un portrait psychologique de Lavoie. Puis, on fait jouer un extrait sonore de la fusillade du studio. Chloé ferme la radio.

— On est pas arrivés à temps, dit Pierre. J'ai compris trop tard…

— Tu as sauvé trois cent soixante-dix personnes sur quatre cents, rétorque Chloé. C'est énorme.

Elle le regarde en souriant :

— Combien de gens, dans leur vie, peuvent se vanter d'avoir sauvé autant d'individus ?

Il hoche la tête. Il sait qu'elle a raison. Cela le réconforte. Un peu.

Chez Pierre, ils regardent un moment la télévision, comme si le détective avait besoin de voir comment on *en* parle. La plupart des chaînes analysent la fusillade en remontant en boucle la scène que tout le monde a pourtant déjà vue des centaines de fois. À certaines stations, on la projette même au ralenti ; on distingue nettement les corps qui reçoivent les balles et tombent. Durant le téléjournal, on explique que la chaîne de télévision qui diffusait *Vivre au Max* a l'intention d'interdire aux autres canaux l'utilisation des scènes de la tuerie pour s'en garder l'exclusivité. Deux éditeurs connus de Montréal se battent pour être le premier à publier un livre sur Lavoie. On annonce l'apparition d'une nouvelle émission anglophone inspirée de *Vivre au Max,* qui débutera dès l'automne aux États-Unis. Le journaliste ajoute que l'Europe s'est aussi montrée intéressée par le concept.

Pierre entend alors les mots de Lavoie.

« Vous croyez que ça va changer quelque chose ? »

Il ferme les yeux et marmonne à Chloé :

— Ça suffit…

La policière ferme la télé. Pierre, les yeux clos, sent les mains de la jeune femme lui effleurer la joue, puis sa voix tellement bienveillante, tellement vraie, qui murmure :

— Bonne fête.

Ils s'embrassent.

Ils font l'amour avec une véhémence presque douloureuse, comme si cet acte dépassait leur simple désir, comme si leur fusion était le porte-drapeau d'un espoir beaucoup plus grand qu'eux.

Comme s'ils accomplissaient un acte de résistance.

◆

Dimanche.

Pierre et Chloé sont à l'hôpital depuis plusieurs heures. Tandis que la détective est descendue à la cafétéria manger un morceau, Pierre est demeuré seul dans la chambre. Assis tout près du lit, la main droite de Karine entre ses propres paumes, il fixe le sol, épuisé.

Il sent un mouvement entre ses doigts. Il lève la tête.

Karine a les yeux ouverts. Elle regarde longuement le plafond, puis tourne la tête lentement. Elle aperçoit Pierre.

— Papa…, articule-t-elle d'une voix rauque.

Elle est faible mais parfaitement éveillée, assez pour manifester une certaine inquiétude, comme si elle redoutait la réaction de son père. Ce dernier l'observe sans un mot. Tout à coup, il sent quelque chose *fuir* hors de lui, dégageant ainsi un espace immense et lumineux, où son cœur peut battre normalement et son âme reprendre son ampleur. Il serre la main de sa fille avec force, sans la quitter des yeux, et Pierre se dit qu'elle est si belle qu'il ne permettra pas à son ancienne aura de ténèbres de réapparaître.

— Tu dis rien ? marmonne-t-elle, craintive.

Il secoue la tête. Une de ses mains monte vers le front de sa fille et caresse ses cheveux.

— Parle-moi, souffle-t-il.

Karine cligne des yeux, d'abord étonnée, puis émue. Pierre hoche la tête, esquisse un sourire et, la voix timide mais vibrante de promesses, répète :

— Parle-moi…

REMERCIEMENTS

Pour m'avoir aidé au cours de mes recherches, pour avoir répondu à mes questions et/ou pour avoir lu et commenté ce roman avant sa publication, je tiens à remercier Suzanne Bélair, Alain Roy, Nicole Robert, Marc Guénette, Denis Halde, Louise Lantagne et Claudine Cyr.

Un merci spécial à Jean Pettigrew, mon éditeur, qui, grâce à ses commentaires constructifs et ses conseils pertinents, fait de moi un écrivain comblé.

Et un merci amoureux et passionné à ma douce Sophie, qui fait briller le soleil depuis dix ans, et dont les conseils d'ordre professionnel et le support moral ont été particulièrement importants pour ce roman.

Patrick Senécal
Janvier 2007

PATRICK SENÉCAL...

... est né à Drummondville en 1967. Bachelier en études françaises de l'Université de Montréal, il a enseigné pendant plusieurs années la littérature et le cinéma au cégep de Drummondville. Passionné par toutes les formes artistiques mettant en œuvre le suspense, le fantastique et la terreur, il publie en 1994 un premier roman d'horreur, *5150, rue des Ormes*, où tension et émotions fortes sont à l'honneur. Son troisième roman, *Sur le seuil*, un suspense fantastique publié en 1998, a été acclamé de façon unanime par la critique. Après *Aliss* (2000), une relecture extrêmement originale et grinçante du chef-d'œuvre de Lewis Carroll, *Les Sept Jours du talion* (2002), *Oniria* (2004), *Le Vide* (2007) et *Hell.com* (2009) ont conquis le grand public dès leur sortie des presses. *Sur le seuil* et *5150, rue des Ormes* ont été portés au grand écran par Éric Tessier (2003 et 2009), et c'est Podz qui a réalisé *Les Sept Jours du talion* (2010). Trois autres romans sont présentement en développement tant au Québec qu'à l'étranger.

EXTRAIT DU CATALOGUE

Collection « Romans » / Collection « Nouvelles »

001	*Blunt – Les Treize Derniers Jours*	Jean-Jacques Pelletier
002	*Aboli* (Les Chroniques infernales)	Esther Rochon
003	*Les Rêves de la Mer* (Tyranaël -1)	Élisabeth Vonarburg
004	*Le Jeu de la Perfection* (Tyranaël -2)	Élisabeth Vonarburg
005	*Mon frère l'Ombre* (Tyranaël -3)	Élisabeth Vonarburg
006	*La Peau blanche*	Joël Champetier
007	*Ouverture* (Les Chroniques infernales)	Esther Rochon
008	*Lames sœurs*	Robert Malacci
009	*SS-GB*	Len Deighton
010	*L'Autre Rivage* (Tyranaël -4)	Élisabeth Vonarburg
011	*Nelle de Vilvèq* (Le Sable et l'Acier -1)	Francine Pelletier
012	*La Mer allée avec le soleil* (Tyranaël -5)	Élisabeth Vonarburg
013	*Le Rêveur dans la Citadelle*	Esther Rochon
014	*Secrets* (Les Chroniques infernales)	Esther Rochon
015	*Sur le seuil*	Patrick Senécal
016	*Samiva de Frée* (Le Sable et l'Acier -2)	Francine Pelletier
017	*Le Silence de la Cité*	Élisabeth Vonarburg
018	*Tigane -1*	Guy Gavriel Kay
019	*Tigane -2*	Guy Gavriel Kay
020	*Issabel de Qohosaten* (Le Sable et l'Acier -3)	Francine Pelletier
021	*La Chair disparue* (Les Gestionnaires de l'apocalypse -1)	Jean-Jacques Pelletier
022	*L'Archipel noir*	Esther Rochon
023	*Or* (Les Chroniques infernales)	Esther Rochon
024	*Les Lions d'Al-Rassan*	Guy Gavriel Kay
025	*La Taupe et le Dragon*	Joël Champetier
026	*Chronoreg*	Daniel Sernine
027	*Chroniques du Pays des Mères*	Élisabeth Vonarburg
028	*L'Aile du papillon*	Joël Champetier
029	*Le Livre des Chevaliers*	Yves Meynard
030	*Ad nauseam*	Robert Malacci
031	*L'Homme trafiqué* (Les Débuts de F)	Jean-Jacques Pelletier
032	*Sorbier* (Les Chroniques infernales)	Esther Rochon
033	*L'Ange écarlate* (Les Cités intérieures -1)	Natasha Beaulieu
034	*Nébulosité croissante en fin de journée*	Jacques Côté
035	*La Voix sur la montagne*	Maxime Houde
036	*Le Chromosome Y*	Leona Gom
037	(N) *La Maison au bord de la mer*	Élisabeth Vonarburg
038	*Firestorm*	Luc Durocher
039	*Aliss*	Patrick Senécal
040	*L'Argent du monde -1* (Les Gestionnaires de l'apocalypse -2)	Jean-Jacques Pelletier
041	*L'Argent du monde -2* (Les Gestionnaires de l'apocalypse -2)	Jean-Jacques Pelletier
042	*Gueule d'ange*	Jacques Bissonnette
043	*La Mémoire du lac*	Joël Champetier
044	*Une chanson pour Arbonne*	Guy Gavriel Kay
045	*5150, rue des Ormes*	Patrick Senécal
046	*L'Enfant de la nuit* (Le Pouvoir du sang -1)	Nancy Kilpatrick
047	*La Trajectoire du pion*	Michel Jobin
048	*La Femme trop tard*	Jean-Jacques Pelletier
049	*La Mort tout près* (Le Pouvoir du sang -2)	Nancy Kilpatrick
050	*Sanguine*	Jacques Bissonnette
051	*Sac de nœuds*	Robert Malacci
052	*La Mort dans l'âme*	Maxime Houde
053	*Renaissance* (Le Pouvoir du sang -3)	Nancy Kilpatrick

054 *Les Sources de la magie* — Joël Champetier
055 *L'Aigle des profondeurs* — Esther Rochon
056 *Voile vers Sarance* (La Mosaïque sarantine -1) — Guy Gavriel Kay
057 *Seigneur des Empereurs* (La Mosaïque sarantine -2) — Guy Gavriel Kay
058 *La Passion du sang* (Le Pouvoir du sang -4) — Nancy Kilpatrick
059 *Les Sept Jours du talion* — Patrick Senécal
060 *L'Arbre de l'Été* (La Tapisserie de Fionavar -1) — Guy Gavriel Kay
061 *Le Feu vagabond* (La Tapisserie de Fionavar -2) — Guy Gavriel Kay
062 *La Route obscure* (La Tapisserie de Fionavar -3) — Guy Gavriel Kay
063 *Le Rouge idéal* — Jacques Côté
064 *La Cage de Londres* — Jean-Pierre Guillet
065 (N) *Treize nouvelles policières, noires et mystérieuses* — Peter Sellers (dir.)
066 *Le Passager* — Patrick Senécal
067 *L'Eau noire* (Les Cités intérieures -2) — Natasha Beaulieu
068 *Le Jeu de la passion* — Sean Stewart
069 *Phaos* — Alain Bergeron
070 (N) *Le Jeu des coquilles de nautilus* — Élisabeth Vonarburg
071 *Le Salaire de la honte* — Maxime Houde
072 *Le Bien des autres -1* (Les Gestionnaires de l'apocalypse -3) — Jean-Jacques Pelletier
073 *Le Bien des autres -2* (Les Gestionnaires de l'apocalypse -3) — Jean-Jacques Pelletier
074 *La Nuit de toutes les chances* — Eric Wright
075 *Les Jours de l'ombre* — Francine Pelletier
076 *Oniria* — Patrick Senécal
077 *Les Méandres du temps* (La Suite du temps -1) — Daniel Sernine
078 *Le Calice noir* — Marie Jakober
079 *Une odeur de fumée* — Eric Wright
080 *Opération Iskra* — Lionel Noël
081 *Les Conseillers du Roi* (Les Chroniques de l'Hudres -1) — Héloïse Côté
082 *Terre des Autres* — Sylvie Bérard
083 *Une mort en Angleterre* — Eric Wright
084 *Le Prix du mensonge* — Maxime Houde
085 *Reine de Mémoire 1. La Maison d'Oubli* — Élisabeth Vonarburg
086 *Le Dernier Rayon du soleil* — Guy Gavriel Kay
087 *Les Archipels du temps* (La Suite du temps -2) — Daniel Sernine
088 *Mort d'une femme seule* — Eric Wright
089 *Les Enfants du solstice* (Les Chroniques de l'Hudres -2) — Héloïse Côté
090 *Reine de Mémoire 2. Le Dragon de Feu* — Élisabeth Vonarburg
091 *La Nébuleuse iNSIEME* — Michel Jobin
092 *La Rive noire* — Jacques Côté
093 *Morts sur l'Île-du-Prince-Édouard* — Eric Wright
094 *La Balade des épavistes* — Luc Baranger
095 *Reine de Mémoire 3. Le Dragon fou* — Élisabeth Vonarburg
096 *L'Ombre pourpre* (Les Cités intérieures -3) — Natasha Beaulieu
097 *L'Ourse et le Boucher* (Les Chroniques de l'Hudres -3) — Héloïse Côté
098 *Une affaire explosive* — Eric Wright
099 *Même les pierres…* — Marie Jakober
100 *Reine de Mémoire 4. La Princesse de Vengeance* — Élisabeth Vonarburg
101 *Reine de Mémoire 5. La Maison d'Équité* — Élisabeth Vonarburg
102 *La Rivière des morts* — Esther Rochon
103 *Le Voleur des steppes* — Joël Champetier
104 *Badal* — Jacques Bissonnette
105 *Une affaire délicate* — Eric Wright
106 *L'Agence Kavongo* — Camille Bouchard
107 *Si l'oiseau meurt* — Francine Pelletier
108 *Ysabel* — Guy Gavriel Kay

VOUS VOULEZ LIRE DES EXTRAITS
DE TOUS LES LIVRES PUBLIÉS AUX ÉDITIONS ALIRE ?
VENEZ VISITER NOTRE DEMEURE VIRTUELLE !
www.alire.com

Le Vide 2. Flambeaux
est le cent vingt-septième titre publié
par Les Éditions Alire inc.

Ce septième tirage
a été achevé d'imprimer
en juin 2012 sur les presses de

IMPRIMÉ AU CANADA